Une note de pourpre

Sylvia DAY

LES ANGES RENÉGATS – 1

Une note de pourpre

Traduit de l'anglais (États-Unis)
par Charline McGregor

POUR elle

Vous souhaitez être informé en avant-première
de nos programmes, nos coups de cœur ou encore
de l'actualité de notre site *J'ai lu pour elle* ?

Abonnez-vous à notre *Newsletter* en vous connectant
sur **www.jailu.com**

Retrouvez-nous également sur Facebook pour avoir
des informations exclusives :
www.facebook/jailu.pourelle

Titre original
A TOUCH OF CRIMSON

Éditeur original
Signet Eclipse, an imprint of New American Library, a division of
Penguin Group (USA) Inc., New York

© Sylvia Day, 2011

Pour la traduction française
© Éditions J'ai lu, 2014

Et le Seigneur me dit : Énoch, scribe de justice, va dire aux Veilleurs du ciel, qui ont abandonné les hauteurs sublimes des cieux et leurs éternelles demeures, qui se sont souillés avec les femmes et ont pratiqué les œuvres des hommes, en prenant des femmes à leur exemple, qui se sont enfin corrompus sur la terre. Dis-leur que sur la terre, ils n'obtiendront jamais ni paix, ni rémission de leurs péchés. Jamais ils ne se réjouiront dans leurs rejetons ; ils verront leurs bien-aimées exterminées ; ils pleureront leurs fils massacrés ; ils m'imploreront pour obtenir leur grâce, mais jamais ils ne trouveront ni paix ni miséricorde.

LIVRE D'ÉNOCH 12 – 5 à 7

1

— Phineas est mort.

L'annonce atteignit Adrian Mitchell comme un coup en plein ventre. Avec une telle force qu'il dut s'agripper à la rampe de l'escalier pour retrouver son équilibre. Il jeta un regard de biais au Séraphin qui montait à côté de lui. Si ce qu'il disait était vrai, Jack Taylor allait devenir son commandant en second à la place de Phineas.

— Quand ? Comment ?

Jason suivait sans peine l'allure inhumaine imposée par Adrian alors qu'ils s'approchaient du toit.

— Il y a environ une heure de ça. Une attaque vampire, apparemment.

— Et personne n'a été capable de repérer un vampire, à si peu de distance ? Bon sang, mais comment est-ce possible ?

— Je me pose la même question, alors j'ai envoyé Damien pour se renseigner.

Ils atteignirent le dernier palier. Le lycanthrope en faction leur ouvrit la lourde porte métallique, et Adrian chaussa ses lunettes de soleil pour se protéger les yeux avant de sortir dans la lumière de l'Arizona.

Il vit le garde reculer quand la chaleur étouffante pénétra à l'intérieur, et le second lycanthrope, qui fermait la marche, poussa un gémissement plaintif. Si rudimentaires que soient les instincts de ces créatures, elles n'en demeuraient pas moins beaucoup plus sensibles aux stimuli physiques que les Séraphins ou les vampires. Quant à Adrian, la nouvelle de la disparition de Phineas lui avait tellement glacé le sang qu'il ne sentait même pas la chaleur.

Un hélicoptère les attendait, ses pales ronronnantes brassant l'air surchauffé et poussiéreux du toit. Sur le flanc, l'engin arborait côte à côte le blason de Mitchell Aéronautique et le logo ailé d'Adrian.

— Tu as des doutes.

Ne pouvant pas se permettre pour l'instant de laisser libre cours à sa colère, il préférait se concentrer sur les détails. Pourtant, au fond de lui, il était anéanti par la perte de son meilleur ami et lieutenant de confiance. Oui, mais en tant que chef des Sentinelles, il lui était impossible de se montrer diminué de quelque manière que ce soit. Nul doute que la mort de Phineas provoquerait l'émoi dans les rangs de son unité d'élite. Les Sentinelles attendraient de lui force et conseil avisé.

— L'un de ses lycanthropes a survécu à l'attaque.

Malgré le grondement du moteur, Jason n'avait pas besoin d'élever la voix pour se faire entendre. Pas plus qu'il n'avait besoin de couvrir ses yeux bleus de Séraphin, contrairement à ce que pouvaient suggérer les lunettes de créateur perchées sur son crâne doré.

— Tout ça me paraît bien… étrange. Phineas enquête sur la meute du lac Navajo, puis il tombe dans une embuscade en rentrant et se fait tuer. Pourtant, l'un de ses chiens survit pour dénoncer une attaque de vampires ?

Cela faisait des siècles qu'Adrian utilisait les lycanthropes comme gardes du corps de ses Sentinelles, et comme chiens de meute pour parquer les vampires dans des zones précises. Ces derniers temps, néanmoins, il avait repéré des signes d'agitation parmi les lycanthropes, ce qui l'avait incité à renforcer sa garde. Ces créatures avaient été créées dans l'unique but de servir son unité. Si cela s'avérait nécessaire, Adrian n'hésiterait pas à leur rappeler le pacte conclu par leurs ancêtres. Qu'ils n'oublient pas que l'on aurait pu se contenter de les transformer en vampires suceurs de sang et dépourvus d'âme, en châtiment de leurs crimes. Mais il les avait épargnés, au nom de leur contrat. Refusant d'admettre que ce monde était conçu pour les mortels, certains lycanthropes pensaient néanmoins que leurs prédécesseurs avaient suffisamment payé leur dette. Mais jamais ils ne pourraient vivre aux côtés des humains. Ils n'avaient donc pas d'autre place que celle qu'Adrian avait bien voulu leur assigner.

L'un de ses gardes se baissa pour traverser péniblement les turbulences créées par les pales de l'hélicoptère. Ayant atteint l'engin, il s'empressa de leur ouvrir la portière.

Adrian, en revanche, possédait un pouvoir tel que la tempête ne le dérangeait pas. Il avança sans le moindre effort jusqu'à l'appareil.

— Je vais devoir interroger le lycan qui a survécu à l'attaque, dit-il à Jason.

— Je préviendrai Damien.

Le vent qui fouettait les boucles blondes de son lieutenant envoya voler ses lunettes de soleil. Adrian les rattrapa d'un geste rapide comme l'éclair.

Il se courba et entra dans la cabine de l'hélicoptère, s'installant sur l'un des deux sièges-baquets, dos à dos avec celui du pilote. Jason s'assit sur l'autre.

— J'ai tout de même une question à te poser : est-ce qu'un chien de garde qui ne protège pas son maître sert à quelque chose ? Tu devrais peut-être le punir, histoire de le remotiver un peu.

— S'il est en faute, il paiera de sa vie, répliqua Adrian en lui envoyant ses lunettes. Mais tant que je n'ai pas plus d'information, je le considère comme une victime. Et mon unique témoin. J'ai besoin de lui pour attraper et châtier ceux qui ont fait ça.

Les deux lycanthropes – l'un trapu, du genre malabar, et l'autre presque aussi grand qu'Adrian – s'installèrent sur la rangée de sièges face à eux.

— La compagne de ce « chien » est morte en essayant de protéger Phineas, fit remarquer le plus grand des deux lycans en bouclant sa ceinture. S'il avait pu faire quoi que ce soit, il l'aurait fait.

Jason s'apprêtait à répliquer, mais Adrian leva la main pour le faire taire.

— Tu es Elijah.

Le lycanthrope hocha la tête. Il avait une tignasse brune et des yeux d'un vert lumineux, marque typique des créatures souillées par le sang des démons. C'était d'ailleurs l'un des sujets de litige entre Adrian et les lycanthropes : il avait transfusé leurs ancêtres séraphins avec du sang de démon, quand ceux-ci avaient accepté de servir les Sentinelles. Si cette touche démoniaque en faisait des êtres à mi-chemin entre l'homme et la bête, elle avait cependant épargné leur âme, qui aurait sans cela succombé à l'amputation de leurs ailes. En revanche, cela les rendait aussi mortels, avec une espérance de vie réduite, ce pour quoi beaucoup d'entre eux en voulaient à Adrian.

— Tu sembles en savoir plus que Jason sur cette affaire, constata-t-il en l'observant.

Elijah avait été placé dans la meute d'Adrian en observation, parce qu'il montrait des caractéristiques Alpha inacceptables. Les lycanthropes étaient éduqués pour obéir aux Sentinelles. Si on laissait l'un d'eux prendre trop d'assurance, cela risquait d'affaiblir leur loyauté, voire de leur donner des velléités de rébellion. Or, la meilleure façon de gérer un problème, c'était de le tuer dans l'œuf.

Elijah tourna la tête vers le hublot, se plongeant dans l'observation du toit qui s'éloignait à mesure que l'hélicoptère s'élevait dans le ciel sans nuage de Phoenix. Ses poings serrés trahissaient la peur des hauteurs partagée par tous ceux de sa race.

— Nous savons tous que deux lycans accouplés ne peuvent vivre l'un sans l'autre, lâcha-t-il enfin. Aucun ne regarderait sa compagne mourir volontairement. Sous aucun prétexte.

Adrian s'adossa à son siège, tâchant d'apaiser la tension créée par ses ailes bridées qui demandaient à s'étirer, douloureuse manifestation physique de la colère qui l'avait envahi. Elijah disait vrai, et donc la thèse de l'attaque vampire ne pouvait être écartée sans examen approfondi. Adrian laissa retomber sa tête contre le dossier. Le besoin de vengeance brûlait en lui comme de l'acide. Les vampires lui avaient tant pris. La femme qu'il aimait, mais aussi des amis, des compatriotes sentinelles. Et maintenant Phineas. C'était comme s'il venait de perdre son bras droit. Le coupable devait se préparer à payer le prix fort, car il ne se contenterait pas de lui enlever un bras, pour venger son ami.

Ses lunettes de soleil ne suffiraient pas à masquer les iris flamboyants qui trahissaient ses émotions, alors il ferma les yeux...

... et faillit rater le reflet du soleil sur l'argent.

Instinctivement, il se jeta de côté, évitant de peu la lame d'une dague qui lui frôla le cou.

Et il comprit. *Le pilote.*

Adrian saisit le bras qui venait de s'enrouler devant son appuie-tête et brisa l'os d'un coup sec. Un hurlement strident déchira la cabine. Un hurlement féminin. Le membre brisé pendait désormais contre le fauteuil de cuir, et la lame tomba à terre. Adrian défit son harnais de sécurité et fit volte-face, toutes griffes dehors. Les lycanthropes bondirent, un de chaque côté de lui.

Sans plus personne pour tenir le manche, l'hélicoptère piqua brusquement du nez. Des alarmes affolées envahirent le cockpit.

Oubliant son bras inutilisable, la pilote lança de l'autre main une seconde dague en argent dans l'interstice entre les deux sièges.

Babines retroussées sur les crocs. Bave aux lèvres. Yeux injectés de sang.

Merde, un vampire enragé ! Distrait qu'il était par la mort de Phineas, Adrian avait commis une erreur de débutant en ne vérifiant pas l'identité du pilote.

Les lycanthropes avaient entamé leur transformation, maintenant que la menace avait réveillé la bête qui somnolait toujours en eux. Leurs grondements agressifs résonnaient dans l'espace confiné. Courbé à cause du toit trop bas pour sa haute stature, Elijah balança le poing. L'impact envoya la pilote buter contre le manche cyclique, qu'elle poussa vers l'avant. Le nez de l'hélicoptère plongea, envoyant tous les passagers au sol.

Les alarmes étaient devenues assourdissantes.

Adrian se précipita et, d'un tacle au niveau de la taille, projeta la vampire contre le pare-brise du cockpit. La vitre éclata en mille morceaux et ils tombèrent en chute libre, bataillant toujours.

— Laisse-moi juste te goûter, Sentinelle, fredonnait-elle à travers l'écume de sa bouche, les yeux écarquillés par la fureur alors qu'elle tentait de lui enfoncer dans le cou ses canines acérées comme des aiguilles.

Il envoya violemment son poing dans la cage thoracique de la créature, déchirant la chair et les os pour empoigner son cœur battant. Un large sourire se dessina sur le visage d'Adrian alors que ses ailes se déployaient dans une auréole iridescente, de blanc et de pourpre mêlés. Comme un parachute de plus de neuf mètres d'envergure, elles stoppèrent sa descente, avec une brutalité à couper le souffle. L'organe palpitant de la vampire fut brusquement expulsé de sa propriétaire. Elle poursuivit sa chute inexorable vers le sol, laissant sur son passage une traînée de fumée acide et de cendres, alors qu'elle se désintégrait. Dans la paume d'Adrian, le cœur battait encore, crachant son sang vicié avant de succomber enfin et de s'enflammer. Il en écrasa les restes jusqu'à le réduire en une pulpe informe, qu'il jeta au loin. Les braises s'éparpillèrent. Nuage scintillant.

L'hélicoptère passa près de lui dans une vrille incontrôlée, irrémédiablement attiré par le sol. Adrian serra les ailes et plongea à sa suite. Par la vitre brisée du cockpit, il aperçut l'un de ses lycanthropes, le visage blême et les yeux luisants.

Jason surgit de l'hélicoptère à la dérive comme une boule de feu. Il le contourna et, en se déployant, ses ailes gris sombre et bordeaux déchirèrent les cieux clairs.

— Qu'est-ce que tu fais, capitaine ?

— Je sauve les lycanthropes.

— Pourquoi ?

Pour toute réponse, Adrian se contenta de darder sur lui un regard féroce. Sagement, Jason repiqua vers l'appareil.

Sachant les deux loups pétrifiés par leur terreur innée des hauteurs, il ordonna à celui qui se tenait dans le cockpit :

— Saute !

La résonance angélique de sa voix roula dans le désert comme un grondement de tonnerre. Sans réfléchir, le lycanthrope se lança dans le vide. Jason fondit immédiatement sur lui et l'arracha à une mort certaine.

Elijah n'eut même pas besoin d'incitation. Faisant preuve d'un remarquable courage, il plongea gracieusement de l'appareil condamné.

Adrian descendit vers lui en piqué, lâchant un grognement quand le musculeux lycanthrope s'abattit sur son dos. Ils n'étaient plus qu'à quelques mètres du sol, suffisamment près pour que ses immenses ailes, en battant, soulèvent une nuée de sable.

Une seconde plus tard, l'hélicoptère frappait la terre du désert. Son explosion fut suivie d'un jaillissement de flammes que l'on aperçut à des kilomètres.

2

Lindsay Gibson le remarqua immédiatement, de la porte d'embarquement, alors qu'elle balayait du regard la salle de l'aéroport Sky Harbor International de Phoenix. Un rêve de pure sensualité. Elle s'immobilisa au milieu du hall et laissa échapper un sifflement appréciateur. Peut-être sa chance était-elle enfin en train de tourner ? Après la journée qu'elle venait de passer, elle n'avait rien contre un petit rayon de soleil. Au départ de Raleigh, le décollage avait été retardé de près d'une heure, du coup elle avait raté sa correspondance. À en juger par le nombre de passagers qui se pressaient à la porte d'embarquement, le vol qu'elle avait réussi à trouver en remplacement risquait d'être compromis lui aussi.

Elle termina son examen de la foule qui l'entourait, puis reporta son attention sur l'homme le plus séduisant qu'elle eût jamais vu.

Vêtu d'un jean ajusté qui mettait ses longues jambes en valeur, il arpentait la salle d'attente d'un pas rapide et précis. Son épaisse chevelure brune, légèrement trop longue, encadrait un visage très masculin. Mâle, en fait. Et pour compléter agréablement le tout, un tee-shirt crème à col en V mettait en valeur des épaules puissantes et parfaitement dessinées.

Repoussant une mèche de cheveux mouillés par la pluie qui lui retombait sur le front, Lindsay enregistrait chaque détail de ce physique impressionnant. Ce type dégageait un sex-appeal à l'état brut. Du genre que l'on ne pouvait ni feindre, ni acheter. Du genre qui transformait la beauté en simple bonus.

Il avançait sans un regard alentour, et pourtant il évita facilement un homme qui coupait son chemin. Toute son attention semblait pourtant focalisée sur son BlackBerry, dont il manipulait du pouce le pavé tactile avec une dextérité et à un rythme qui provoquèrent un serrement au bas du ventre de Lindsay.

Une goutte de pluie lui coula dans le cou. Loin de la calmer, le contact de l'eau fraîche ne fit qu'accentuer le trouble où la jetait l'homme qu'elle dévorait du regard. Derrière lui, le tarmac révélait une fin d'après-midi grise et terne. La pluie frappait les vitres du terminal. Cette météo hostile était pour le moins inattendue, et pas seulement parce que les bulletins ne l'avaient pas annoncée. D'habitude, Lindsay anticipait les conditions météorologiques avec une précision troublante, et pourtant elle n'avait pas vu venir cette tempête-là. Quand elle avait atterri, il faisait grand beau, et tout d'un coup il s'était mis à pleuvoir à verse.

En temps normal, comme elle adorait la pluie, ça ne l'aurait pas gênée de sortir pour attraper la navette qui la conduirait au terminal d'où décollait sa correspondance. Aujourd'hui, cependant, le temps avait un je-ne-sais-quoi de morose. Une sorte de pesante mélancolie, de tristesse endeuillée qui déteignait sur elle.

Aussi loin qu'elle se souvienne, le vent lui avait toujours parlé. Qu'il hurle à travers la tempête ou murmure dans le silence, il lui transmettait son message sans coup férir. Pas en parole, mais en émotions. Son père qualifiait ça de sixième sens et faisait mine de se comporter comme s'il s'agissait là d'une bizarrerie plutôt cool qu'anormale.

Tout autant que le physique avantageux de l'appétissant étranger, c'était son radar intérieur qui la poussait aujourd'hui vers lui dans la salle d'embarquement. Tout en lui exhalait la tristesse, le souci, lui rappelait un ouragan qui enfle en rassemblant ses forces. Oui, voilà précisément ce qui l'attirait chez cet homme. Ça et l'absence d'alliance à son doigt.

Elle obliqua dans sa direction et le fixa longuement pour l'obliger à lui rendre son regard.

Il leva finalement la tête. Et ses yeux rencontrèrent les siens.

Elle eut l'impression que le vent venait de la gifler, de lui fouetter les cheveux. Sauf qu'il n'y avait rien de froid dans ce contact. Tout n'était que chaleur et humidité. Séduction. Elle soutint son regard pendant ce qui lui parut une éternité, hypnotisée par l'attraction des prunelles azur, brillantes, aussi tumultueuses et profondes que la furie des éléments au-dehors.

Elle inspira brusquement, puis se détourna pour se diriger vers le stand d'un vendeur de bretzels, donnant ainsi l'opportunité à l'inconnu de venir se renseigner sur l'intérêt évident qu'elle lui portait… ou pas. Mais elle savait d'instinct qu'il était du genre curieux.

Postée contre le comptoir, elle étudia le menu. L'odeur de pain chaud et de beurre fondu lui fit monter l'eau à la bouche, mais la dernière chose dont elle avait besoin avant de passer une heure assise, c'était la tonne de glucides que contenait un bretzel géant. D'un autre côté, la montée de sérotonine l'apaiserait peut-être. Être confrontée à la foule provoquait toujours chez elle un rush sensoriel épuisant pour les nerfs.

— Une boîte de bâtons de bretzels, s'il vous plaît, commanda-t-elle. Avec une sauce *marinara* et un Coca light.

Le serveur lui apporta sa commande.

— Je vous en prie, entendit-elle au moment où elle plongeait la main dans son sac.

Dieu, cette voix ! Délicieusement grave. Elle sut immédiatement que c'était lui.

Comme il passait un bras devant elle, sa fragrance exotique lui parvint. Ce n'était pas de l'eau de toilette, juste l'odeur terreuse, virile du mâle. Vive et pure, comme celle de l'air après la pluie. Il glissa un billet de vingt dollars au serveur et Lindsay, tout sourire, le laissa faire, navrée d'être vêtue de son plus vieux jean, d'un tee-shirt ample et d'une paire de bottes à motif camouflage. Si la tenue était idéale pour la liberté de mouvements, elle aurait largement préféré se trouver plus à son avantage face à un homme tel que celui-ci. Mais elle devait se faire une raison : à en juger par son allure de star de cinéma et la montre Vacheron Constantin qu'il arborait au poignet, le type ne boxait pas dans sa catégorie.

Elle se tourna vers lui.

— Merci, monsieur… ? fit-elle en lui tendant la main.

— Adrian Mitchell.

Taquin, il en profita pour lui prendre la paume et caresser ses phalanges d'un pouce gourmand.

Elle sentit son corps répondre à ce contact de façon spontanée, viscérale. Son souffle, les battements de son cœur s'accélérèrent. Vu de près, il était encore plus sublime. À la fois méchamment masculin et effroyablement beau. Parfait.

— Bonjour, Adrian Mitchell.

Il se pencha pour saisir de ses longs doigts élégants l'étiquette de la valise qu'elle avait posée près d'elle.

— Enchanté de faire votre connaissance, Lindsay Gibson… qui vient de Raleigh ? Ou qui y retourne ?

— Je vais dans la même direction que vous, puisque nous sommes dans le même avion.

Il avait des yeux d'un bleu incroyable, jamais elle n'en avait vu de pareils. Ce bleu ciel que l'on voit au cœur d'une flamme. Sur une peau mate et encadrés par d'épais cils noirs, ces yeux-là étaient tout bonnement envoûtants.

D'autant qu'ils étaient rivés à elle, comme si leur propriétaire ne parvenait pas à se rassasier de la regarder.

Il la passa en revue de la tête aux pieds, d'un regard si brûlant qu'elle se sentit soudain nue, rougissante. Il l'avait déshabillée en esprit. Et son corps répondait à la provocation. Ses seins gonflèrent, elle était toute molle.

N'importe quelle femme aurait réagi de la sorte face à ce type, tant son aura était puissante. Depuis les contours bien définis de ses épaules et ses biceps jusqu'à son visage ciselé, tout son corps était acéré, le dessin précis.

De nouveau, il passa le bras près d'elle, pour récupérer sa monnaie. Chacun de ses gestes était empreint d'une grâce et d'une souplesse primales.

Je parie qu'il baise comme un animal.

Échauffée par cette idée, Lindsay empoigna sa valise à roulettes.

— Alors, dites-moi, vous êtes de Californie, ou est-ce que vous y allez pour les affaires ? demanda-t-elle.

— Je rentre à la maison. À Anaheim. Et vous ?

Elle se dirigea vers le comptoir d'enregistrement des bagages. Il marchait derrière elle, à pas plus lents ; pourtant il y avait quelque chose de naturellement déterminé dans sa façon de la suivre. Un prédateur, voilà ce qu'il était. Un frisson d'excitation la parcourut. Enfin, sa chance tournait : elle aussi allait à Anaheim.

— Je vais m'établir en Californie, pour le travail.

Pas question, à ce stade, d'entrer dans les détails en lui donnant, par exemple, un nom de ville. Lindsay savait se protéger au besoin, et elle ne comptait pas se fourrer dans le pétrin plus qu'elle n'y était déjà.

— Sacré changement ! Vous allez vous installer à l'autre bout du pays ?

— Il était temps pour moi de changer de décor.

Elle vit sa bouche exquise se relever en un léger sourire.

— Dînez avec moi.

Sa voix de velours piqua un peu plus l'intérêt qu'il lui inspirait déjà. Cet homme était à la fois charismatique et magnétique, deux qualités qui pouvaient rendre mémorable n'importe quelle histoire d'un soir.

Elle accepta le bagel et le soda que lui tendait le serveur.

— Vous allez droit au but. Ça me plaît.

Un message concernant leur vol retentit à cet instant dans les haut-parleurs, ramenant l'attention de Lindsay sur la porte d'embarquement. On annonçait un léger retard, ce qui provoqua une vague agitation parmi les passagers en attente. Adrian, lui, ne l'avait pas lâchée des yeux.

Il désigna la rangée de sièges, près de l'endroit qu'il arpentait plus tôt.

— Voilà qui nous laisse le temps de faire plus ample connaissance.

Lindsay l'accompagna jusqu'à la zone d'attente, qu'elle balaya à nouveau du regard, remarquant au passage le nombre de femmes qui admiraient Adrian. Maintenant que, dehors, la tempête n'était plus qu'une lourde bruine, elle était un peu moins assaillie par la sensation que cet homme était un ouragan maîtrisé. La corrélation était indéniablement intrigante.

Sa réaction quasi féroce à la présence d'Adrian Mitchell, ainsi que la capacité de cet homme à mettre en route le radar interne de Lindsay la confortaient dans sa décision de se rapprocher de lui. Toute anomalie demandait une investigation approfondie.

Il attendit qu'elle soit installée sur un siège.

— Vous avez des amis qui viennent vous chercher à l'arrivée ? demanda-t-il aussitôt. De la famille ?

Personne ne l'attendrait. Elle avait réservé une navette qui la conduirait à l'hôtel où elle résiderait en attendant de trouver un appartement convenable.

— Il ne serait pas très sage de partager ce genre d'informations avec un étranger.

— Dans ce cas, laissez-moi couper court à tout soupçon de votre part.

D'un geste fluide et gracieux, il tira son portefeuille de sa poche arrière, pour en sortir une carte de visite qu'il lui tendit.

— Appelez donc les gens qui vous attendent. Indiquez-leur qui je suis et comment me joindre.

— Vous êtes déterminé, dites-moi.

Et habitué à donner des ordres. Ce qui ne la dérangeait pas, d'ailleurs. Dotée elle-même d'une forte personnalité, elle avait besoin en retour d'un partenaire énergique, sinon elle avait tendance à prendre les rênes. Les hommes dociles avaient du bon dans certaines situations, mais pas dans sa vie privée.

— En effet, admit-il sans honte.

Elle se saisit de sa carte. À l'instant où leurs doigts s'effleurèrent, une décharge électrique lui remonta jusque dans le bras.

Les narines d'Adrian se dilatèrent. Il retint sa main, lui caressant la paume du bout des doigts. Il l'aurait titillée entre les jambes qu'elle n'aurait pas été plus excitée par ce simple contact. Son regard s'était fait brûlant, sombre et intense, plein d'un désir quasi tangible. Comme s'il avait saisi d'instinct où résidaient ses points sensibles... ou avait décidé de les repérer.

— Je sens que vous allez me causer des ennuis, murmura-t-elle en resserrant son étreinte pour immobiliser les doigts curieux.

— Ce sera juste un dîner, agrémenté d'une conversation plaisante. Je vous promets de bien me tenir.

Sans lui lâcher la main, elle porta l'autre à ses yeux pour observer la carte de visite. Le sang battait dans ses veines, comme affolé par l'excitation d'une attirance aussi immédiate qu'incontrôlée.

— Mitchell Aéronautique, lut-elle. Et pourtant, vous voyagez en classe économique ?

— Ce n'était pas prévu ainsi, rétorqua-t-il d'un ton sec. Mais mon pilote m'a lâché sans prévenir.

Son pilote. Elle ne put s'empêcher de sourire.

— N'est-ce pas extrêmement contrariant ? le taquina-t-elle.

— En effet... Mais vous êtes apparue. Tenez, ajouta-t-il en sortant son BlackBerry de sa poche. Utilisez mon téléphone. De cette façon, la personne que vous appellerez aura ce numéro-là aussi.

Lindsay le libéra à contrecœur et accepta le téléphone, même si elle avait le sien. Posant son soda sur la moquette râpée, elle se leva. Adrian l'imita. Cet homme était riche, élégant, sophistiqué, attentionné et, ce qui ne gâchait rien, beau à tomber par terre. Pourtant, derrière la bonne éducation, il émanait de lui une sorte de danger qui titillait les instincts les plus élémentaires d'une femme. Peut-être était-ce le terminal bondé qui mettait les sens de Lindsay à vif. Ou peut-être existait-il entre Adrian et elle une compatibilité sexuelle brûlante. Ce dont elle ne songerait nullement à se plaindre.

Abandonnant son sac de bretzels sur le siège, elle s'éloigna de quelques pas et composa le numéro de la concession de voitures de son père. Pendant qu'elle était occupée, Adrian se dirigea vers le comptoir de la salle d'embarquement.

— Lindsay, tu es déjà arrivée ?

— Comment as-tu deviné que c'était moi ? demanda-t-elle, surprise.

— L'écran affichait le code 714, c'est ta région.

— Je suis en escale à Phoenix, j'utilise le téléphone de quelqu'un d'autre.

— Le tien ne marche plus ? Et pourquoi est-ce que tu es encore à Phoenix ?

L'ayant élevée seul pendant vingt ans, Eddie Gibson avait toujours été très protecteur. Rien d'étonnant, si l'on considérait la façon horrible dont Regina Gibson était morte.

— Mon téléphone fonctionne parfaitement, mais j'ai raté ma correspondance. Et puis j'ai rencontré quelqu'un.

Lindsay expliqua la situation à son père et lui transmit les informations indiquées sur la carte de visite d'Adrian.

— Je ne m'en fais pas trop, conclut-elle. Il m'a l'air du genre à avoir besoin qu'on lui résiste un peu. Je n'ai pas l'impression qu'il entende souvent le mot « non ».

— Sans doute. Ton Mitchell, c'est un peu Howard Hughes.

Elle haussa un sourcil.

— Comment ça ? L'argent, le cinéma, les starlettes, ce genre de choses ?

Elle se tourna vers Adrian, profitant de ce qu'il était occupé ailleurs pour l'observer à loisir. Vu de derrière, il était tout aussi impressionnant que de face, avec son dos puissant et ses fesses appétissantes.

— Si tu prenais cinq minutes pour te poser, de temps en temps, tu le saurais, lui fit remarquer son père.

Il n'avait pas tort. C'était quand, la dernière fois qu'elle avait lu un magazine ? Et pour ce qui était de la télévision, elle avait annulé son abonnement au câble depuis des années, préférant les films et les séries, pour éviter les publicités.

— J'arrive déjà tout juste à gérer ma propre vie, papa. Où veux-tu que je trouve le temps de m'occuper de celle des autres ?

— Tu ne te gênes pourtant pas pour mettre ton joli nez dans la mienne, la taquina-t-il.

— Ça n'a rien à voir : toi, je te connais, je t'aime. Les people, je m'en fiche.

— Mitchell n'est pas un « people », comme tu dis. Au contraire, il veille jalousement sur sa vie privée. Il habite dans une sorte de complexe plus ou moins clos, en Californie. Je l'ai vu à la télévision, je m'en souviens. L'endroit est une merveille d'architecture. Non, si je comparais Mitchell à Hughes, c'est parce que tous les deux sont très riches et qu'ils adorent les avions. Les médias parlent de lui car le public a une espèce de fascination pour les aviateurs. Ça a toujours été comme ça. Il paraît aussi qu'il est séduisant, mais je ne suis pas le meilleur juge en la matière.

Et dire qu'elle l'avait repéré au milieu de la foule !

— Merci pour la mise à jour, papa. Je t'appelle dès que je suis installée.

— Je sais que tu es une grande fille, mais fais tout de même attention à toi, d'accord ?

— Comme toujours. Et toi, ne va pas dîner au fast-food. Cuisine-toi plutôt quelque chose de bon. Ou mieux encore, rencontre une jolie fille et mets-la derrière les fourneaux.

— Lindsay... commença-t-il sur un ton faussement mécontent.

Elle raccrocha en riant, puis entra dans l'historique d'appels du téléphone et effaça le numéro.

Adrian s'approcha, une esquisse de sourire sur les lèvres. Il se mouvait avec une fluidité, une grâce empreinte d'autorité et de confiance qu'elle trouvait encore plus attirante que sa beauté.

— Tout va bien ?

— Très bien.

Il lui tendit une carte d'embarquement. En voyant son nom inscrit dessus, Lindsay fronça les sourcils.

— J'ai pris la liberté de nous réserver des sièges voisins, expliqua-t-il.

Elle saisit les billets. Première classe. Siège n° 2, c'est-à-dire au moins vingt rangées plus près de l'avant que son billet original.

— Je n'ai pas de quoi payer ça.

— Je ne vais tout de même pas vous faire payer une modification que vous n'aviez pas demandée.

— Il faut des papiers d'identité, pour effectuer ce genre de manipulation.

— Normalement, oui, mais j'ai tiré quelques ficelles, répliqua-t-il en récupérant son portable, qu'elle lui tendait. Ça vous va ?

Elle hocha la tête, mais sa méfiance innée était en état d'alerte maximum. Vu les consignes de sécurité en vigueur dans les aéroports, changer un billet sans l'accord préalable de son titulaire tenait du miracle. Peut-être l'employée avait-elle succombé au charme d'Adrian ? À moins qu'il ne lui ait sérieusement graissé la patte ? Quoi qu'il en soit, Lindsay ne prenait jamais son instinct à la légère. Elle allait devoir obtenir davantage d'informations sur cet homme mystérieux, et sérieusement revoir les projets de doux interlude, brûlant, sexy et sans lendemain, qu'elle caressait à son endroit.

Très honnêtement, un type comme Adrian n'avait pas besoin de se donner autant de mal pour la mettre dans son lit. Dans la salle d'embarquement, toutes les femmes l'admiraient, certaines arborant le genre de regard qui disait : *Donne-moi le moindre encouragement et je suis à toi*. Putain, il y avait même des hommes qui le reluquaient ! Et lui semblait parfaitement à l'aise avec la lubricité qu'il suscitait. Aucun doute là-dessus, c'était toujours comme ça sur son passage. Ses yeux étaient sans cesse en mouvement, ne s'arrêtaient sur personne, n'accordaient à personne le moindre intérêt. En fait, il usait de cette indifférence comme d'un bouclier. Et pourtant, elle l'avait traversé comme une flèche, avec son regard pénétrant. Bizarre. À bien y réfléchir, cela semblait beaucoup trop facile. Pourquoi avait-il avalé son hameçon ? Elle avait les cheveux trempés, une tenue complètement débraillée. Certes, la confiance en soi – dont elle ne manquait pas – attirait les hommes puissants, mais ça n'expliquait pas le sentiment qu'elle sentait poindre au fond d'elle : en fait de harponnage, c'était elle la victime.

— Je préfère être claire avec vous, commença-t-elle. J'ai été élevée dans un milieu où les femmes attendent des hommes qu'ils leur ouvrent la porte, avancent leur chaise et paient l'addition. En échange de quoi, ces dames font l'effort de s'habiller joliment et de se montrer charmantes. Ça ne va pas plus loin. Vous n'achèterez pas une nuit dans mon lit, on est d'accord ?

Sa bouche s'étira en un vague sourire, le même qu'il lui avait déjà offert.

— Parfaitement d'accord. Nous allons avoir une heure pour discuter dans l'avion. Si, à notre arrivée, vous ne vous sentez pas totalement en confiance avec moi, je me contenterai d'un échange de numéros de téléphone. Dans le cas contraire, une voiture m'attend à notre aéroport de destination, et nous pourrons le quitter ensemble.

— Ça marche.

Elle perçut une lueur satisfaite dans le regard bleu et se força à ne pas y répondre. Qui que soit Adrian Mitchell et quelles que soient ses motivations, il représentait un défi qu'elle était impatiente de relever.

3

Je l'ai. Une féroce poussée d'adrénaline gonfla les veines d'Adrian. Le triomphe.

Si Lindsay Gibson avait la moindre idée de son sens inné de la conquête sexuelle, de la façon dont il la menait, tel un rapace, elle y aurait réfléchi à deux fois avant d'accepter de dîner avec lui. Dès qu'il l'avait aperçue, sa seule pensée avait été de la coller à la première surface plane venue pour la prendre sauvagement. Pour elle, c'était la première fois qu'ils se rencontraient. En réalité, ils étaient enfin réunis après deux cents ans de séparation. Deux cents années infernales d'attente et d'envie insupportables.

Et il la retrouvait aujourd'hui. Bon sang, la vie avait vraiment le don de l'attraper par les testicules aux moments les plus inappropriés. Mais il n'allait pas s'en plaindre. Non, ça jamais.

Shadoe, mon amour.

Ils n'avaient jamais été séparés aussi longtemps par le passé. Leurs retrouvailles étaient toujours inattendues, imprévisibles. Et pourtant inéluctables. Malgré les routes différentes que prenaient leurs vies respectives, leurs âmes étaient attirées l'une vers l'autre.

Le cycle sans fin de la mort et le fait qu'elle ne se souvienne jamais de ce qu'ils représentaient l'un pour l'autre constituaient la punition d'Adrian, parce qu'il enfreignait la loi qu'il avait eu pour mission de créer. Un châtiment terriblement douloureux. Il mourait à petit feu ; son âme, le cœur de son existence angélique, était ravagée par le chagrin, la rage et une inextinguible soif de vengeance. Chaque perte de Shadoe, chaque jour qu'il était obligé de vivre sans elle compromettait un peu plus ses chances de mener à bien sa mission. L'absence de son âme sœur diminuait sa motivation à remplir son devoir, la pierre angulaire de ce qu'il était : un soldat, un leader, et le geôlier d'êtres aussi puissants que lui.

Deux cents putains d'années ! Elle était partie depuis assez longtemps pour le rendre dangereux. Un Séraphin dont on emprisonnait le cœur dans la glace devenait un danger pour tout et tous autour de lui. Et donc pour elle, tant sa faim était vorace. Il en venait à douter de sa capacité à la refréner. Quand elle partait, le monde s'éteignait. Le silence qui l'envahissait devenait assourdissant. Et quand elle revenait, les sensations explosaient tout autour de lui : les battements redoublés du cœur, la chaleur de son contact, la force du désir. La vie ! Celle-là même qu'il perdait quand il perdait Shadoe.

— Mon père vous appelle le Howard Hughes de ma génération, lança Lindsay alors qu'ils regagnaient leur siège.

L'impatience le rongeait. Le bavardage, l'obligation d'afficher une façade neutre malgré les événements de la journée, il trouvait cela à la fois pervers et angoissant. Dire qu'il était agité relevait de l'euphémisme. Il avait les sangs en ébullition, brûlants de fureur et de désir conjugués.

— Je m'estime moins excentrique, répliqua-t-il sur un ton qui ne trahissait rien de son chaos intérieur.

Chaque cellule de son corps était aux aguets, assoiffée de Lindsay Gibson – vaisseau transportant l'âme aimée. Les besoins physiques inhérents à sa coquille d'homme avaient grimpé à une vitesse cruelle, lui rappelant le temps qui s'était écoulé depuis leur dernière étreinte. Jamais il n'oubliait comme il était bien dans ses bras. Un seul regard fiévreux suffisait à allumer un incendie qu'il mettrait des heures à apaiser.

Il rêvait de ces heures d'intimité avec elle. Il la désirait follement.

Si le corps occupé par Shadoe respectait les caractéristiques génétiques de la famille de Lindsay, il la reconnaissait, la sentait quelle que soit l'enveloppe corporelle dans laquelle elle renaissait. Au fil des années, son apparence avait varié et pourtant, il l'aimait toujours autant, peu importait la forme ou l'ethnie qui lui servait momentanément d'abri. Cette attirance venait de la connexion qu'ils partageaient, cette certitude d'avoir trouvé en elle l'autre moitié de son être.

— L'excentricité ne me dérange pas, confia-t-elle en haussant les épaules. Ça met un peu de sel.

La pluie faisait briller ses cheveux. Dans cette incarnation, elle était blonde, et il trouvait ses boucles ébouriffées sexy en diable. Elle les portait relativement courtes, environ quinze centimètres. Adrian serra les poings pour s'empêcher de les empoigner, de la maintenir ainsi immobile pendant que sa bouche se plaquerait sur la sienne, dans l'espoir fou d'étancher sa soif de la goûter.

Il était amoureux de l'âme de Shadoe, mais Lindsay Gibson éveillait en lui un désir torride. L'addition des deux produisait un effet dévastateur, quasi aveuglant pour lui qui était déjà à fleur de peau. Des picotements dans l'échine lui rappelaient presque douloureusement la présence de ses ailes, elles aussi sensibles à la vue et à l'odeur, et dont il devait réprimer l'envie de s'étirer de plaisir. Être assis près de cette femme dans l'avion s'annonçait à la fois divin et infernal.

Il avait sur Lindsay l'avantage de se rappeler chacune de leurs relations passées. Elle ne pouvait compter que sur son instinct, qui lui envoyait visiblement des signaux qu'elle ne savait pas trop comment interpréter. Ses narines se dilataient et son langage corporel confirmait que l'attirance était réciproque. Elle l'observait attentivement, l'évaluait sans la moindre timidité. Elle était à la fois audacieuse et pleine de confiance en elle. Très bien dans sa peau. Indépendamment même de son histoire avec Shadoe, Lindsay lui faisait déjà un effet énorme.

— Où allez-vous, en Californie ? s'enquit-il. Qu'est-ce qui vous a poussée à vous déraciner ainsi ?

Bien qu'il la connaisse aussi intimement qu'un homme peut connaître une femme, à plusieurs égards il recommençait de zéro chaque fois qu'ils se retrouvaient. Les goûts de Lindsay, sa personnalité, son tempérament, ses souvenirs étaient uniques. Les retrouvailles avaient donc toujours un goût de nouveauté. Celui de la découverte.

Elle retira l'opercule en plastique de sa canette de soda et en avala une gorgée.

— Anaheim. Je travaille dans l'accueil, alors le tourisme en Californie du Sud, c'est tout à fait le genre de secteur qui me convient.

Il fit mine de chercher quelque chose dans sa poche arrière. Dans sa main, apparut une paille qu'il lui tendit.

— Plutôt restaurants ou hôtels ?

Comment prenait-elle son café ? En buvait-elle, d'ailleurs ? Dormait-elle sur le dos ou sur le ventre ? Où aimait-elle qu'on la caresse ? Était-elle plutôt oiseau de nuit ou lève-tôt ?

Lindsay haussa un sourcil surpris, les yeux rivés sur la paille, l'air de se demander d'où il l'avait sortie. Elle l'accepta, en déchira la protection de papier,

— Merci.

— De rien.

Il avait tant à apprendre, et pour une durée qu'il savait impossible à prévoir. Une fois, elle lui était revenue pendant vingt minutes. Une autre fois, vingt ans. Son père la trouvait toujours. Chef des vampires, il était attiré vers elle tout comme Adrian, et Syre était déterminé à finir ce qu'il avait commencé jadis. À savoir rendre sa fille immortelle en la vampirisant, ce qui tuerait l'âme qui la reliait à Adrian.

Aussi longtemps qu'Adrian respirerait, il ne laisserait pas cette horreur arriver.

— Les hôtels, répondit-elle enfin, revenant à sa question initiale. J'adore cette énergie. Jamais ils ne dorment, jamais ils ne ferment. Le flot continu de voyageurs constitue un défi toujours renouvelé.

— De quel hôtel s'agit-il ?

— Le Belladonna, c'est un nouveau complexe près de Disneyland.

— Gadara Enterprises.

Il ne s'agissait pas d'une question. Raguel Gadara était un nabab de l'immobilier, rivalisant avec des pointures telles que Steve Wynn ou Donald Trump. Chacun de ses nouveaux complexes bénéficiait d'une abondante publicité, mais ce n'était pas pour cette raison qu'Adrian connaissait si bien Raguel. Ils ne s'étaient pas seulement croisés dans leur vie terrestre, ils s'étaient aussi fréquentés au cours de leur vie céleste. Raguel était l'un des sept archanges déchus condamnés à errer sur terre, ce qui le plaçait plusieurs échelons en dessous d'Adrian, lui-même Séraphin, dans la hiérarchie des archanges.

Les yeux de Lindsay s'éclairèrent.

— Ah, vous en avez entendu parler…

— Raguel est une vieille connaissance, éluda-t-il.

Il commençait à planifier les étapes qui lui seraient nécessaires pour étudier l'histoire de Lindsay, depuis sa naissance jusqu'à l'instant présent. Il n'y avait pas de coïncidences, en ce bas monde. Ce n'était pas le hasard qui lui faisait retrouver Shadoe dans chacune de ses réincarnations. Non, leurs chemins étaient destinés à se croiser. Mais de là à se rapprocher si près de son propre quartier général et à finir employée d'un ange… Raguel possédait des complexes dans le monde entier, notamment dans des agglomérations proches de la ville natale de Lindsay, sur la côte Est. Ça ne pouvait pas être une coïncidence si les circonstances la ramenaient en Californie.

Adrian avait besoin de découvrir le cheminement, la suite de décisions qui l'avaient conduite à faire irruption directement dans sa vie. Il devait répéter le même processus chaque fois qu'elle revenait : repérer ses habitudes ou tout schéma applicable à ses vies précédentes. Peu à peu, il acquérait suffisamment de connaissances sur elle pour l'amadouer, susciter sa confiance et son affection. Et toujours, il devait veiller à ce qu'ils ne soient pas victimes de manipulations, car l'heure approchait où il devrait payer pour son orgueil. Il avait commis la transgression ultime, pour laquelle il en avait puni tant d'autres : il était tombé amoureux de Shadoe, une Néphel, le fruit d'une mortelle et de l'ange qu'était son père à l'époque. Et lui, Adrian avait succombé, à d'innombrables reprises, au péché indécent de sa chair.

Lui qui avait puni le père de Shadoe pour la même offense, qui avait coupé les ailes de l'ange déchu, privant par là même Syre de son âme et faisant de lui le premier des vampires.

Les conséquences de l'hypocrisie d'Adrian finiraient bien par le rattraper, il avait depuis longtemps accepté l'inévitable châtiment qu'il encourrait alors. Si Raguel était l'outil que le Créateur entendait utiliser pour le punir, Adrian devait le savoir et s'y préparer. Il devait aussi s'assurer que Shadoe serait en sécurité, quand viendrait son heure à lui.

Son regard tomba sur ses gardes du corps lycanthropes, assis à quelques rangées de là, les encadrant l'air de rien. Ils étaient concentrés, curieux. Ils avaient forcément constaté, sans pouvoir se l'expliquer, la manière dont Adrian se conduisait envers Lindsay, si différente de son comportement habituel avec les femmes. La dernière fois que l'âme de Shadoe l'avait rejoint, aucun de ces deux lycanthropes n'était encore né. N'empêche, ils connaissaient sa vie privée et le peu d'attention qu'il prêtait au sexe opposé.

Il allait avoir besoin de gardes supplémentaires, à présent qu'il pouvait reprendre sa traque de Syre, et Lindsay aurait besoin de sa protection. Adrian devrait agir avec doigté. Elle était jeune – vingt-cinq ans tout au plus – et démarrait une nouvelle vie dans un nouvel environnement. Pour elle, l'heure était à l'élargissement de son horizon, certainement pas à la découverte que son amant gérait sa vie.

Lindsay faisait rouler la paille entre ses doigts, et ses douces lèvres roses semblaient hésiter à s'entrouvrir.

Une vague de chaleur roula sur Adrian. Même en sachant qu'il allait la perdre de nouveau, qu'il oubliait une fois de plus son devoir, il ne parvenait pas à calmer la montée de désir qui lui enflammait les sangs. Il voulait sentir ces lèvres-là sur sa peau, qu'elles glissent sur sa chair en lui murmurant des paroles crues et tendres pendant une caresse longue et sans merci. Et bien que l'on ait interdit aux Sentinelles d'aimer et de s'accoupler avec des mortelles, rien ne parvenait à le convaincre que Shadoe n'était pas née pour lui appartenir.

Elle avait téléphoné à son père...

Il s'immobilisa.

S'il conservait un visage impassible, Adrian n'en demeurait pas moins aux aguets. Les différentes incarnations de Shadoe avaient toujours été élevées par leur mère, jamais par leur père. Comme si Syre avait marqué son âme au fer rouge, lorsqu'il avait entamé la transformation qui ferait d'elle une vampire, afin de s'assurer qu'aucun autre homme ne lui déroberait jamais son rôle de père, quelle que soit la vie de Shadoe.

— Vos parents vivent à Raleigh ?

Une ombre voila ses traits.

— Mon père, oui. Ma mère est morte quand j'avais cinq ans.

Les poings d'Adrian se serrèrent. L'ordre dans lequel mouraient ses parents avait pourtant toujours été immuable, jusque-là.

Tout son monde, stabilisé depuis longtemps, avait basculé ce matin et Lindsay Gibson continuait à mettre son équilibre en péril. À cause d'elle, les objets qui l'entouraient semblaient bouger de leur place initiale. Les lycanthropes étaient de plus en plus agités, les vampires avaient franchi une ligne dangereuse avec la mort de Phineas et l'attaque de l'hélicoptère. Et maintenant, c'était Shadoe qui revenait après une interminable absence, mais cette fois, les éléments de base de ses réincarnations étaient altérés.

— Toutes mes condoléances, murmura-t-il, adoptant la remarque prisée des mortels, qui considéraient si souvent la mort comme une fin, triste et douloureuse.

— Merci. Et vous, vous venez d'une grande ou d'une petite famille ?

— Grande. Avec des tas de frères et sœurs.

— Je vous envie. Je n'en ai pas, moi. Mon père ne s'est pas remarié. En fait, il ne s'est jamais remis du décès de ma mère.

Adrian s'était fait un jeu agréable de séduire les mères de Shadoe. Les hommes, en revanche, lui battaient souvent froid, en dépit de tous ses efforts pour les mettre à l'aise. Ils sentaient instinctivement en lui l'homme de pouvoir. Il ne pouvait y avoir qu'un Alpha en un même lieu, et c'était lui. Se faire accepter par le père de Shadoe risquait de prendre du temps, mais le jeu en valait la chandelle. Le soutien familial faisait justement partie des outils qu'il utilisait pour obtenir l'abandon total et inconditionnel de celle en qui s'incarnait Shadoe. Or, il n'était pas question qu'il la possède à moins. Il la voulait tout entière.

Il lui effleura la main sur l'accoudoir, goûtant avec délices l'effet prodigieux de ce simple contact. Il entendait battre son cœur affolé, aussi clairement que s'il lui avait posé l'oreille sur la poitrine. Malgré le cliquetis des panneaux d'information sans cesse mis à jour, les appels à embarquement et les changements de portes, le rythme fort et régulier de ce cœur adoré lui parvenait distinctement.

— Certaines femmes sont inoubliables.

— Vous seriez donc romantique ?

— Ça vous étonne ?

Elle esquissa un sourire.

— Rien ne m'étonne.

Ce sourire… Il lui serrait le cœur. Ils étaient séparés depuis trop longtemps, mais enfin l'attente touchait à son terme. Même si elle ressentait forcément l'alchimie qui passait entre eux, elle ne l'aimait pas encore. Il ne posséderait que son corps, au début, ce qui étancherait sa soif la plus dévorante sans toutefois éteindre la flamme qui le consumait.

Son attention fut momentanément détournée de Lindsay. Derrière eux, Elijah s'était levé et avait quitté la zone moquettée pour gagner le hall principal. Les lycanthropes étaient mal à l'aise dans les espaces clos et surpeuplés. Adrian aurait pu affréter un vol privé, voire faire venir l'un de ses propres avions, ce qui aurait épargné cet inconfort à ses gardes, mais il voulait envoyer un message aux vampires qui seraient assez stupides pour le croire affaibli par l'embuscade aérienne ou par la mort de son second : *Venez un peu, je vous attends.*

— Vous aimez être surpris, devina-t-elle.

Adrian se tourna vers elle.

— Je déteste ça, au contraire. Sauf si la surprise, c'est vous.

Elle lâcha un rire très doux, qui raviva une chaleur oubliée dans sa poitrine.

Une jeune femme avec poussette et bébé agité dans les bras se dirigeait vers le comptoir d'embarquement juste en face d'eux. Alors qu'elle tâchait de faire entendre raison à un autre petit qui traînait sa propre valisette, le portable d'Adrian sonna. Il s'excusa auprès de Lindsay et s'éloigna de quelques pas.

L'écran affichait un numéro de téléphone, mais pas l'identité de l'appelant.

— Mitchell, répondit-il.

— Bonjour, Adrian.

Il reconnut sur-le-champ la voix glaciale.

Une montée d'agressivité primale accéléra ses pulsations cardiaques. Au même instant, un éclair déchira le ciel, immédiatement suivi par un roulement de tonnerre.

— Syre...

— Tu as quelque chose qui m'appartient.

4

Tournant la tête avec une nonchalance feinte, Adrian inspecta la salle. Il était surveillé. Était-il possible que Syre ait retrouvé sa fille en premier et qu'il la traque ?

— Je me demande bien quoi.

— Ne fais pas le modeste, Adrian, ça ne te va pas. Une jolie brune. Pas très grande. Tu vas me la rendre. Intacte.

Adrian se détendit.

— Si tu fais référence à la chienne écumante de rage qui m'a attaqué aujourd'hui, je suis au regret de t'annoncer que je lui ai brisé le cœur. Je l'ai écrasé de mon poing, pour être plus précis.

Un long silence s'ensuivit.

— Nikki était la fille la plus gentille du monde, marmonna Syre.

— Si c'est ça ta définition de la gentillesse, alors j'ai été trop clément. Tu me refais ce genre de pirouette, l'avertit-il calmement, et je vous extermine tous.

— Tu n'en as ni la capacité ni le droit. Arrête de te prendre pour un dieu, Adrian, ou tu finiras comme moi.

Adrian se détourna du regard perçant de Lindsay et prit une profonde inspiration, espérant calmer la colère qui bouillonnait en lui. Il était Sentinelle, de la caste des Séraphins. Il n'était pas censé s'abaisser aux caprices des émotions humaines. Ni montrer de quelque façon, par le ton de sa voix ou par ses actes, une vulnérabilité déraisonnable. Mais ce qui avait été fait ne pouvait être défait ; son amour mortel l'attachait à la terre, l'éloignant par là même de la sérénité des cieux.

— Tu n'as aucune idée de ce que j'ai le droit de faire ou pas, répliqua-t-il d'un ton égal. Elle a attaqué en plein jour, autrement dit l'un de tes Déchus, toi si ça se trouve, l'avait nourrie moins de quarante-huit heures plus tôt. Voilà qui suffit amplement à justifier que je prépare ma défense et celle de mes Sentinelles, de la façon que j'estimerai convenir. Réfléchis-y à deux fois, avant de m'envoyer un autre de tes mignons suicidaires. Je ne suis pas Phineas. Nous avons déjà établi, toi et moi, que tu n'étais pas en mesure de gagner un combat contre moi.

Ce qui était la vérité, quoique simplifiée. S'il manquait à Syre le solide entraînement au combat qui affûtait les Sentinelles, il avait derrière lui des siècles de pratique en matière de guérilla. Il était aussi plus vieux, et ses erreurs l'avaient rendu plus sage, même s'il se montrait dernièrement aussi agité que les lycanthropes. Ses vampires le suivraient jusqu'en enfer s'il le leur demandait. Autant d'éléments qui faisaient de lui un être excessivement dangereux. Adrian savait qu'il pouvait encore battre Syre, mais ce serait sans doute plus malaisé que la fois précédente.

D'autant que Lindsay Gibson serait prise entre leurs tirs croisés.

— Gagner n'est peut-être pas le but que je poursuis, railla Syre.

Jetant un regard possessif en direction de Lindsay, Adrian prit pleinement conscience du malheur qu'il était destiné à apporter dans sa vie. Mais pas question de reculer pour autant, car des deux fléaux, Syre était le pire.

— Si tu es d'humeur suicidaire, lança Adrian alors qu'un nouveau grondement de tonnerre déchirait le ciel, viens me rendre visite. Je serai ravi de t'aider à accomplir ton dessein.

Lindsay fronça les sourcils et il suivit la direction de son regard. La femme aux gamins survoltés se débattait toujours avec son aîné. Le garçonnet hurlait tellement qu'il attirait l'attention de toute la salle.

Au bout du fil, le vampire éclata de rire.

— Pas avant d'être certain que ma fille est débarrassée de toi.

— Ce sera le cas à ta mort.

Jamais Adrian ne se pardonnerait l'accès de faiblesse qui l'avait conduit auprès de Syre le jour où Shadoe avait été mortellement blessée. Il avait cru à tort que l'amour paternel du Déchu l'obligerait à agir dans l'intérêt de sa fille. Malheureusement, chez Syre, la soif de vengeance n'avait d'égale que la soif de sang. Il ferait n'importe quoi pour empêcher sa fille d'apporter le bonheur au Sentinelle qui l'avait châtié : il avait tenté de la changer en vampire, comme lui – une suceuse de sang sans âme qui aurait vécu pour l'éternité dans le noir –, plutôt que de la laisser aimer Adrian de toute son âme de mortelle.

Dès qu'il avait compris les intentions de Syre, ce dernier avait interrompu la transformation, entraînant par la même occasion une série de réactions en chaîne qu'il n'avait pas prévues : le corps de Shadoe était mort, mais son âme de Néphel avait été immortalisée. En vertu de cette transformation partielle, Shadoe devait revenir, encore et encore, dans un cycle éternel de réincarnations. Parce que, contrairement à celle d'une mortelle, son âme était à demi angélique, même si elle n'avait pas d'ailes. Les âmes des mortels succombaient à la transformation, lorsqu'elle allait jusqu'au bout, et les âmes des anges succombaient à la perte de leurs ailes. Les Néphilim, eux, ne souffraient d'aucune de ces faiblesses. Quand le corps de Shadoe n'avait pu achever sa transformation, son âme néphel avait survécu pour rester liée à l'individu qui avait parrainé sa vampirisation. Tuer Syre la libérerait, en brisant l'emprise qu'il avait sur son âme. Seul le vampire qui avait initié une transformation pouvait y mettre un terme.

Mais le temps jouait contre Adrian, puisqu'il ne disposait pour agir que de la tranche de vie dévolue à Lindsay, dont il ignorait la durée. Dans tous les cas, c'était une très petite fenêtre, du point de vue d'un immortel.

— Salaud d'égoïste, siffla le vampire. Tu préfères voir Shadoe mourir plutôt que vivre éternellement.

— Et toi, tu préfères la voir souffrir le même châtiment que toi, alors qu'elle ne le mérite pas. Tu as enfreint la loi, pas elle.

— Tu en es bien certain, Adrian ? Elle t'a pourtant entraîné dans sa chute, non ?

— C'était ma décision. C'est donc ma faute.

— Et pourtant tu n'éprouves pas les mêmes tourments que nous.

— Tu crois ça ? le défia doucement Adrian. Que sais-tu de mes souffrances, Syre ?

Il reporta son regard sur Lindsay. Elle fixait sur lui ses yeux sombres qui semblaient tout percevoir. Bien trop rompus à tout pour une personne de son âge.

Elle haussa les sourcils en une question muette.

Il lui répondit par un sourire rassurant. Elle était connectée à lui, tout comme il l'était à elle, sauf qu'elle n'avait aucun souvenir de l'histoire qui avait créé cette affinité spéciale entre eux. Il devrait prendre garde à ne lui causer ni souci ni détresse. Il songea que ses émotions mercurielles montraient à quel point il était tombé bas. Elles montraient aussi à quel point son amour pour Shadoe l'avait rendu humain. Les cieux se lamentaient de sa faiblesse mortelle par l'entremise de la météo : la pluie quand il pleurait, le tonnerre quand il enrageait. Quant à la température extérieure, elle fluctuait en fonction de ses humeurs, de la plus glaciale à la plus torride.

— Tu convoites son âme, ronronna Syre, car c'est la seule chose qui la lie à toi.

— Et à toi.

— Pourtant tu refuses de me laisser lui donner pleinement conscience de tout. Pourquoi, Adrian ? De quoi as-tu peur ? Qu'elle t'affaiblisse à nouveau ?

Non loin de lui, le petit garçon donna un grand coup de pied dans le tibia de sa mère, qui hurla de douleur. Dans ses bras, le bébé sursauta et bascula en arrière en agitant les bras, ce qui déséquilibra un peu plus la jeune femme, déjà débordée et exaspérée par son aîné. Elle lâcha le nouveau-né.

Adrian se précipita, tout en veillant à conserver une allure humaine...

Mais Lindsay rattrapa l'enfant avant lui. Trop rapidement. Si rapidement, en fait, que le bébé semblait n'avoir jamais été en danger. La mère cligna les yeux stupéfaits, restant bouche bée de surprise face à Lindsay plantée devant elle.

— N'oublie pas une chose, continuait Syre, ramenant Adrian à leur conversation, l'âme que tu convoites s'agrippe à la surface avec chacune de ses réincarnations. Que je l'y aide ou pas. Sauras-tu m'attraper avant que ma fille se rappelle ? Que pensera-t-elle de toi, quand elle se souviendra de la douleur des nombreuses vies que tu lui as coûtées ? T'aimera-t-elle encore, alors ?

— Je n'oublie rien. Et surtout pas ce que tu me dois pour la perte que j'ai subie aujourd'hui même.

Sur ces mots, Adrian referma son portable. Mieux valait pour l'heure se concentrer sur la femme qui lui posait désormais un problème colossal : la vitesse surnaturelle à laquelle elle se mouvait. Les dons de Shadoe la Néphel semblaient incroyablement forts en Lindsay. Ce qui indiquait entre les deux femmes un entrelacement étroit, comme il ne s'en était jamais manifesté dans ses incarnations précédentes.

Le temps pressait. Avec l'âge et l'expérience, les âmes acquéraient de la force. Il était inévitable que Shadoe possède un jour la puissance nécessaire pour subjuguer l'âme du vaisseau qu'elle occuperait.

Or, ni lui ni elle n'était préparé à ce bouleversement.

Fourrant le téléphone dans sa poche, Adrian se dirigea vers l'objet de ses réflexions.

Adrian Mitchell avait des pieds parfaits.

Confortablement installée sur son siège de première classe, Lindsay observait les longues jambes étendues près d'elle et se rendit compte que jamais elle n'avait prêté attention aux pieds d'un homme avant aujourd'hui. Elle les trouvait même plutôt laids, avec leur peau calleuse, leurs orteils tordus et leurs ongles jaunis, mal coupés. Ceux d'Adrian étaient totalement différents. Oui, ses pieds étaient tout bonnement parfaits. D'ailleurs, tout chez lui relevait de la symétrie la plus achevée : une véritable œuvre d'art. C'en était déroutant.

Elle leva les yeux, croisa son regard et lui sourit, plutôt que de lui expliquer son intérêt pour ses pieds, qu'elle avait pu admirer à travers ses sandales. Cela dit, vu la façon dont il la dévorait des yeux, toute explication semblait inutile. Il ne cachait rien de son désir pour elle. Il était brûlant, aigu, et la transperçait de part en part. Mais elle vit aussi quelque chose de plus doux dans son regard. Quelque chose de tendre, presque intime, qui lui donna un féroce sentiment de propriété, comme si la femelle qui sommeillait au fond de son corps venait de grogner : *Il est à moi.*

— Vous ne mangez pas votre bretzel, lui fit-il remarquer de sa voix grave et calme, qui donnait envie de s'installer bien au chaud entre ses cordes vocales.

Malgré la tempête qu'elle devinait en lui, il restait rigoureusement maître de son corps, quasi rigide. Rien en apparence ne trahissait la moindre émotion : ni sa voix douce et neutre, ni sa posture détendue et confiante. Même tout à l'heure, lorsqu'il arpentait la salle d'embarquement, il ne s'était jamais départi de sa posture nonchalante. Ce mélange de stricte retenue et de sexualité à fleur de peau était on ne peut plus excitant.

La nature de Lindsay la portait à faire des vagues, à tout chambouler dans ses parages, et elle avait bien l'intention de procéder encore ainsi avec lui. Oui, elle allait creuser sous cette surface trop lisse, car elle était quasi certaine qu'en eaux profondes, elle aurait beaucoup à découvrir.

— Vous le voulez ? proposa-t-elle. Je ne veux pas me couper l'appétit.

Elle vit ses prunelles briller d'une lueur amusée et prit conscience qu'elle ne l'avait encore jamais vu sourire tout à fait. Elle menait une vie assez morose, d'où sa préférence d'ordinaire pour les garçons légers et amusants. Adrian devait vraiment lui plaire, pour que son intensité quelque peu sombre ne la refroidisse pas.

— Qu'est-ce qui vous ferait plaisir, pour le dîner ? s'enquit-il.

— Peu importe, je suis facile à satisfaire.

Les mots avaient à peine franchi ses lèvres qu'elle les regrettait déjà.

— Non, se reprit-elle, je ne voulais pas dire ça.

— Ne vous inquiétez jamais de ce que vous dites en ma présence, tant que vous êtes honnête.

— L'honnêteté, c'est une seconde nature, pour moi. D'ailleurs, ça m'attire régulièrement des ennuis.

— Certains ennuis valent la peine qu'on s'y empêtre.

Elle pivota sous sa ceinture de sécurité afin de lui faire face.

— Dans quel genre d'ennuis vous empêtrez-vous ?

— Le genre épique.

Ce léger trait d'humour mit tous ses sens en émoi.

— Alors là, vous m'intriguez. Il faut m'en dire plus.

— Ce sont des informations que je ne révèle pas avant le troisième rendez-vous. Il va falloir rester dans mon entourage, si vous souhaitez satisfaire cette curiosité.

Quel effet cela ferait-il de sortir avec un homme comme Adrian ? *Juste pour quelque temps...*

50

— Mais c'est de l'extorsion !

Il n'avait pas l'air de se repentir le moins du monde, au contraire.

— Je suis impitoyable quand il s'agit d'obtenir ce que je veux. Ce qui me ramène à la question de ce que je peux vous préparer pour le dîner. Vous avez un péché mignon ?

— Vous comptez cuisiner ?

— À moins que vous n'y voyiez une objection.

Elle ne put s'empêcher de sourire. Adrian avait visiblement l'habitude d'obtenir ce qu'il souhaitait sans qu'on cherche à lui résister.

— Il faudra bien que je vous dise non, à un moment ou à un autre, histoire de vous remettre à votre place.

Le regard d'Adrian s'était fait de braise.

— Et ce serait où ? Cette place où vous aimeriez me mettre ?

— Celle où c'est moi qui donne le rythme.

— J'adore.

— Très bien, conclut-elle avec un hochement de tête approbateur.

Il devenait plus abordable de minute en minute. Plus réel.

— En ce qui concerne un éventuel dîner chez vous, je suis d'accord, reprit-elle. Impressionnez-moi.

— Pas d'allergies ? Rien que vous détestiez ?

— Je ne suis pas fan de foie, d'insectes ou de viande qui saigne encore, répondit-elle en fronçant le nez. À part ça, vous avez *carte blanche*.

Ses indications déclenchèrent le premier véritable sourire d'Adrian.

— Je ne suis pas très fan de sang, moi non plus.

La courbe sensuelle de ses lèvres provoqua une vague de chaleur dans le ventre de Lindsay, qui alanguit ses membres en même temps qu'elle lui fit tourner un peu la tête. Elle se sentait rouge jusqu'aux oreilles et complètement sous le charme.

Le sort vous jouait parfois de ces tours ! Il fallait que le seul homme capable de lui allumer les sens comme autant de fusées soit aussi un être ayant visiblement bien plus pour lui que les apparences.

Comme si les apparences ne suffisaient pas…

— Pourquoi vous déplacez-vous avec des gardes du corps ?

Adrian haussa les épaules avec désinvolture, les yeux toujours fixés sur Lindsay, comme depuis qu'ils étaient entrés dans l'épicerie bio de son quartier. Elle était grande, élancée, athlétique. Son corps était une véritable ode au Créateur, et elle l'entretenait visiblement avec soin. Elle avait une façon d'équilibrer son poids sur ses deux pieds qui l'apparentait à une prédatrice, agile et gracieuse. Il la sentait à fleur de peau, même si elle se montrait calme en apparence. Elle était très affectée par l'humeur d'Adrian, et pourtant elle s'en tirait bien, et parvenait à conserver une admirable maîtrise d'elle-même.

Bref, elle était en bien meilleur état que lui.

Le retour de Shadoe réduisait son équanimité à néant. Comparé au violent désir qui crispait chacun de ses muscles, les courses qu'il avait entrepris de faire avec elle pour le dîner semblaient bien futiles. Il avait enfin retrouvé la femme qui l'affamait, qui réveillait ses sens comme aucune autre. La seule capable de lui rappeler douloureusement chaque seconde de ses deux cents ans de célibat. Et il ne pouvait pas l'avoir. Pas encore.

— La notoriété déclenche parfois des marques d'intérêt désagréables, expliqua-t-il en veillant à garder un ton parfaitement neutre.

Voilà d'ailleurs pourquoi il évitait toute sortie en public, quand Shadoe n'était pas avec lui. S'il consentait à s'y plier maintenant, c'était parce que cela servait plusieurs buts : tout d'abord, il continuait à faire passer le message qu'il n'était pas perturbé par l'attaque du matin, ensuite il créait une sorte de normalité et d'intimité dans ses rapports avec Lindsay, et enfin il lui offrait l'occasion de choisir elle-même ses ingrédients préférés pour le dîner.

Elle jeta un regard en direction des lycanthropes, plantés à chaque bout du rayon.

— Des marques d'intérêt dangereuses, on dirait, parce que vos gilets pare-balles sont sacrément baraqués.

— Parfois, oui. Mais vous n'avez aucune raison de vous inquiéter, je suis là pour vous protéger.

— Si j'étais peureuse, commenta-t-elle en mettant une patate douce dans un sachet en plastique, je n'aurais pas quitté l'aéroport d'une ville étrangère en compagnie d'un parfait inconnu.

Elle le connaissait, pourtant, même si elle ne savait ni pourquoi ni comment. Elle se fiait apparemment plus à son instinct qu'à sa raison et, en ce qui le concernait lui, elle usait de son intuition pour compléter les zones d'ombre. Il avait suffi qu'elle jette un seul regard vers lui pour prendre sa décision. Sans hésiter. Rien qu'un « je te veux » droit dans les yeux, et elle avait propulsé la balle dans son camp.

— J'ai hâte de vous voir cuisiner tout ça, dit-elle en désignant le panier débordant de victuailles qu'il portait au bras. Et j'espère bien glaner quelques conseils sur la préparation de la tempura, puisque c'est l'un de mes plats favoris.

— Vous cuisinez ?

La question la fit éclater de rire.

— Les plats surgelés. Non, sérieusement, rien de compliqué. Quand on est élevée par un père veuf et qu'on suit des cours à l'université, on mange plus souvent dehors qu'à la maison.

— Nous allons changer tout ça, annonça-t-il en prenant un oignon maya, qu'il laissa volontairement tomber.

Elle le rattrapa avec une facilité comparable à la sienne, ce matin, lorsqu'il avait récupéré les lunettes de soleil de Jason.

— Tenez, fit-elle en lui lançant le légume, avant de se retourner comme si rien d'extraordinaire ne venait de se produire.

Il serra le poing et l'oignon éclata dans sa paume comme une coquille d'œuf cru. Alors que le jus odorant lui coulait sur les doigts, il jura tout bas et envoya par la pensée ce beau gâchis dans une poubelle à l'autre bout du couloir.

Le son amena Lindsay à se retourner, dans un geste si fluide que le sac en tissu qu'elle portait à l'épaule ne trembla même pas. Elle avait tiré ce grand fourre-tout de son bagage de soute dès qu'elle l'avait récupéré sur le tapis roulant. Avec une promptitude qui avait d'ailleurs éveillé la curiosité d'Adrian. Pourquoi ne pas l'avoir pris en cabine, si elle y tenait autant ?

Il étudia Lindsay un instant. Le peu de mouvements dont elle avait besoin pour être efficace était impressionnant. Et inquiétant aussi.

— Vous avez d'excellents réflexes.

Elle baissa les yeux.

— Merci.

— Vous auriez pu devenir sportive professionnelle.

— Je l'ai envisagé, avoua-t-elle en ajoutant un sachet de carottes à leur panier. Mais je n'ai pas assez d'endurance.

Voilà qui ne le surprenait pas. L'enveloppe mortelle de Lindsay n'était pas équipée pour supporter les talents néphilim de Shadoe. Ce qu'il ignorait, en revanche, c'était si elle ne possédait que la vitesse, ou si elle était dotée d'autres capacités.

L'urgence de la situation le frappa une fois de plus. Il devait éloigner Syre au plus vite.

La conscience des changements drastiques, peut-être même catastrophiques, qu'impliquerait la mort du chef des vampires ne suffirait pas à le détourner de ses intentions. Shadoe passait avant tout le reste. Il avait fait l'erreur de penser d'abord à lui la nuit où il avait empêché sa mort ; il ne jouerait pas les égoïstes une deuxième fois.

Pourtant, le prix à payer serait élevé.

Sa mission était de contenir et de contrôler les Déchus, pas de les exécuter. Lorsqu'il aurait mis un terme à l'existence de Syre, il se ferait exclure de la terre pour avoir désobéi aux ordres. Il laisserait donc les Sentinelles privés du capitaine qu'ils servaient depuis leur création. Les deux factions, anges et vampires, se retrouveraient sans leader pendant un certain temps, ce qui plongerait immanquablement le monde dans le chaos. Mais l'âme de Shadoe serait libérée des liens qui la rattachaient à son père. Et Adrian n'aurait plus à vivre dans l'hypocrisie. La faute qu'il avait commise voilà tant d'années serait enfin rectifiée.

De bien des manières, ses actes rééquilibreraient la balance. Syre et lui s'étaient montrés indignes de leur position de chef. Les Déchus, tout comme les Sentinelles, méritaient des capitaines irréprochables, des individus sur qui ils puissent prendre exemple.

Son portable sonna. Il le sortit de sa poche et consulta l'écran. Jason. Il s'excusa auprès de Lindsay – il devait décrocher –, et elle lui fit signe qu'elle continuait sans lui.

— Mitchell.

— L'avion de Damien est sur le point de décoller. Il sera rentré dans deux heures.

Adrian avait beau savoir que tout le monde agissait au plus vite, il ne parvenait pas à calmer son impatience. La mort de Phineas exigeait une riposte immédiate, mais il lui fallait des informations précises avant de lancer la chasse. Damien était le premier des Sentinelles à être arrivé sur les lieux, et il serait accompagné du lycanthrope survivant. Ces deux-là lui serviraient de point de départ.

— J'ai Shadoe.

À l'autre bout du fil, le silence se fit. Bientôt suivi d'un sifflement.

— Le timing est parfait. Ça nous donne une monnaie d'échange, au cas où Syre aurait dans l'idée de nous donner du fil à retordre.

— En effet.

Adrian sentit son épine dorsale se crisper. Si écœurant que ce soit d'utiliser Lindsay comme appât pour accéder à Syre, il n'existait pas de meilleur moyen pour manipuler son vampire de père et le mettre dans une position de vulnérabilité.

— D'autant que nous sommes dans un lieu public.

— Est-ce que je dois dire à Damien de venir à ton bureau demain matin ?

— Je veux le voir à la minute même où il arrive. Il est notre priorité jusqu'à ce que l'on trouve le responsable.

— Compris.

— Et le pilote ? Sait-on ce qui s'est passé ?

— Il a été propulsé à travers le toit, juste avant que nous arrivions sur zone. Ça fait la une de tous les journaux locaux à Phœnix.

Merde. Adrian étira ses épaules vers l'arrière.

— Dis à HR de m'envoyer son dossier, je veux que l'on s'occupe bien de sa famille. Et mets PR sur le coup pour limiter les dégâts. Que ses proches ne soient pas pourchassés par les médias.

— Je m'en occupe, capitaine. Je te rappelle.

Adrian n'avait plus de temps à perdre, il lui fallait absolument ramener Lindsay à Angel's Point au plus vite. La cherchant des yeux, il balaya le rayon du regard. Rien. Elle avait disparu. Il s'approcha du second lycanthrope.

— Pourquoi l'as-tu perdue de vue ?

— Elijah est avec elle.

— Va chercher la voiture et attends-nous devant.

Avec un hochement de la tête, le lycan s'éloigna. Adrian longea les caisses du magasin, vérifiant dans chaque allée s'il apercevait les courtes boucles dorées et la silhouette svelte. Il finit par repérer Elijah, planté devant le mur du fond – le lycanthrope offrait un spectacle impressionnant, avec ses bras croisés sur sa large poitrine –, mais Lindsay n'était pas à ses côtés.

Adrian le rejoignit en moins de temps qu'il n'en fallait pour cligner les paupières.

— Où est-elle ? demanda-t-il sans préambule.

— Aux toilettes. Où est Trent ?

Une fois de plus, Adrian fut frappé par le ton et l'attitude assurés du lycanthrope. Cette même assurance qui avait permis à Elijah de sauter d'un hélicoptère à la dérive malgré sa peur du vide. Celle aussi qui avait attiré l'attention sur lui comme potentiel Alpha parmi les siens.

Il allait le tester.

— Trent obéit aux ordres, éluda-t-il avec une désinvolture délibérément provocatrice.

Elijah opina du chef. Si cette non-réponse l'avait un tant soit peu agacé, le lycanthrope n'en montra rien.

— Il y a un démon dans le magasin. L'un des vendeurs de nuit.

— Ça n'est pas notre problème.

L'Amérique du Nord était le territoire de Raguel Gadara. Or arrêter les démons faisait justement partie des sept devoirs des archanges. Adrian, lui, avait été créé dans l'unique but de chasser les anges renégats. Hormis Samaël, ou Satan, comme l'appelaient les mortels, la plupart des démons constituaient des proies indignes d'un Sentinelle.

— Celui-là, peut-être bien que si, reprit Elijah. Il suivait la femme à travers le magasin.

— Garde un œil sur lui. Et escorte Lindsay jusqu'à moi à la seconde où elle sort de là.

— Vous voulez que je la surveille elle ? Je ne m'occupe plus de vous ?

Adrian s'immobilisa en passant à sa hauteur et tourna la tête. Le lycanthrope avait les yeux rivés sur lui. Son étonnement n'avait rien à voir avec une quelconque inquiétude pour le bien-être de son maître. Autrement dit, il s'agissait bel et bien de curiosité suscitée par l'importance soudaine qu'avait prise Lindsay pour ledit maître.

— Je peux me débrouiller seul quelques minutes, répliqua-t-il en s'éloignant.

Il s'arrêta au rayon des spécialités asiatiques avant de faire demi-tour. Il était au milieu du rayon boulangerie quand Lindsay apparut à l'autre bout, suivie de près par Elijah.

— Nous avons tout ce qu'il nous faut, annonça Adrian. À moins que vous n'ayez des requêtes particulières.

Elle s'immobilisa en plein mouvement. Bien que sa posture en apparence tranquille n'en trahisse rien, il percevait une tension sous la surface. Un courant d'air venu d'il ne savait où rabattit une mèche blonde sur son front.

Adrian sentit le démon derrière lui avant que Lindsay ne parle. Ses yeux bruns prirent instantanément la teinte et la dureté du plus noir des onyx.

— Éloigne-toi de lui, connard, lança-t-elle.

Une décharge électrique monta le long de la colonne vertébrale d'Adrian et se répandit dans tout son corps, provoquant la coupure des caméras de sécurité du magasin dans un sifflement strident. Un sourire sauvage découvrit les canines d'Elijah.

— Rappelle ton chien et ta chienne, Séraphin, siffla le démon dans son dos. Je ne veux pas causer de problèmes.

— Arrête tes conneries, jeta Lindsay. Je sens le diable en toi.

Adrian opéra un quart de tour, qui lui permit de voir à la fois Lindsay et la créature à laquelle elle s'adressait : un dragon qui serrait les poings le long de ses cuisses, prêt à expulser la flamme puissante qu'il devinait en lui. Dans la longue liste des démons, celui-ci représentait à peine plus de nuisance qu'un caillou dans sa chaussure. Un être de l'âge et du pouvoir d'Adrian ne s'y serait normalement même pas arrêté. Cependant, la rapacité avec laquelle il dévisageait Lindsay et l'irrespect dont il faisait preuve à leur égard étaient intolérables.

— Si tu présentes des excuses à la dame pour ton impolitesse, répondit doucement Adrian, je consentirai peut-être à ne pas t'éviscérer.

— Putain, lâcha le dragon en levant les deux mains. (Ses petits yeux allaient de l'un à l'autre.) Je suis désolé, madame. Dis-lui de s'écarter, Séraphin, je ne demande qu'à sortir d'ici.

Le démon avait pris la forme d'un mortel aux cheveux blonds attachés en queue-de-cheval et aux vêtements amples, dont le badge indiquait « Sam ». Mais la froideur reptilienne de son regard trahissait un intérieur bien plus sombre. Les dragons étaient une sale engeance de démons, prompts à terroriser les mortels pour le plaisir, avant de s'en faire leur casse-croûte. Quoi qu'il en soit, celui-ci était du ressort de Raguel, Adrian avait d'autres chats, plus dangereux, à fouetter.

Il secoua le poignet d'un geste agacé. Cet imbécile leur avait déjà fait perdre suffisamment de temps.

— File.

— Je ne crois pas, non, gronda Lindsay.

Un éclair argenté fulgura à travers le champ de vision d'Adrian. Suivant sa trajectoire du regard, il vit le dragon chanceler, une dague plantée au milieu du front, la bouche béante et les yeux emplis d'une lueur incrédule. Puis son corps se désintégra et il ne resta plus à la place qu'un tas de cendres de la moitié de sa hauteur. La lame, soudain privée d'ancrage, tomba dans les débris et heurta le sol avec un claquement sourd qui brisa le silence éberlué.

Adrian ramassa l'arme, un petit couteau qui n'aurait jamais dû venir à bout d'un dragon, tellement ces démons-là avaient la peau dure. Si « Sam » avait eu le temps de repérer l'attaque, il se serait transformé pour se protéger. Mais Lindsay l'avait pris de court, tout comme elle avait surpris Adrian.

Une vague de désir brûlant le fit vaciller, immédiatement surpassée par la fureur, parce que sa raison de vivre venait de se mettre en danger de façon irresponsable. Il se ressaisit et plongea les yeux dans les prunelles sombres de l'imprudente.

Elle soutint son regard, un sourire tendu sur les lèvres.

— On dirait que nous avons tous les deux beaucoup de choses à nous dire.

5

— Vous envisagez de vous servir de ça ?

Lindsay tripotait sans gêne aucune l'un des couteaux à lancer qu'elle transportait dans son sac en bandoulière. Quand ils avaient débarqué à l'aéroport John-Wayne, elle avait rencontré les gardes du corps d'Adrian, et constaté qu'ils n'étaient pas humains. Ils n'étaient pas non plus inhumains ou mauvais, sinon elle l'aurait senti. Tout comme le démon de l'épicerie avait attiré son attention aussi sûrement que s'il avait porté un néon allumé au-dessus de la tête. Par sécurité, elle avait récupéré le sac contenant son arsenal de combat, dans sa valise, à la sortie du tapis roulant de l'aéroport.

Elle haussa les épaules, affichant volontairement la même désinvolture qu'Adrian.

— Ça me détend de l'avoir à la main.

Elle tuait des non-humains malveillants depuis ses seize ans, alors ça ne l'empêchait plus de dormir depuis longtemps. Non, ce qui la perturbait, pour l'instant, c'était Adrian. Cette boule de haine, qui les avait agressés à l'épicerie, le connaissait. Mieux encore, il avait montré de la déférence, de la peur même, devant la mise en garde d'Adrian. Quant à elle, si va-t-en-guerre qu'elle soit généralement, elle se sentait en sécurité en sa présence, comme jamais depuis l'âge de cinq ans.

Bon Dieu… Elle savait pourtant détourner les yeux, attendre les meilleures occasions. Elle savait où travaillait ce Sam, elle aurait pu y retourner à un moment mieux choisi pour lui régler son compte en privé. Au lieu de quoi elle s'était quasiment mise à nu.

À sa décharge, elle n'avait pas vraiment eu le choix. Elle était trop jeune, quand sa mère était morte, et n'avait pas pu la sauver. Alors, depuis qu'elle était en âge de le faire, elle s'était juré de ne jamais plus regarder mourir un innocent sans intervenir. Or la lueur qu'elle avait aperçue dans les yeux de Sam, au moment où il s'apprêtait à quitter le magasin, elle la connaissait bien. Ce démon cherchait les ennuis et il n'était pas question qu'elle le laisse s'en tirer dans cet état d'esprit. Car elle aurait ensuite été obsédée par l'idée qu'il allait forcément passer sa frustration et son humiliation sur quelqu'un, et elle n'aurait cessé de se demander si elle aurait pu empêcher les conséquences forcément désastreuses de sa passivité.

— Ça vous détend de porter une arme, répéta Adrian.

Au volant de sa Mayback noire, il observait Lindsay, alors que le moteur du bolide rutilant ronronnait dans les lacets qui les emmenaient en haut de la colline surplombant la ville.

— Qui êtes-vous ? ne put-elle s'empêcher de lui demander.

Les battements trop rapides de son cœur l'obligeaient à admettre qu'elle était perturbée au plus haut point. Tâchant de se concentrer, elle força son cerveau à cesser de tournoyer autour de ce qu'elle ne comprenait pas.

Elle ne pouvait, ne voulait pas retomber dans le précipice obscur de son esprit, cet endroit où la folie lui murmurait à l'oreille comme un amant. Le thérapeute de son enfance la considérait comme l'un de ses plus grands succès, il la déclarait remarquablement équilibrée pour une jeune femme qui avait assisté à un meurtre à l'âge de cinq ans. Il ignorait, cependant, qu'elle avait dû se forger une nouvelle réalité, puisque les bases mêmes de la sienne lui avaient été dérobées. Dans cette nouvelle existence, des créatures possédant des pouvoirs inexplicables travaillaient en épicerie et tranchaient la gorge des parents sous les yeux de leurs enfants. Dans ce monde où tout était soit noir, soit blanc, un monde peuplé d'humains et de brutes inhumaines, elle était devenue une guerrière.

Et voilà qu'Adrian et ses gardes du corps transformaient en mensonge ce qu'elle était parvenue à considérer comme la réalité. Qu'était-il ? Qu'était-elle ? Où se plaçait-elle, dans un environnement où des êtres qui n'étaient pas humains n'étaient pas non plus mauvais ?

Elle avala la boule d'incertitude et de confusion qui s'était formée au fond de sa gorge.

Adrian esquissa une moue, si subreptice qu'une autre que Lindsay ne l'aurait pas remarquée. Autour de lui, l'air se chargeait d'une énergie brûlante, pulsante, totalement en opposition avec l'attitude nonchalante, voire apathique, qu'il affichait en toutes circonstances. Il s'adossa à son siège-baquet, dégageant une aura de grâce et de danger qui semblait lui tenir lieu de seconde nature. Quand il avait si calmement menacé Sam, elle avait compris pourquoi le démon – ou quoi qu'il soit – avait eu l'air près de se faire dessus. Quand bien même Adrian n'avait pas trahi le moindre énervement, elle avait senti la tornade, la force ultraviolente, le pouvoir de destruction prêt à tout balayer.

Si la mort avait un visage, c'était celui d'Adrian lorsqu'il était furieux ; et son impossible beauté rendait la terreur qu'il inspirait d'autant plus horrifiante.

— Vous ignorez qui je suis, répondit-il. Et pourtant, vous saviez ce qu'était le vendeur du magasin ?

Il avait encore parlé de sa voix inimitable.

— Le seul moment où je montre la main, c'est quand elle vient de lancer un couteau.

Ce qui se produisit ensuite eut la rapidité de l'éclair. L'instant d'avant, Adrian se trouvait assis à côté d'elle, à bonne distance. Et soudain, il l'avait immobilisée. Il lui avait saisi la main, celle qui tenait le couteau, au niveau du poignet, et la maintenait fermement contre le siège en cuir. D'une poigne de fer, il avait aussi enserré son autre main. Ses yeux bleus étaient en feu, brillant littéralement dans la pénombre.

Le cœur de Lindsay battait à tout rompre, affolé par un mélange d'admiration et de peur. Elle ignorait en effet toujours qui il était, mais savait désormais qu'il pouvait la briser en une fraction de seconde. La puissance irradiait de lui telle une vague de chaleur, lui brûlant la peau et lui piquant les yeux.

— Lâchez-moi.

— Je vais me montrer incroyablement clément avec vous, Lindsay, grommela-t-il, le regard brûlant de rage et de désir mêlés. Je vais me plier à vos souhaits, comme je ne le ferais pour personne d'autre. Mais quand il s'agit de votre sécurité, il ne peut y avoir ni jeu ni échappatoire. Vous avez éliminé un dragon qui ne vous avait pas attaquée. Pourquoi ?

— Un dragon ! hoqueta-t-elle, sous le choc. Vous plaisantez ?

— Vous ne le saviez même pas avant de le tuer ?

Il était donc sérieux. Lindsay s'affala contre son siège. Toute sa hargne, sa résistance l'avaient abandonnée d'un coup.

— Je savais qu'il était mauvais. Et pas humain.

Tout comme elle était certaine qu'Adrian ne l'était pas non plus. Sauf que lui n'était pas diabolique. S'il pouvait se montrer terrifiant, il ne suscitait pas pour autant la peur glaciale et paralysante qu'elle avait ressentie à la mort de sa mère. Lindsay la rechercha tout au fond de son être, attendit que sa terreur monte et l'étouffe à nouveau. Mais rien ne vint. La tempête qu'elle sentait gronder au fond de lui manquait de violence, et pourtant l'effet qu'il avait sur son radar interne était unique. Elle lisait en lui comme elle devinait la météo, comme s'il ne faisait qu'un avec le vent qui lui parlait d'aussi longtemps qu'elle se souvienne. Adrian lui était familier, sans qu'elle puisse ni l'expliquer ni le nier. Et même s'il la calmait, il le faisait avec une poigne inflexible mais douce, avec un regard empreint de désir et de tourment… Tout dans sa façon d'agir avec elle l'humanisait indéniablement.

Et quoi qu'il soit, elle voyait en lui un homme. Pas un monstre.

Adrian la regardait fixement, la mâchoire crispée. Au-dessus d'eux, le toit de verre ouvrant offrait une vue panoramique sur le ciel noir illuminé d'étoiles. Le temps semblait suspendu et pendant deux ou trois longues minutes, aucun des deux ne parvint à détourner les yeux de l'autre. Enfin, il murmura quelque chose dans une langue qu'elle ne reconnut pas, d'une voix tremblante d'émotion. Elle fut parcourue d'une onde de chaleur stupéfiante. Il pencha la tête et sa tempe vint se coller à la sienne, la caresser. Ses lèvres lui effleurèrent l'oreille, ses cheveux lui chatouillèrent le front comme de la soie épaisse. Son odeur, l'odeur terreuse et sauvage de l'air après la tempête, l'enveloppa. Elle entrouvrit les lèvres, laissant échapper de petits halètements. À l'aveugle, elle chercha sa bouche, submergée par une faim inexplicable de le goûter.

Mais il s'écarta, se cala dans son siège, et il avait déjà détourné la tête quand il demanda, d'un ton bien trop calme :

— Comment saviez-vous ?

Elle resta comme pétrifiée, dévastée par le moment de tendresse et de désir qu'ils venaient de partager et qui semblait si loin à présent. Avait-il d'ailleurs jamais eu lieu ? Ne l'avait-elle pas tout simplement imaginé ? Elle se secoua pour reprendre contenance, avalant péniblement sa salive dans l'espoir de retrouver l'usage de la voix.

— Je le sens. Je sais que vous n'êtes pas humain non plus.

— Et vous avez l'intention de me tuer aussi ?

Le ronronnement menaçant du ton lui fit serrer les dents. Elle se redressa.

— Si je n'ai pas le choix.

— Qu'attendez-vous ?

— Plus d'informations, répondit-elle en jouant ostensiblement avec la petite lame.

En fait, elle tentait désespérément de retrouver son équilibre en se concentrant sur une activité familière et rassurante. Elle n'avait nullement l'intention de lui parler du vent et de la façon dont il communiquait avec elle. Car au fond, comment être certaine qu'il ne profiterait pas de ce qu'il prendrait à n'en pas douter pour une faiblesse ?

— Vous êtes… différent. Pas comme les autres.

— Qu'entendez-vous par « les autres » ?

— Les vampires.

— Les vampires, répéta-t-il.

— Oui. Dents acérées, griffes, suceurs de sang. Mauvais.

— Depuis quand tuez-vous des vampires ?

— Dix ans.

Un long silence s'installa.

— Pourquoi ?

— Assez de questions, jeta-t-elle. Qui êtes-vous ?

— J'entends votre cœur s'affoler, la taquina-t-il doucement. Vous avez raison de vous méfier, vous ignorez ce que je suis ou ce dont je suis capable.

Elle lui retourna un sourire sans joie, à la fois agacée et excitée par le ton de défi qu'il avait adopté. L'humeur volatile d'Adrian lui fouettait les sens comme une pluie tropicale.

— Vous n'avez pas idée de ce dont moi, je suis capable. Vous n'avez encore rien vu, rétorqua-t-elle sur le même ton, avant de se pencher vers lui pour répéter, en détachant chaque mot : Qui… êtes… vous ?

Il reporta son attention sur la route.

— Attendez que nous arrivions à la maison. Je vous montrerai.

Jouant toujours innocemment avec son arme, elle ne le quittait pas des yeux. Il l'avait prise au dépourvu, tout à l'heure, la maîtrisant en une fraction de seconde, et pourtant même ainsi, elle n'atteignait pas le niveau d'alerte maximum. Il la désarmait, dans tous les sens du terme, alors qu'elle était pleinement consciente du danger qu'il représentait.

Quoi qu'elle découvre de plus sur Adrian Mitchell, il l'avait bel et bien séduite. Et c'était largement plus périlleux que toutes les griffes, tous les crocs, les dards qu'il pourrait révéler. Et carrément plus flippant aussi.

Elle se concentra sur son magnifique profil. Bien qu'elle lui eût accordé toute son attention depuis ces dernières heures, elle était toujours aussi sidérée par la puissance de sa mâchoire et la ligne aristocratique de son nez. Et elle adorait la forme de ses lèvres, si joliment dessinées qu'elles représentaient une véritable œuvre d'art à elles toutes seules.

Des images de cette bouche sensuelle lui caressant la peau, murmurant d'ardentes paroles, évoquant des scènes érotiques et offrant enfin de vrais sourires lui étreignirent le cœur, comme un poing serré. Au fond de son esprit, une multitude d'images similaires se bousculaient, intimes mais floues, aussi bouleversantes que des souvenirs. Sa peau se hérissa de désir, ses tétons durcirent et, entre ses jambes, s'installa une humidité chaude.

Elle détacha les yeux de lui à contrecœur, préférant regarder par la vitre pour réguler les battements désordonnés de son cœur. *Merde*. Qu'est-ce qui n'allait pas chez elle ? Plus rien ne fonctionnait comme d'habitude. Frémissante, furieuse, excitée, elle ne savait plus où elle en était.

Plus ils montaient et plus se raréfiaient les grandes villas qui s'étalaient à flanc de colline. Bientôt, même les lampadaires jalonnant la route s'espacèrent, avant de disparaître tout à fait, et les profondeurs du ciel nocturne les avalèrent, ne leur laissant pour uniques points de repère que les étroites bandes jaunes projetées par les phares de la voiture. Lindsay avait beau se répéter qu'Adrian était un personnage connu, que son père savait où elle se trouvait, elle ne parvenait plus à faire taire la voix qui hurlait au plus profond de son cerveau : *Il n'est pas humain !*

Ils atteignirent enfin une barrière en fer forgé qui barrait la route et empêchait tout accès étranger, et la voiture ralentit. Lindsay balaya du regard les environs immédiats, et ses yeux s'arrêtèrent sur un poteau de granit sur le bord de la route, qui indiquait ANGEL'S POINT. Un frisson bizarre lui parcourut l'échine.

Un garde robuste sortit d'une baraque, qui jeta un coup d'œil à Elijah, leur chauffeur, et hocha la tête. Puis il s'éloigna pour ouvrir la barrière. La Maybach parcourut encore huit cents mètres environ avant qu'apparaisse la maison. Si profondes que soient les ténèbres à cette hauteur où la pollution lumineuse de la ville ne les troublait pas, Lindsay n'eut aucune difficulté à distinguer la bâtisse. Elle était en effet éclairée de toutes parts, si bien que l'on se serait soudain cru en plein jour. Quiconque approcherait, de n'importe quel côté et même d'en haut, ne pourrait passer inaperçu.

La résidence ceignait le flanc de la colline sur trois niveaux, chacun avec son vaste ponton arrondi. De part et d'autre, une épaisse forêt, des terrasses rocheuses et des poutres de bois apparentes donnaient l'impression que la maison faisait partie intégrante de la colline. Lindsay n'y connaissait rien en architecture, mais Angel's Point respirait la richesse. Comme tout ce qui entourait Adrian.

La voiture s'arrêta et un autre garde vint ouvrir sa portière. Elle s'apprêtait à descendre quand Adrian se matérialisa devant elle, la main tendue. Il ne prenait même plus la peine de cacher sa célérité. Elle s'abstint pourtant de tout commentaire. En fait, elle appréciait qu'il ne fasse plus semblant d'être humain. Ce qui ne signifiait pas qu'elle allait le féliciter pour autant.

Elle posa les pieds sur le gravier crissant de l'allée et, une fois debout, admira la maison grandiose. Soudain, un mouvement dans son champ de vision lui fit tourner la tête. Un énorme loup rôdait.

Haletant de surprise et instinctivement sur le qui-vive, elle s'aplatit contre la portière fermée. Adrian l'attrapa par les coudes et le bouclier qu'il forma contre son corps la remplit d'un réconfort et d'un soulagement indéfinissables. La bête renifla l'un des pneus, puis leva sa tête majestueuse et posa sur elle des yeux intelligents. Les sens en éveil, Lindsay se raidit, prête à l'attaque.

— Ce ne sera pas nécessaire, murmura Adrian, lui rappelant avec quel empressement elle avait dégainé son couteau.

Elijah contourna la voiture par l'arrière et planta son regard dans celui du loup avec un grognement sourd. Immédiatement, l'autre recula et baissa les yeux.

D'autres loups apparurent. Une meute tout entière, deux peut-être. Lindsay ne savait pas combien de loups composaient une meute, en tout cas il y avait dans l'allée au moins une dizaine de bêtes au pelage bigarré, d'une taille impressionnante. Du genre que l'on imagine capables d'avaler une vache entière au petit déjeuner.

Un éclair déchira le ciel, parfaite matérialisation de l'électricité qui entourait Adrian.

Doux Jésus. Lindsay lâcha un soupir.

L'étrangeté de cet endroit et de l'homme qui se tenait à ses côtés lui tira un frisson. Le vent la caressa, ébouriffant ses cheveux sans toutefois apporter avec lui ni mise en garde ni réconfort. Elle était seule, avec l'impression d'être tombée, telle Alice, dans le terrier du Lapin blanc. Perdue, fascinée, stupéfaite.

Adrian désigna la maison.

— Entrons.

Elle le suivit et franchit avec lui une double porte d'entrée, traversa dans son sillage un vestibule au sol en ardoise pour parvenir à un immense salon en contrebas. Une imposante cheminée trônait au centre de l'un des murs, et Lindsay songea que sa Prius logerait aisément à l'intérieur.

— Vous aimez ? s'enquit Adrian en lui lâchant la main.

Il l'observait intensément, comme si sa réponse lui importait beaucoup.

L'intérieur de la maison d'Adrian était typiquement masculin, dans les tons de brun et de taupe, avec des touches de rouge sombre qui faisaient penser à de la rouille. Des matériaux tirés de la nature environnante, au sens propre du terme, avaient été utilisés : meubles en bois ouvragé, épais linge de coton, feuilles séchées. Juste en face de la porte, un mur vitré donnait sur les autres petites collines et leurs vallées en contrebas. Au loin, la ville scintillait d'une multitude de feux aux éclats divers, même si la métropole semblait à des années-lumière. Utiliser le terme d'« exceptionnel » pour décrire la résidence d'Adrian serait un euphémisme. Elle lui correspondait en tous points. Car sous ses airs urbains, il recelait, Lindsay le percevait nettement, une connexion évidente à la terre et à la nature.

Son sac collé à son flanc, elle lui fit face.

— Comment pourrais-je ne pas aimer ?

— Bien, fit-il avec un hochement de tête satisfait. Car vous allez rester ici jusqu'à la fin des temps.

Son assurance était sidérante.

— Je vous demande pardon ?

— Pour votre sécurité, j'ai besoin de vous garder en lieu sûr.

J'ai besoin de vous garder... Comme s'il agissait de plein droit !

— Peut-être n'ai-je pas envie d'être gardée.

— Il fallait y penser avant de tuer un dragon dans un lieu public.

— C'est vous qui m'avez fait repérer. Ou vos gardes du corps. Si je n'avais pas été avec vous, jamais il n'aurait prêté attention à moi. En résumé, si je suis une cible, c'est votre faute.

— Peu importe qui est à blâmer, répliqua-t-il calmement. Elijah avait remarqué que vous étiez suivie. Pendant un bref laps de temps, quand vous étiez aux toilettes, on a perdu la trace de Sam. Si ça se trouve, il était allé informer quelqu'un qu'il vous avait aperçue en notre compagnie. Dans ce cas, sa disparition va éveiller les soupçons, et nous serons les premiers vers qui ils dirigeront leurs recherches.

Elle fronça les sourcils.

— Pourquoi est-ce qu'une nana qui traîne avec vous aurait eu de quoi l'intéresser, ce Sam ou qui que ce soit d'autre ? Vous êtes riche et sexy à tomber. Je suis persuadée qu'on vous voit tout le temps avec des femmes. Vous pensez qu'il a appelé des paparazzis, ou plutôt des potes dragons ?

D'un geste gracieux du bras, Adrian désigna le couloir.

— Laissez-moi vous montrer votre chambre. Vous pourrez vous rafraîchir et nous parlerons ensuite.

— Dites plutôt que vous parlerez, corrigea-t-elle. Moi, j'écouterai.

Il lui posa la main au creux du dos et elle perçut la puissance qui pulsait en lui. Une énergie monumentale, contenue par une force d'esprit cyclonique qui la stupéfia.

Il était différent, ici. Le pouvoir qui émanait de lui était plus aiguisé, plus raffiné. À moins qu'il ne soit seulement plus apparent. Peut-être même qu'il l'exhibait à dessein. Quoi qu'il en soit, l'agitation qu'il avait laissée transparaître dans la Maybach était sagement maîtrisée, à présent. Pourquoi avoir montré cette inquiétude à une parfaite étrangère, pour ensuite la masquer, une fois chez lui, là où il aurait au contraire dû se sentir le plus à son aise ?

Un coup d'œil alentour lui apprit qu'ils n'étaient pas seuls. Plusieurs personnes étaient présentes : des types musculeux, ainsi que d'autres plus élégamment bâtis, à l'image d'Adrian, plus quelques femmes, toutes assez belles pour susciter chez Lindsay un mélange de jalousie et de possessivité. En tout, une dizaine de spectateurs disséminés à travers la pièce, qui la scrutaient, l'examinaient, le regard quelque peu hostile.

Instinctivement, elle plongea la main dans sa sacoche et empoigna le manche d'un second couteau. Elle était seule face à plusieurs individus et, en tant qu'humaine, évidemment en infériorité. L'inquiétude fit accélérer son pouls.

— Lindsay.

La main d'Adrian se referma sur son autre poignet et son cœur s'apaisa instantanément, alors qu'une douce chaleur l'irradiait, là où il la tenait.

— Vous n'en avez pas besoin. Pour vous, cet endroit est ce qu'il y a de plus sûr au monde. Personne ne vous veut le moindre mal ici.

— Je veillerai à ce qu'ils aient le plus grand mal à m'atteindre, s'ils en avaient l'intention, promit-elle en balayant la pièce d'un regard de défi, pour s'adresser à tous en même temps.

Tant pis si sa menace était lancée dans le vide, vu qu'elle n'avait pas la moindre idée de la nature de ses agresseurs potentiels.

— Prenez garde. Vous êtes mortelle, donc fragile.

Elle haussa les sourcils. Elle était capable d'affronter n'importe quel « mortel », même s'il faisait trois fois sa taille. Qu'Adrian emploie à son endroit le mot « fragile » renforçait sa conviction première : cet être, quel qu'il soit, possédait un pouvoir dont elle ignorait jusqu'à l'existence avant de le rencontrer.

— Et vous, dites-moi ? Nous n'avons toujours pas défini ce que vous êtes.

Il lâcha un soupir, capitulant.

— Vous avez évoqué les vampires. Quelles autres créatures connaissez-vous ?

— Les dragons, grâce à vous.

Il lui lâcha la main et s'écarta.

— S'il existait des anges, les classeriez-vous parmi les gentils ou les méchants ?

Lindsay réfléchit à toute vitesse. Les anges étaient liés à la Bible, or elle avait tourné le dos à la religion depuis longtemps. Évidemment. Elle était révoltée par l'idée que quelqu'un ait eu le pouvoir d'empêcher la mort de sa mère et ne s'en soit pas servi pour la sauver.

Elle s'efforça de détendre ses épaules.

— Tout dépend s'ils prennent une part active dans la destruction des vampires et des dragons.

Deux volutes de fumée s'élevèrent derrière Adrian. Puis la brume se dispersa, prenant la forme et la substance d'une paire d'ailes... Des ailes pures, d'un blanc virginal bordé d'écarlate, comme si leur pointe avait été trempée dans une flaque de sang frais.

Lindsay vacilla, recula d'un pas et se retint d'une main au mur. La pureté de la véritable apparence d'Adrian menaçait de l'aveugler. La puissance qui émanait de lui telle une onde de chaleur était tangible. Elle avait l'impression de se dorer au soleil de midi.

Des larmes lui piquèrent les yeux et ses genoux se mirent à flageoler. Le couloir commença à tournoyer et une terrible impression de déjà-vu la frappa, comme une série de flashs d'une milliseconde. Adrian avec des ailes. Adrian portant des vêtements différents. Adrian avec une autre coiffure. Dans divers contextes.

L'espace d'un instant, elle craignit de s'évanouir. Et puis, toutes ses impressions se rejoignirent en une pensée unique : *un ange*.

Merde. Elle qui était à des lieues du concept de piété, qui évoluait dans un univers totalement étranger à la religion. Et même maintenant, alors qu'il exhibait ses ailes et une superbe auréole dorée, ce qu'elle ressentait tenait moins de la pieuse révérence que d'un désir primitif et immoral. En fait, la vision des ailes déployées d'Adrian la séduisait encore plus si possible. Tout bonnement parce qu'elle le découvrait enfin mis à nu, sans sa façade, aussi ouvert à elle qu'elle s'était ouverte à lui dans le magasin.

Toute sa vie, elle avait bien remarqué combien elle était différente des autres. Plus rapide, plus forte, capable de percevoir les infimes changements du vent, qui l'avertissaient des dangers. Enfant, elle s'était souvent sentie mutante et devait se contrôler, faire attention à ne pas exhiber sa vitesse de mouvement, par exemple. Elle avait passé les dix dernières années à s'efforcer de paraître normale, tout en pourchassant et tuant des êtres plus dangereux les uns que les autres. Elle avait abandonné tout espoir de vivre un jour une relation amoureuse suivie. Ce besoin de dissimuler une partie intégrante d'elle-même l'avait plongée dans une immense solitude.

Et voilà qu'elle se trouvait face à un être qui la savait différente. Quelqu'un qui l'accepterait telle qu'elle était, simplement parce que lui aussi était différent. Jamais elle n'avait pu se confier à personne, au sujet du monde d'en dessous, des Enfers dont elle connaissait l'existence. Mais Adrian savait aussi cela.

— Vous alliez laisser ce dragon s'en aller ! s'exclama-t-elle sur un ton accusateur qui, elle l'espérait, masquerait sa vulnérabilité.

Savoir qu'elle pourchassait les démons suffisait à Adrian pour la connaître plus intimement que quiconque. Et soudain, il lui était précieux pour cette raison-là, cet être éthéré d'une incroyable beauté.

— Ma préoccupation première était votre sécurité, répondit-il calmement.

— Je sais me protéger toute seule. Vous auriez mieux fait de vous occuper de lui.

— Je ne chasse que les vampires, expliqua-t-il. Or, il s'agissait d'un dragon, en l'occurrence.

La porte d'entrée s'ouvrit et elle tourna immédiatement la tête. C'était Elijah qui entrait, le sac des courses dans les bras. Il s'immobilisa sur le seuil et observa la scène, son beau visage demeurant impassible. Une mèche de ses épais cheveux bruns tombait sur son front, encadrant ses yeux semblables à des émeraudes. Même si elle ne l'avait pas vu sourire une seule fois, Lindsay ne ressentait pas de mauvaises ondes émaner de lui. Il paraissait juste très vigilant et d'une curiosité acérée. Intelligent, à coup sûr. Elle le devinait prudent et difficile à prendre au dépourvu.

Elle sentit Adrian s'approcher d'elle. Il lui suffit d'une inspiration pour que l'odeur de sa peau la titille. *C'est un ange. Et il chasse les vampires…*

— Je sais que tu as faim, chuchota-t-il. Allons t'installer, ainsi tu pourras venir discuter avec moi pendant que je nous préparerai à dîner.

L'idée d'observer un être céleste et ailé s'affairer aux fourneaux était particulièrement étrange, et pourtant il y avait là-dedans une angoissante sensation de normalité. Comme si elle connaissait, et reconnaissait même, l'intimité de cette scène du quotidien.

Bon Dieu, il fallait vraiment qu'elle se reprenne ! Qu'elle découvre les nouvelles règles et qu'elle apprenne soit à les gérer, soit à les contourner. Elle ne pouvait se permettre de rester dans l'ignorance, et encore moins de laisser quiconque lui dicter où aller et quand. Quelque part, là, dehors, les vampires qui avaient tué sa mère continuaient à terroriser des gens. Elle avait vu le plaisir qu'ils prenaient à la douleur et à la peur qu'ils infligeaient, ils n'étaient pas du genre à s'arrêter de leur propre chef, pas avant que quelqu'un les mette hors d'état de nuire. Et elle voulait être celle qui réussirait cet exploit, alors pas question d'interrompre la chasse tant qu'elle n'aurait pas la certitude que ces monstres ne détruiraient plus l'innocence d'un enfant, comme ils avaient anéanti la sienne.

— D'accord, accepta-t-elle. Mais c'est vous qui allez parler.

— Qui est-elle ?

— Je n'en sais rien.

Elijah appuya l'avant-bras contre l'un des lits superposés, dans le baraquement des lycanthropes, et regarda les hommes et les femmes regroupés autour de lui.

— Je ne vois pas comment Adrian pourrait savoir. Elle est apparue à l'aéroport et depuis, il ne la quitte pas d'une semelle. Jamais je ne l'ai vu prêter attention à une femme et pourtant, elle, il ne la quitte pas des yeux.

— Elle est peut-être tout simplement son type de femme, suggéra Jonas, dont la naïveté trahissait le jeune âge.

— Les Séraphins n'ont pas un « type de femme ». Ils ne ressentent pas d'émotions comme nous, ils ne désirent pas, n'ont pas faim, ni besoin de quelqu'un.

Du moins, c'était ce qu'Elijah avait appris petit, et ce qu'il avait constaté de ses propres yeux depuis. Sauf que ce soir, alors qu'il ramenait Adrian et cette femme de l'épicerie, il avait perçu dans la voiture une onde d'énergie pure. Ce qui émanait d'Adrian trahissait bel et bien une réponse émotionnelle à la menace dirigée contre Lindsay Gibson par le dragon. Et la façon extrêmement possessive dont son maître agissait semblait prouver qu'il tenait à elle. Ce qui était d'autant plus incompréhensible qu'elle ne le connaissait visiblement pas.

— N'empêche, elle est mignonne, insista Jonas. Moi, je me la taperais bien.

— Ne plaisante pas avec ça, rétorqua Elijah. Il te mettrait en pièces. Il était prêt à démolir un démon en public, juste parce que cet imbécile l'avait regardée de travers.

— Alors là, ça n'aurait pas plu à Raguel ! fit remarquer Micah en se frottant le menton d'un air songeur. Les archanges ne plaisantent pas avec leur territoire, surtout en ce qui concerne les Séraphins. Sans compter le risque d'irriter le chef du démon en question. Adrian se serait attiré beaucoup d'ennuis pour une femme qu'il venait de rencontrer.

— Mais pourquoi elle ? C'est une humaine, fit remarquer Esther d'un ton acerbe qui provoqua des hochements de tête approbateurs parmi les femmes.

— Elle a buté un dragon comme elle aurait écrasé une mouche, raconta Elijah, jetant un coup d'œil circulaire à la pièce et à la foule de pupilles vertes dirigée vers lui. Elle a agi avec une rapidité que je n'avais jamais vue chez aucun humain. Mais tu as raison, Esther, elle est humaine ; je ne sens rien d'autre chez elle.

— Il y a pourtant forcément autre chose, marmonna Micah.

— Oui, admit Elijah. Je l'ai entendue dire à Adrian qu'elle devinait la présence des démons et des vampires, et qu'elle les pourchassait depuis dix ans.

Un grondement incrédule parcourut la meute.

— Adrian était en train de lui montrer ses ailes quand je suis entré dans la maison, ajouta-t-il avec un sourire amer. Il y a quelque chose là-dessous, et j'aimerais bien savoir quoi.

— Que devons-nous faire ? demanda Jonas.

Le jeune loup attendait visiblement une réponse d'Elijah, tout comme ses camarades réunis dans le baraquement.

C'était trop souvent le cas, et Elijah en avait assez de ce fardeau. Il ne pouvait pas se le permettre. Tout le monde semblait oublier qu'on l'avait transféré dans la meute d'Adrian pour mieux le surveiller.

Mais bon, les autres avaient tellement l'habitude de s'appuyer sur sa force… et son entêtement. Il fallait juste qu'il les délie de cette manie qu'ils avaient de s'en remettre tout le temps à lui. Sauf que même cette opération de désintoxication relevait d'un pouvoir qu'il n'aurait pas dû être en mesure d'exercer.

— On fait profil bas, répondit-il enfin. Et on ne fourre pas son nez dans les endroits risqués. Jason a sous-entendu que la mort de Phineas était peut-être le fait d'un lycan. On ne va pas leur donner le moindre prétexte pour penser une chose pareille, OK ?

— Jason ne nous a jamais fait confiance, ricana Esther.

— Malheureusement, il est chef en second, désormais, leur rappela Elijah. Son opinion compte.

Il observa de nouveau la pièce, longue et étroite. L'espace était purement fonctionnel, meublé de rangées de lits superposés en métal vert olive et de vestiaires assortis. De toutes les meutes, celle d'Adrian était la moins confortablement installée. La plupart des autres se trouvaient dans des coins reculés où les Sentinelles parquaient les vampires, des lieux où les lycanthropes pouvaient courir et chasser, faire semblant d'être libres. Pourtant, la meute d'Adrian était considérée comme la plus prestigieuse. Le capitaine des Sentinelles payait et nourrissait bien ses lycans, mais surtout il ne pourchassait que les plus fameux contrevenants, les vampires les plus vicieux, rusés et dangereux. N'importe quel lycanthrope digne de ce nom rêvait de chasser ce genre de proies de premier choix.

Elijah redressa les épaules.

— Voici mon conseil : écoutez attentivement tout ce qui se raconte autour de vous. Je dis bien tout. Et s'il vous plaît, réfléchissez à deux fois avant de faire quoi que ce soit qui risquerait d'attirer l'attention sur vous.

Le groupe exprima son assentiment dans un grognement collectif, avant de se disperser. Ils ne devaient pas rester ainsi réunis trop longtemps, au risque d'éveiller la suspicion. Collusion et mutinerie constituaient des accusations sérieuses auxquelles personne ne voulait répondre.

Micah resta en arrière, une main dans la tignasse d'un rouge profond qui recouvrait sa peau de loup. Avant de parler, il jeta un coup d'œil par-dessus chacune de ses épaules. Une fois assuré que personne ne pouvait l'entendre, il se pencha vers Elijah.

— Elle pourrait représenter notre billet pour la liberté, cette femme, murmura-t-il.

Elijah se raidit immédiatement.

— Pas un mot de plus.

— Il faut bien que quelqu'un le dise tout haut ! On ne devrait pas avoir à vivre comme ça, à l'encontre de notre nature et de nos instincts. Bon sang, Elijah, je t'ai vu porter les provisions d'Adrian ! Tu vaux mieux que ça, tu vaux mieux que lui !

— Arrête.

Elijah se détourna. Il ne pouvait rien entreprendre. Une révolte ne conduirait qu'à la mort de ceux auxquels il tenait.

— Il m'a sauvé la vie, aujourd'hui.

— Il peut te la prendre tout aussi facilement.

— Je sais, mais maintenant, je lui suis redevable.

— Je dois absolument essayer, Elijah, et on ne réussira pas sans toi. Je sais que tu vois comme moi l'opportunité que représente cette femme. Si Adrian est attaché à elle, qui sait ce qu'il serait prêt à donner pour qu'on la lui rende saine et sauve ?

— Jamais il n'abandonnerait son pouvoir à des lycanthropes ! rétorqua Elijah en s'affalant lourdement sur l'une des couchettes du bas. Si tu crois que notre protection affaiblit les Sentinelles, tu te trompes. Ce sont des Séraphins, entraînés à battre d'autres Séraphins, soit les êtres célestes les plus puissants après le Créateur. Adrian ne vit que pour sa mission, il ne respire que pour elle. Les Sentinelles s'entraînent chaque jour comme si l'Armageddon était pour demain. Ils nous massacreraient.

— Mieux vaut mourir en loups que de vivre courbés comme des chiens.

Elijah savait que Micah n'était pas le seul à nourrir ce genre de velléité. Beaucoup pensaient que la lutte de pouvoir entre les anges et les vampires ne concernait plus les lycanthropes, et qu'une révolution était nécessaire pour leur assurer la liberté à laquelle ils avaient droit. Elijah ne pouvait les blâmer de réagir de la sorte, mais lui n'avait ni femme ni enfants pour qui se battre. Il n'avait que lui, et chasser les vampires était toute sa vie. Or, travailler pour Adrian lui procurait les informations et les ressources pour accomplir ce qu'il faisait le mieux.

— On ne vit pas courbés, répondit-il calmement. Nous sommes responsables de la répression d'anciens Séraphins. C'est énorme.

— C'est de l'esclavage.

— Que ferions-nous de nos journées, si nous n'étions pas à leur service ? Où irions-nous ? Tu te vois travailler dans un bureau ? Prendre tous les jours les transports en commun ? Recevoir les petits copains humains de tes chiots à la maison ?

— Pourquoi pas ? Au moins je serais libre, je pourrais faire tout ce qui me plairait.

— Nous serions pourchassés. Nous vivrions dans la méfiance, l'angoisse qu'Adrian franchisse le pas de notre porte pour nous abattre. La fuite, ça n'a rien à voir avec la liberté.

Le loup roux s'assit sur le lit d'en face.

— Je vois que tu y as longuement réfléchi. Je dois malheureusement faire mes bagages, car on m'envoie en Louisiane pour une chasse, mais on en reparlera à mon retour.

— Il n'y a rien de plus à dire. S'échapper ne servirait à rien. N'insiste pas, Micah.

— Je suis ton bêta, El, lui fit remarquer Micah en souriant. C'est mon travail.

— Je n'ai pas besoin d'un second. Je n'ai pas de meute.

— C'est ça, continue à te le répéter, mais ça n'en fera pas pour autant une réalité. Tu parviens à contrôler la bête qui est en toi, et du coup, ça la rend assez forte pour nous contrôler tous. Tu sens comme moi la façon dont chaque lycan te regarde, je le sais. Avec respect. On ne peut pas s'en empêcher, et ça fait de toi le patron, que tu le veuilles ou non. On peut très bien foutre le bordel tout seuls, mais au bout du compte, on aura besoin d'un leader, et tu es le seul qui possède la force nécessaire pour en devenir un.

Elijah se mit debout. Justement, sa singularité serait peut-être leur salut. S'ils parvenaient à créer une cohésion entre eux mais sans lui, cela leur sauverait peut-être la vie à tous. Il savait bien ce qui se disait à son propos : que sa capacité à maîtriser sa bête en toutes circonstances constituait une anomalie pour un lycanthrope. La peur, la colère, la douleur, autant d'émotions qui pouvaient déclencher une transformation involontaire. Lui, il ne devenait loup que lorsqu'il le choisissait. Cela faisait peut-être de lui un mutant parmi les siens, mais pas un Alpha. Et encore moins le leader qui les conduirait à un massacre.

— Ce que tu me demandes, Micah, c'est de vous emmener à l'abattoir. Tout en sachant que ça ne sert à rien. Non, ça n'arrivera pas. Jamais.

— Il est trop tard, El. Depuis des siècles, c'est inévitable.

6

Alors que Lindsay ôtait d'un petit coup de langue une miette collée à sa lèvre inférieure, les pensées d'Adrian prirent un tour définitivement sexuel. Elle était vraiment belle, une tigresse aux cheveux dorés, aux yeux sombres et vifs, mais ce qui l'excitait le plus chez elle en cet instant, c'était l'appétit avec lequel elle dévorait son repas. Elle alternait l'usage habile des baguettes et de ses doigts, et exprimait une satisfaction évidente, notamment par de petits gémissements de plaisir.

— C'est délicieux, commenta-t-elle.

Son enthousiasme faisait plaisir à voir.

Les Sentinelles avaient été créés comme des êtres neutres, autrement dit incapables d'apprécier quoi que ce soit avec autant de passion. Les hauts et les bas des émotions humaines n'étaient pas faits pour eux. Ils étaient les poids qui équilibrent la balance, l'épée qui rend équitablement la justice.

Lindsay souleva une crevette par la queue.

— Un soir, mon père nous avait emmenées dîner dans un restaurant japonais, ma grand-mère et moi. Elle avait adoré les manipulations du chef, avec les flammes et les spatules qui volent, jusqu'au moment où, d'un geste expert, il a envoyé une crevette dans son assiette. Moi, j'ai trouvé ça génial. Le mec était vraiment doué. Mais ma grand-mère a regardé fixement la crevette un long moment, puis le cuisinier – le regard qui tue, vous voyez –, avant de la lui renvoyer ! Elle s'était sentie insultée. Quand on s'est insurgés, elle nous a rétorqué que ce jeune homme ferait mieux d'apprendre les bonnes manières avant de venir travailler dans un établissement convenable.

Adrian haussa les sourcils.

Lindsay se balançait sur le tabouret du bar en riant.

— Vous auriez dû voir la tête du type ! Mon père a dû lui offrir deux verres de saké pour apaiser son orgueil blessé.

La bonne humeur de Lindsay était contagieuse. Le son de son rire était si cristallin, si libéré qu'Adrian ne put se retenir de sourire. Pour la première fois depuis des siècles, sa bouche se retroussa. Il l'aimait décidément beaucoup, et il avait envie de la connaître mieux.

Cependant, il devait maintenir l'apparence de l'hôte calme et serein. À la fois pour le bien de Lindsay et pour donner le change face à ses Sentinelles. Il sentait bien leur prudence, leur méfiance même. Et quand bien même ils n'oseraient jamais le dire tout haut, ils savaient que Shadoe l'affaiblissait. Leur inquiétude pour son bien-être risquait de donner naissance à un ressentiment dangereux, s'il n'y prêtait pas attention. Son unité se composait de Séraphins plus purs que lui, d'anges qui ne souffraient pas des fragilités émotionnelles qui étaient les siennes. Ils comprenaient donc mal pourquoi Shadoe le rendait vulnérable, tout bonnement parce qu'ils ne comprenaient pas l'amour, ce sentiment typiquement humain. Si jamais un Sentinelle venait à croire que leur mission avait été compromise par Lindsay, ils la tueraient. Et ce serait totalement justifié.

Adrian se concentra sur les légumes qu'il faisait frire pour sa tempura, dans l'espoir de résister à l'envie de regarder Lindsay. Perchée sur un tabouret haut, de l'autre côté du plan de travail en granit de son îlot de cuisine, elle sirotait son troisième verre d'eau. Et il se surprit à être excité par la façon dont elle avalait le liquide. Deux cents ans de célibat, ça faisait vraiment des dégâts. Pourtant, pendant toute la dormance de Shadoe, aucune femme ne lui faisait le moindre effet. Mais dès que son âme revenait, le désir et la faim qu'il avait si longtemps contenus remontaient à la surface, d'autant plus voraces qu'ils avaient été refoulés longtemps. Il se languissait de la goûter, de s'enfoncer en elle, de la sentir onduler sous ses coups de boutoir.

Malheureusement, cela devrait attendre. Il avait besoin que Lindsay lui fasse confiance d'abord, puis qu'elle le désire autant qu'il la désirait. Quand enfin il la posséderait, alors il ne serait plus question de brider son énergie. D'ailleurs il ne pensait pas qu'elle l'y autoriserait, féroce comme elle l'était. Il la soupçonnait, lorsqu'elle se donnait à un homme, de le faire totalement. Cette femme avait le cœur d'une guerrière et une âme qui irradiait la douleur.

Il allait devoir être patient : d'abord la protéger, la rendre plus forte, gagner sa confiance.

— Vous ne mangez pas, remarqua-t-elle.

— Si, bien sûr, mais pas de la même manière que vous, c'est tout.

— Ah bon ? fit-elle, sur un ton moins surpris qu'il ne l'aurait espéré. Et comment faites-vous, alors ?

Elle agrippa ses baguettes laquées d'une façon différente, plus agressive. Il pouvait lui briser l'échine d'un seul doigt, et pourtant, le sens très développé du bien et du mal qu'elle manifestait, ajouté à son besoin de protéger les autres, lui faisait oublier le danger et la rendait capable de se lancer dans une bataille perdue d'avance. Il admirait cet esprit et cette force de conviction, chez elle.

Il réfléchit posément avant de lui donner sa réponse. Il ne monterait pas dans son estime si elle le considérait comme un parasite, à l'instar des vampires.

— J'absorbe de l'énergie.

— Laquelle ? Comment ?

— Il y en a partout autour de nous : dans l'air, l'eau, la terre. La même qui est utilisée par les turbines à vent d'une centrale hydroélectrique telle que le barrage de Hoover.

— C'est pratique.

— En effet, admit-il, plongeant les dernières crevettes et légumes panés dans la friture.

À l'instant présent, son niveau d'énergie était au maximum, comme toujours lorsque Shadoe était proche de lui. Sa présence, la force unique de leurs deux âmes réunies dans le même navire lui permettaient d'atteindre le maximum de ses capacités. L'énergie vitale procurée par les âmes constituait la source majeure du pouvoir des Séraphins, et la raison pour laquelle les Déchus s'étaient tournés vers l'absorption de sang. L'énergie vitale était toujours nécessaire à leur survie mais, dépossédés de leur âme, ils n'avaient d'autre choix pour obtenir cette énergie que d'employer des méthodes plus directes.

— Alors comme ça, reprit Lindsay, vous chassez les vampires...

— Oui.

— Pourtant, le type de l'épicerie, c'était un dragon.

— Oui.

Elle prit une profonde inspiration.

— Et les démons, ça existe aussi ? Enfin, les anges et les démons, c'est censé aller ensemble, non ?

À l'aide d'une écumoire, il retira les derniers morceaux de tempura de l'huile, puis il éteignit le gaz.

— Ce dragon-là était un démon. Il existe d'autres êtres qui obéissent aussi à cette classification.

— Comme les vampires ?

— Il y a des créatures, avec des crocs et qui boivent du sang, que l'on range aussi parmi les démons. Mais je ne m'en occupe pas. Moi, je suis responsable de certains anges : les anges déchus. Les vampires que je chasse ont jadis été mes semblables.

— Vos semblables ? Des anges, vraiment ? conclut-elle en serrant les lèvres. Pourtant, les démons sont des méchants, tout le monde devrait s'en préoccuper, non ?

— Ma mission est définie de façon très précise.

— Votre mission ?

— Je suis un soldat, Lindsay. J'ai des devoirs, des ordres, et je les respecte. Je suppose que ceux dont c'est le travail de pourchasser les démons sont du même avis quant à leurs responsabilités. Ce n'est pas mon rôle d'intercéder, je n'en ai d'ailleurs ni l'envie ni le temps. Très honnêtement, j'ai assez à faire pour ma part.

— Alors quelqu'un s'en charge ?

— Oui.

Elle le dévisagea un moment, avant de hocher lentement la tête.

— Je l'ignorais. Si quelqu'un l'avait senti, celui-là, alors je lui ai coupé l'herbe sous le pied.

Adrian s'accrocha un peu plus fort au bord du comptoir. C'était même un miracle si elle était encore en vie.

— Comment sentez-vous ces choses-là ? Quel effet est-ce que ça vous fait ? demanda-t-il.

— C'est un peu comme si je me promenais dans une maison hantée, avec la certitude que quelque chose va me sauter dessus. Ça me donne des palpitations dans le ventre et la chair de poule. C'est super intense, comme sensation, impossible de la confondre avec autre chose.

— Ça doit faire peur. Et pourtant, vous vous obstinez à chasser ces êtres qui vous font peur. Pourquoi ?

Lindsay posa le menton sur ses doigts fins.

— Je n'ai pas la prétention de sauver le monde, si c'est le sens de votre question. Et je déteste tuer. Mais si l'on m'a donné la capacité de ressentir le mal dans ces êtres, ce n'est pas un hasard. Je dois m'en servir, autrement je n'arriverais pas à dormir tranquille.

— Vous avez donc l'impression que l'on vous a assigné une mission.

À nouveau, elle prit une longue inspiration, laissant s'installer le silence.

— Quelque chose comme ça, en effet.

— Qui est au courant que vous chassez ?

— Vous, vos gardes, et tous ceux à qui vous en parlerez.

— D'accord. Bon, ce que je m'apprête à vous révéler est une évidence, mais je dois quand même vous le dire : vous allez devoir me faire confiance, annonça-t-il avec douceur. Autrement, je n'arriverai jamais à vous aider.

— C'est donc ça votre intention ? M'aider ? s'enquit-elle en redressant les épaules. Vous saviez qui j'étais, quand vous m'avez vue à l'aéroport ?

— Vous me demandez si j'étais au courant que vous sentiez les démons et les vampires et que vous étiez engagée dans une chasse active contre eux ? clarifia-t-il, rétrécissant volontairement le champ de sa question afin de pouvoir lui répondre franchement. Non. Je vous ai vue, je vous ai désirée, et votre comportement m'a fait penser que j'avais peut-être mes chances avec vous. Par la suite, j'ai joué sur cette intuition.

Elle crispa la mâchoire et ses yeux se plissèrent. Dans sa joue, un muscle se contracta sous l'effet de la tension.

— Et ce genre de coïncidence, ça vous arrive souvent ?

— Je me suis trouvé au même endroit que vous, au bon moment, voilà tout. Ensuite, nous sommes entrés en contact parce que vous avez senti que j'étais « différent », pas vrai ?

— Pour parler franchement, je n'avais jamais vu plus bel homme de ma vie. C'est seulement après que j'ai ressenti la vibration. Quant à votre histoire de bon endroit au bon moment, figurez-vous que j'avais prévu de prendre un autre avion. Mais j'ai raté la correspondance, en fait.

— Et moi, j'ai été attaqué par un vampire, ce matin. Du coup, mon hélicoptère s'est écrasé, ce qui m'a obligé à me rabattre sur un vol commercial. Vous voyez ? Le hasard naît du chaos, acheva-t-il en haussant les épaules.

— Vous êtes un ange. Vous n'êtes pas censé prêcher l'avènement d'un monde divin, ou un truc dans ce genre ?

— La liberté de décision, Lindsay. Nous l'avons tous. Aujourd'hui, vous et moi avons été affectés par les conséquences des choix qu'ont faits d'autres personnes. Vous voulez vraiment vous lancer dans une discussion théologique avec moi ? demanda-t-il en soutenant son regard. Je crois plutôt que vous essayez d'éviter d'aborder les événements qui vous ont conduite à entreprendre votre chasse. Je ne veux pas vous forcer, pas pour l'instant en tout cas, mais nous serons dans une impasse tant que je ne saurai pas ce qui vous hante.

— Vous semblez bien sûr que j'aie une histoire à raconter, remarqua-t-elle en soutenant toujours son regard.

— Je vous ai vue à l'œuvre. Il faut des années d'entraînement avant de manipuler une lame comme vous le faites. Qui vous a délivré cet enseignement ?

— J'ai appris toute seule.

Une féroce admiration échauffa les sangs d'Adrian.

— Quel matériau utilisez-vous pour forger vos lames ? Elles contiennent forcément des traces d'argent, non ?

— Oui, je me suis dit que la plupart des... choses y réagissent de façon négative.

— Pas les dragons. En fait, hormis deux points faibles, ils ont un cuir quasi impénétrable. Votre couteau aurait rebondi sur lui, s'il avait bougé ne serait-ce que d'un millimètre.

Lindsay leva la main gauche et lui montra son pouce. Une ligne écarlate trahissait une coupure récente sur la pulpe du doigt.

— Certaines créatures réagissent mal à mon sang aussi. Alors j'en dépose toujours quelques gouttes sur mes lames avant de les lancer. Au cas où. Ce n'est pas le sang lui-même qui les tuerait, mais il donne une chance supplémentaire à mes armes d'y réussir. Je m'en suis rendu compte à mes dépens.

Alors que Lindsay continuait à manger, inconsciente de la confusion que son aveu provoquait dans l'esprit d'Adrian, il réfléchit aux implications de ce qu'elle venait de lui apprendre. Elle était mortelle, et même si elle avait été Néphel comme Shadoe, son sang n'aurait jamais eu d'effet sur les autres.

— Ainsi donc, reprit-il enfin, s'obligeant à contrôler ses pensées désordonnées, vous avez choisi de dédier une partie de votre temps libre – une partie significative, je suppose – à apprendre à tuer des êtres qui vous effraient. Vous semblez dotée d'un sens aigu du bien et du mal, Lindsay. Cependant, aucune personne saine d'esprit n'irait tuer qui que ce soit sans provocation préalable. Et peu importe le niveau de malveillance que vous percevez dans la créature en question, il faut avoir d'abord été témoin d'un acte maléfique, pour recourir à une solution létale. J'en déduis que quelque chose vous a motivée, et que quelque chose d'autre continue à vous pousser. Serait-ce la vengeance ?

— Pourquoi ? Vous voudriez m'aider à l'obtenir ? rétorqua-t-elle, à la fois méfiante et agressive. Comment vous y prendriez-vous exactement ? Et surtout, pourquoi feriez-vous ça ?

— Pourquoi ne le ferais-je pas ? Nous avons les mêmes objectifs. Vous avez été chanceuse jusqu'à présent, mais ça ne va pas durer. Le jour viendra où vous raterez votre cible, ou bien vous abattrez un démon, un vampire, dont les amis décideront de vous pourchasser. Quoi qu'il en soit, vos jours sont comptés.

— Pourriez-vous m'enseigner la différence entre les vampires et les démons ?

— Vous avez donc une préférence, commenta-t-il en croisant les bras. Je peux vous indiquer la bonne direction et vous offrir mon soutien logistique. Je peux aussi vous entraîner à chasser avec plus d'efficacité, et vous montrer comment tuer sans avoir besoin d'un effet de surprise. Pour l'instant, vous errez sans trop savoir où vous allez, espérant rencontrer vos proies par hasard. Je peux vous donner des cibles précises sur lesquelles vous concentrer.

Lindsay s'adossa à sa chaise.

— Vous ne me connaissez même pas.

Ses inclinations, malgré le trouble profond qu'elles lui inspiraient, pouvaient aussi lui fournir l'excuse idéale pour la garder auprès de lui.

— Je mène une bataille contre un ennemi dont l'armée est bien supérieure en nombre à la mienne. Tout soldat supplémentaire est bon à prendre.

— Je vous arrête tout de suite, ce n'est pas ma seule activité. J'ai par ailleurs une vie normale et un vrai travail.

— Moi aussi.

Elle se mordilla la lèvre inférieure. Après un moment de réflexion qui sembla interminable à Adrian, elle hocha la tête.

— OK.

Parfait. Il se laissa aller à un instant de pure satisfaction, bientôt interrompu par un coup frappé à la porte. En voyant Damien, il se reconcentra immédiatement pour prendre connaissance avec toute l'attention nécessaire du rapport sur la mort de Phineas.

— Entre.

Le Sentinelle obtempéra et les rejoignit dans la cuisine. Il jeta un bref coup d'œil en direction de Lindsay, puis reporta son attention sur son chef.

— Capitaine.

Celui-ci fit les présentations, mettant un point d'honneur à identifier Lindsay comme une nouvelle recrue.

Les yeux bleus du Séraphin se posèrent de nouveau sur elle.

— Mademoiselle Gibson.

— Je vous en prie, appelez-moi Lindsay.

— Parle librement, lui enjoignit Adrian.

Son regard indiquait néanmoins clairement à Damien de remettre à plus tard ses éventuelles questions concernant l'incarnation de Shadoe en Lindsay.

Il y eut un moment d'hésitation, puis Damien commença :

— Je n'ai pas obtenu grand-chose d'utilisable du lycanthrope survivant de Phineas. Le chagrin rendait la pauvre bête quasi incohérente. Il a affirmé que le vampire qui les avait attaqués était malade, mais je ne sais pas s'il sous-entendait une maladie physique ou mentale. Toujours est-il que l'attaque a été particulièrement brutale, alors il pourrait bien s'agir de la deuxième option. Le cou de Phineas a été mordu jusqu'à la moelle épinière.

Lindsay s'éclaircit la gorge.

— Lycanthrope ? Vous voulez parler de loup-garou ?

— Les loups-garous sont des démons. Les lycanthropes sont de la même lignée qu'eux, ce qui leur permet de changer d'apparence d'une façon similaire. Mais contrairement aux loups-garous, les lycanthropes étaient jadis des anges.

— Et au passage, ajouta sombrement Damien, ils sont très offensés lorsqu'on les confond avec des loups-garous.

— Des anges ? s'étonna Lindsay. (L'iris de ses yeux écarquillés était désormais réduit à un simple éclat brun au milieu de la pupille dilatée.) Et pourquoi ne sont-ils pas devenus vampires ?

— Parce que j'avais besoin de renfort, expliqua Adrian. Nous avons passé un accord : je demandais au Créateur qu'il leur épargne l'état de vampires si, en contrepartie, ils acceptaient de m'aider à garder les vampires sous contrôle.

— Faisaient-ils partie du même groupe d'anges, les vampires et les lycanthropes ?

— Oui.

Hormis le déplacement mécanique qu'elle infligeait à son verre d'eau, d'avant en arrière sur le comptoir, Lindsay ne trahissait pas le moindre signe d'agitation.

— Je suis désolée pour votre... Phineas.

— Mon second. Mon ami... Non, plus que ça. C'était comme un frère, pour moi.

Pendant le dîner, Adrian avait rentré ses ailes, mais elles venaient de se déplier à nouveau, répondant à son agitation intérieure et à sa soif de revanche.

Il vit les yeux de Lindsay suivre la courbe d'une aile et s'adoucir. Ce regard tendre lui fit autant d'effet qu'une caresse.

Elle se laissa glisser de son tabouret pour se mettre debout.

— En savons-nous assez pour partir à la recherche du salopard qui l'a tué ?

Ce « nous » n'échappa pas à Adrian. À Damien non plus, sans doute, qui lui jeta un regard bien moins hostile.

— Ce sera bientôt le cas. D'après les informations que j'ai pu glaner, Phineas a été victime d'une embuscade alors qu'il s'était arrêté pour nourrir ses lycanthropes.

— Où se trouve le garde survivant ?

— Je l'ai abattu.

— Je n'avais pas autorisé une réplique de cette nature.

— C'était lui ou moi, capitaine, rétorqua Damien en redressant les épaules. Il a chargé sur moi, je n'avais pas d'autre choix que de me défendre.

— Il t'a attaqué ?

— Il a essayé. Enfin, à mon avis, c'était plutôt une tentative de suicide.

Elijah avait raison : aucun lycanthrope ne supporterait volontairement de voir son partenaire mourir. Ils ne pouvaient pas vivre l'un sans l'autre. Mais si le survivant prévoyait de mourir peu après…

— La blessure de Phineas – tu as dit que son cou avait été salement mordu – aurait-elle pu être infligée par autre chose qu'un vampire ?

Damien pencha la tête.

— Tu veux savoir s'il pourrait s'agir d'une attaque de lycan ? Oui, c'est possible, même si l'absence de sang sur les lieux ne corrobore pas cette thèse, à mon avis. Il y a des traces de jet provenant de la rupture de l'artère, mais hormis cet élément, il était totalement vidé de son sang.

Si Phineas était effectivement tombé dans un piège, la situation était inquiétante. Les Sentinelles ne ressentant pas la faim, c'était forcément à l'instigation des lycans qu'ils s'étaient arrêtés à l'endroit où le danger l'attendait. S'il devait accorder du crédit à la supposition de Jason au sujet d'une révolte lycanthrope, Adrian allait se trouver confronté à une bataille qui se répercuterait forcément sur des mortels. Il ne pouvait exclure aucune possibilité.

— Va immédiatement faire ton rapport à Jason et reviens me voir demain matin. Je veux que l'on revoie tout ça ensemble après votre débriefing commun.

Le Sentinelle s'inclina légèrement et quitta la cuisine.

Lindsay réprima un bâillement derrière sa main, rappelant à Adrian qu'elle était mortelle et que son corps vivait encore à l'heure de la côte Est.

— Laissez-moi vous conduire à votre chambre, proposa-t-il.

Hochant la tête, elle contourna l'îlot central, gracieuse et fluide dans ses mouvements, malgré la fatigue.

— Nous devrons avoir une autre conversation demain, vous et moi.

— Oui.

Elle vint se planter devant lui, les bras croisés.

— Vous avez dit que vous me désiriez.

— C'est vrai.

L'envie de l'attirer à lui, de prendre sa bouche sensuelle et de découvrir son goût pulsait en lui. Une réaction des plus humaines qu'il était incapable de contrôler. Jamais, dans aucune des incarnations passées de Shadoe, ils n'avaient travaillé ensemble. Elle était toujours restée neutre, préférant ne pas choisir entre son père et Adrian. Ce serait donc la première fois qu'ils agiraient de concert et poursuivraient des objectifs similaires. L'idée de partager sa véritable raison d'être avec Lindsay, de s'afficher à tous points de vue pour ce qu'il était, le touchait d'une façon qu'il n'aurait jamais imaginée. « Désirer » paraissait un mot bien trop faible pour qualifier son attirance pour Lindsay Gibson.

Elle baissa les cils, voilant ses jolis yeux.

— Est-ce que c'est un péché de désirer un ange ?

— Le péché n'est imputable qu'à moi, car je vous désire.

Elle déglutit.

— Et si ça va au-delà du simple désir ? Est-ce que je risque d'être frappée par la foudre, voire pire ?

— Cela vous découragerait ?

— J'espérais au moins avoir gagné quelques points d'avance en débarrassant le monde d'une plaie comme le dragon.

— Je vous aiderai à en gagner d'autres.

Il était impatient de commencer, d'ailleurs. Elle s'était déjà montrée remarquablement résiliente et flexible. En quelques heures seulement, elle avait appris que les vampires et les humains, qu'elle croyait connaître, n'étaient qu'une infime partie d'un monde d'en dessous bien plus vaste. Et elle avait tout encaissé sans broncher, car c'était une survivante, une battante, une femme qu'il avait hâte d'avoir à ses côtés.

— En aurai-je besoin ? s'enquit-elle en le rejoignant dans le couloir. Vu que vous n'avez pas répondu à ma question, j'en déduis que oui.

— Le péché n'est imputable qu'à moi, répéta-t-il.

Il la guida jusqu'à la chambre qui lui était réservée. Il prévoyait toujours une pièce pour elle dans chacune de ses maisons, afin de se rappeler à lui-même aussi bien sa faillibilité que sa capacité d'humanité. Pour lui, les deux dimensions étaient liées. Il ne pouvait avoir l'une sans l'autre, et sans Shadoe, il n'en avait aucune.

Ils atteignirent la porte, qu'il lui ouvrit en veillant à rester sur le seuil. Si inévitable que soit la transgression, il pouvait y résister. Pour l'instant. Mais cela ne durerait pas longtemps. Pas après avoir été privé d'elle tant d'années. Et la sexualité naturellement assumée de Shadoe ne faisait qu'augmenter l'imminence du passage à l'acte. Qu'elle se réincarne à des époques libertines et aventureuses ou durant des ères d'inhibition et de répression, elle était toujours prompte à le séduire. Et lui à céder.

Lindsay entra dans sa chambre, en marquant un temps d'hésitation juste après le seuil.

— Non, sans doute que non, jeta-t-elle par-dessus son épaule.

Adrian haussa un sourcil perplexe.

— Ça ne me découragerait pas, précisa-t-elle.

Quand elle referma la porte, il souriait.

7

— Tu vas lui apprendre à chasser sa propre famille ? Ses amis ? s'étonna Jason, qui suivait Adrian dans son bureau.

— C'est déjà ce qu'elle fait, répondit-il en passant derrière sa table de travail. Et elle continuerait, avec ou sans nous. En l'aidant, je lui donne une chance de survivre.

Jason lâcha un sifflement.

— Après toutes ces années, tu es toujours un ange.

— Tu en doutais ?

— Moi non, mais certains se demandent si la fille de Syre ne te rend pas humain. Pas Shadoe elle-même, mais ton amour pour elle.

L'amour mortel était étranger aux anges, dont l'objectivité devait rester absolue.

— Ceux qui ont des doutes n'ont qu'à en faire part au Créateur. J'ai besoin de la confiance de tous, au sein de cette unité. Si je l'ai perdue, je ne sers plus à rien.

— Tu es très apprécié, capitaine. Pas un Senti-nelle qui n'envisage le fait de mourir pour toi comme un honneur.

Adrian s'assit.

— Tout comme je suis honoré d'être à votre tête. C'est une responsabilité que je ne prends pas à la légère.

— Comprends-les, c'est difficile de ne pas être un peu agité, commenta Jason en passant machinalement la main dans sa tignasse blonde. Notre travail consiste à surveiller les Déchus, *ad vitam aeternam*. « Ils n'obtiendront jamais ni paix ni rémission de leurs péchés. Ils me prieront, mais jamais ils n'obtiendront la paix ou la miséricorde. » Parfois, on a l'impression que le châtiment nous a été infligé à nous autant qu'à eux.

— C'est ainsi, nous avons nos limites.

— Et elles sont tout pour toi.

— Comme elles devraient l'être pour toi. Que sommes-nous d'autre que des Sentinelles ?

Jason hésita un instant, avant de sourire d'un air penaud.

— Bon, reprit Adrian, pressé d'en venir au sujet qui lui importait pour le moment. Je veux que Lindsay intègre le circuit d'entraînement aussitôt que possible.

— Comment ? Elle est aussi fragile qu'une coquille d'œuf. Elle s'en sort sans doute face aux autres mortels, peut-être même face à un vampire ou à un lycanthrope, en profitant de l'effet de surprise, mais dans un corps à corps avec un Sentinelle... Très peu d'êtres sont capables de survivre à une telle épreuve.

— Nous connaissons tous notre force. Il serait bon que nous apprenions à faire plus attention à la manière dont nous l'utilisons.

— Mais à quel prix ?

— Elle sera un atout pour nous, lança Adrian en faisant pivoter sa chaise vers la fenêtre.

Le ciel commençait à s'éclairer, annonçant l'arrivée de l'aube.

— Personne ne se méfie d'elle, expliqua-t-il. Qu'elle passe inaperçue peut nous être utile de bien des façons.

— Tu veux l'utiliser comme appât ?

— Plutôt comme un élément de distraction.

— Ça, je n'en doute pas.

Adrian se retourna pour darder un regard sombre sur son lieutenant. Ce ton ironique ne lui plaisait pas.

— Mes ordres te posent un problème, Jason ?

Immédiatement, ce dernier perdit le sourire.

— Non, capitaine.

— Durant les dernières quarante-huit heures, deux Sentinelles de haut rang ont été attaqués. Tu as vu toi-même le mignon dans l'hélicoptère, la créature était visiblement enragée. Et dans son rapport sur l'attaque de Phineas, Damien a mentionné des signes de maladie potentielle. J'ai commandé un compte rendu à chaque Sentinelle de terrain. Je veux que tu les passes en revue au fur et à mesure qu'ils nous parviendront, et que tu y cherches des commentaires du même ordre.

— À quoi penses-tu ?

— Il se peut qu'un Déchu, voire plusieurs, donne son sang à ces mignons afin qu'ils puissent nous attaquer en plein jour. Syre m'a appelé justement pour me parler de la pilote. Il connaissait donc sa localisation ; en revanche, il a semblé sincèrement surpris quand je lui ai appris que l'agression n'était pas provoquée. D'après lui, ce genre de geste n'était pas dans sa nature.

— Tu sais bien qu'il n'est pas digne de confiance. Il a très bien pu la droguer, et puis il t'a appelé pour voir quelle avait été l'issue de la bagarre. Sinon, comment aurait-il su qu'elle se trouvait avec toi ?

— Oui, c'est ce que je pensais au début. Qu'il jouait les innocents pour ne pas porter le chapeau. Nous savons tous les deux qu'il ne prendrait pas la peine de m'appeler au sujet du premier vampire venu, son intérêt suffit donc à le trahir. Sauf que j'ai mentionné l'attaque sur Phineas, et il n'a pas pipé mot. Je ne m'attendais pas à ce qu'il endosse cette responsabilité-là non plus, mais de là à ce qu'il ne relève pas du tout… Il n'a pas nié, pas non plus posé de questions en feignant l'ignorance. Rien. Je t'avoue que je trouve ça carrément bizarre. Et jamais il n'avouera avoir perdu le contrôle d'un Déchu. Peut-être en effet qu'il fait semblant de ne pas être au courant des attaques, mais si ce n'est pas le cas et qu'il n'a effectivement aucune idée de ce qui se passe, on se trouve peut-être face à une cabale de vampires qui essaient de nous monter les uns contre les autres. Ils ne peuvent pas abattre Syre, mais ils savent que moi, j'en suis capable. Et que je n'hésiterai pas à le faire s'il a dépassé les bornes. Ce qui laisserait le champ libre à un éventuel putsch.

Jason haussa les sourcils.

— Ils compteraient sur toi pour faire le gros du boulot ? Bon sang ! Au fond, ce serait un signe éclatant de la justice immanente, si l'on venait à bout de notre mission à cause d'une révolte vampire.

Adrian avait depuis longtemps cessé de réfléchir en termes de justice ou d'injustice.

— J'ai besoin de savoir si Syre est ou non derrière ces attaques. Qu'il soit coupable ou innocent, nous pourrons utiliser l'information pour affaiblir sa position vis-à-vis des Déchus. Qu'il compromette sciemment ou pas leurs rêves de rédemption, dans les deux cas, il n'aide pas leur cause.

— Leur cause perdue d'avance. Tu envisages de retourner les Déchus contre Syre ?

— Pourquoi pas ? Comme tu l'as dit, une révolte nous servirait. Surtout s'il la facilite.

— OK, je suis sur le coup, annonça Jason en quittant le bureau.

Adrian songea qu'il avait bien besoin d'un peu d'exercice pour apaiser son agitation. Lindsay ne tarderait pas à se réveiller. D'ici là, il devait avoir l'esprit clair pour consolider le plan qu'il bâtissait pour elle.

Lindsay fut tirée de ses rêves avant d'y être préparée. Une partie de son esprit se raccrochait au sommeil, et avec lui aux caresses expertes, aux baisers voraces dans son cou, au toucher incroyablement soyeux des ailes blanc et rouge…

Elle ouvrit les yeux en poussant un halètement muet, le cœur battant et la peau brûlante. Son excitation était presque douloureuse, et ses pensées s'emplissaient de mots crus et indécents murmurés d'une voix rauque, d'yeux bleus flamboyants fixés sur elle.

Elle se frotta le visage et repoussa les couvertures d'un coup de pied. Mieux valait se concentrer sur les poutres en bois du plafond. Son avenir avait pris un tour – un détour, en fait – pour le moins inattendu, lorsqu'elle avait croisé le regard d'Adrian Mitchell. Jusqu'alors, tout était noir ou blanc : lever, travail, maison. Et tuer tout ce qui allumait son radar. Facile, quoi.

Maintenant, tout était compliqué.

Elle roula hors du lit et traversa la vaste chambre pour gagner une salle de bains de la taille de son vieil appartement. Il y avait même une cheminée près de la baignoire, et dans la douche à six pommeaux un extraordinaire carrelage en mosaïque. Jamais elle n'avait connu un tel luxe, même dans un hôtel, et pourtant elle se sentait tout à fait à son aise. Malgré l'évidente opulence, l'ensemble était douillet et apaisant. Le mélange harmonieux de jaune et de bleu pastel donnait à l'endroit une lumière et une douceur, une ambiance qu'elle affectionnait particulièrement. Sa vie pouvait être si sombre, parfois.

Après s'être débarbouillée et brossé les dents, elle retourna dans la chambre, où son regard fut naturellement attiré par la baie vitrée, qui occupait tout le pan du mur ouest et offrait une vue imprenable sur des collines rocheuses couvertes des buissons secs typiques de la région. Voilà qui suggérait une vie reculée, isolée même, mais Lindsay savait que la ville n'était pas loin.

Elle enfila un pantalon de yoga et un haut à bretelles nervuré.

— Ne t'habitue pas trop à un tel luxe, se sermonnat-elle en se dirigeant vers les fenêtres.

Alors qu'elle approchait, la vitre coulissa lentement, lui ouvrant la voie vers la large terrasse. L'air du matin, vif et frais, l'attira à l'extérieur. Elle agrippa la rampe, serrant si fort que les jointures de ses mains blanchirent, et prit une profonde inspiration en songeant à l'énormité du changement qui l'attendait. Derrière elle, le soleil se levait et une légère brise faisait onduler ses vêtements. Sous ses pieds, les deux autres étages de la maison saillaient en promontoire au-dessus d'une pente escarpée. Elle ne put regarder en bas bien longtemps, car déjà son vertige menaçait de la renverser.

Cette soudaine poussée d'angoisse l'alarma quelque peu. Non parce qu'elle la ressentait pour la première fois, mais au contraire, parce qu'elle venait de se rendre compte qu'elle ne l'avait pas encore ressentie depuis qu'elle était ici. Elle avait toujours éprouvé une pointe d'anxiété, voire de panique, provoquée par la proximité de créatures maléfiques, une sensation toujours présente, en toutes circonstances, comme si, tout le temps, quelque chose allait se produire, et ce sentiment désagréable avait toujours fait partie de sa vie. Sauf qu'aujourd'hui, il avait disparu, laissant place à un calme inattendu et fort agréable. Quoi qu'il arrive plus tard, en cet instant, en cet instant précis, elle se sentait en paix et à sa place. Autre avantage, et pas des moindres, elle appréciait cette toute nouvelle sérénité.

Alors qu'elle s'écartait de la balustrade, une ombre immense passa dans son dos et longea la rampe. Elle leva les yeux et pivota sur elle-même, le souffle coupé.

Le ciel était rempli d'anges.

Dans le matin rose et gris pâle, ils plongeaient et tournoyaient en une danse unique et envoûtante. Ils étaient au moins une dizaine, peut-être plus, à glisser les uns près des autres avec une aisance et une grâce incroyables. Leur envergure était gigantesque, leur corps parfaitement en équilibre dans les airs. Ces anges-là étaient trop puissants et athlétiques… trop fatals pour inspirer la piété, et pourtant ils imposaient quand même la vénération.

Elle alla se poster à l'angle de la maison, d'où elle découvrit que la terrasse s'étendait loin vers l'arrière, se transformant en une sorte d'aire d'atterrissage.

À la fois stupéfaite et légèrement effrayée, elle se souvint qu'elle devait respirer quand ses poumons commencèrent à lui brûler la poitrine. Et dire qu'elle s'était imaginée craquer sur Adrian lorsqu'elle le croyait humain... Alors maintenant...

Même parmi les anges, il se distinguait. Ses ailes nacrées scintillaient dans le soleil levant, leurs pointes écarlates semblant déchirer l'horizon alors qu'il prenait de la vitesse. Il monta comme une flèche, avant de piquer droit sur elle, dans un tourbillon de rouge sang et d'albâtre.

— Je crois qu'il essaie de vous impressionner.

À contrecœur, Lindsay se détacha du spectacle. Damien se tenait à côté d'elle, les mains sur les hanches et les yeux fixés sur les acrobaties qui se déroulaient au-dessus d'eux. Il était superbe, longiligne et sculpté, avec des cheveux bruns coupés court et de grands yeux brillants, presque aussi bleus que ceux d'Adrian. Mais contrairement à ce dernier, Damien donnait une impression de calme imperturbable, de mer d'huile. Lui aussi avait déployé ses ailes, sans doute pour l'intimider. Grises avec des pointes blanches, elles rappelaient un ciel d'orage, et en les voyant encadrer la peau ivoire de Damien, Lindsay songea à une ancienne statue de marbre que l'on aurait ramenée à la vie.

— Et ça fonctionne, avoua-t-elle. Je suis très impressionnée, mais ne vous avisez pas de le lui répéter.

Une bourrasque et un battement d'ailes précédèrent l'atterrissage d'Adrian juste devant elle. Ses pieds nus touchèrent le sol sans un bruit. Pourtant, elle remarqua à peine ce prodige, happée qu'elle était par le spectacle de son torse. Nu, lui aussi.

Bon sang !

Avec pour seuls ornements un pantalon ample et cette magnifique paire d'ailes, son corps avait tout pour éveiller une faim insatiable. Une belle peau mate, des muscles durs et fins. Lindsay mourait d'envie de faire courir ses mains sur ces biceps et pectoraux parfaitement dessinés. Et la simple idée de passer la langue le long de la ligne de poils qui séparait ses abdominaux lui donnait l'eau à la bouche. Si vrai que parût son rêve un peu plus tôt, le charme du véritable Adrian était bien plus dévastateur. Il avait été créé d'une main de maître, puis poli par les batailles, et elle ne pouvait s'empêcher de convertir la virilité qu'il exsudait en fantasmes sexuels. La force de son sex-appeal suffisait à lui faire tourner la tête et battre le cœur plus vite.

— Bonjour, dit-il de cette voix grave qui lui donnait la chair de poule. Vous avez bien dormi ?

Toujours cette impression de déjà-vu… Non, c'était forcément dû au besoin de caféine, combiné aux rémanences de son rêve érotique.

— Très bien, merci.

— Je pensais que vous dormiriez quelques heures de plus.

— Il est neuf heures, chez moi. Autant dire une grasse matinée, selon mes critères habituels.

— Vous avez faim ?

Que lui-même n'ait pas besoin de nourriture rendait sa prévenance encore plus éloquente.

— Si vous avez du café, j'en prendrai volontiers. Ainsi que quelques minutes de votre temps, si possible.

— Bien sûr.

Il jeta un regard impérieux à l'un de ses gardes, un grand costaud, et le type hocha discrètement la tête, avant de disparaître dans la maison.

— Souhaitez-vous rentrer ? s'enquit Adrian.

— Et rater le ballet aérien ? Pas question !

Sa réponse lui valut une esquisse de sourire. Mais c'était un tout autre genre de sourire qu'elle espérait lui soutirer. Plus intime, comme celui qu'il lui avait offert dans son rêve.

Alors qu'il lui désignait une table en teck sur la terrasse, ses ailes se dissipèrent comme la brume matinale.

— Damien.

L'autre ange le suivit et ses ailes disparurent à leur tour. Adrian tira une chaise pour Lindsay, puis il contourna la table et s'assit près de son second.

Ainsi placée, face au levant, Lindsay jouissait de la vue de ces deux magnifiques silhouettes d'anges qui se détachaient sur fond de jour naissant. Elle prit une profonde inspiration, consciente de se trouver à un tournant de sa vie.

— J'ai pris un chemin inattendu en venant ici. J'étais sur le point de m'installer en Californie, j'avais un projet, une chambre réservée à l'hôtel que je n'ai pas annulée et que je vais donc devoir payer. Je...

— Je me charge de ça.

— Je ne veux pas que vous vous en chargiez. Contentez-vous de m'écouter, rétorqua-t-elle en tapotant du bout des doigts sur les accoudoirs de sa chaise. J'apprécie l'offre que vous avez faite de m'entraîner et je vais l'accepter. Je serais bien bête d'agir autrement, puisque j'ai tout appris seule et que a priori, je ne suis pas très douée. Je suis capable de déceler n'importe quelle créature non humaine, mais je ne parviens pas à réduire mon champ de perception à ce que je veux chasser. Cela dit, j'ai besoin d'être indépendante. D'avoir ma propre place, de tracer ma propre route, d'aller et venir comme je l'entends.

— Je ne peux pas tolérer que vous vous mettiez en danger.

— Vous ne pouvez pas le « tolérer » ?

Elle en aurait ri, s'il ne s'était agi d'un point crucial de leur partenariat. Certes, Adrian n'appartenait pas à ce monde ; dans son enveloppe terrestre, il était immensément riche, et il était sans doute encore plus puissant en tant qu'ange. Cependant, elle ne se soumettrait à personne. Surtout pas à lui. Or, si elle ne posait pas les règles de base maintenant, il serait trop tard ensuite.

Le garde revint avec une carafe, une tasse, du lait et du sucre. Il déposa le tout devant Lindsay, avant de reprendre sa place initiale, non loin d'eux. Bizarre. Pourquoi les anges avaient-ils besoin de protection, en particulier celle d'individus moins puissants qu'eux ? D'après ce qu'elle avait appris la veille, les lycanthropes jouaient le rôle de gardes auprès des anges. Il s'agissait apparemment d'une sorte de hiérarchie propre à cet autre monde surnaturel dont elle avait si brutalement fait connaissance pendant son enfance. Au fond, elle ne savait pas grand-chose des êtres qu'elle chassait, ce qui rendait d'ailleurs leur élimination plus aisée. À présent, elle allait devoir les replacer dans leur contexte, peut-être même les humaniser, tout en continuant à les massacrer.

Comme il lui était souvent arrivé auparavant, Lindsay eut envie de faire un bond en arrière dans le temps. Si seulement elle n'avait pas supplié sa mère de l'emmener à ce fichu pique-nique, Regina Gibson serait peut-être encore en vie aujourd'hui.

— Je suis là avec vous, poursuivit-elle néanmoins pour tenter d'appréhender la situation en adulte raisonnable. J'espère que nous pourrons mettre en commun nos idées afin de relever le défi que nous nous lançons. Toutefois, cela ne doit pas m'empêcher de conserver un peu d'indépendance. Alors, si vous êtes dans l'optique : « on fera comme j'ai décidé ou on ne fera rien », je n'ai plus qu'à vous dire au revoir. Je n'ai pas l'intention de jouer les potiches, voyez-vous, et je préfère encore risquer ma vie librement plutôt que de perdre mon autonomie.

Damien jeta un regard de biais à Adrian, mais ce dernier n'avait pas quitté Lindsay des yeux une seule seconde. Elle crut percevoir un léger frémissement à la commissure de ses lèvres, comme s'il résistait à la tentation de sourire.

— Vous marquez un point.

— Bien. Des suggestions ?

Il s'appuya au dossier de sa chaise, laissant glisser ses longues jambes devant lui, dans une posture confortable quoique très élégante. L'attirance qu'elle ressentait pour lui présentait encore un obstacle. Avant même d'apprendre quelle sorte de créature il était, elle avait eu envie d'explorer cette alchimie entre eux. Mais maintenant… Eh bien, ça allait être fort compliqué. Elle ne se lançait jamais dans des relations à long terme, elle n'en avait pas le temps, à vrai dire. Et jamais elle n'avait eu d'aventure avec un collègue de travail, pour éviter l'embarras qui suivait forcément toute rupture. Or, si elle continuait à vivre avec Adrian lorsque leur aventure serait terminée, elle devrait accepter de le voir sortir avec d'autres femmes. Évidemment. Elle n'avait encore jamais vécu avec un amant qui sortait avec une autre femme. La seule idée de voir Adrian ne serait-ce qu'en regarder une autre de la façon dont il la dévorait des yeux en cet instant éveillait en elle un instinct de propriété dont l'intensité la stupéfia. Surtout si l'on songeait qu'ils ne se connaissaient que depuis quelques heures.

Elle se versa une tasse de café et y ajouta du sucre : rien ne serait de trop pour stimuler son cerveau et le mettre au plus vite en état de marche.

— Vous êtes consciente, j'espère, que vous ne pourrez pas continuer à mener de front vos deux vies, commença Adrian. Si vous aspirez à la normalité, je veillerai à ce que vous l'ayez. Raguel Gadara prend la sécurité de ses employés très à cœur. Je peux faire en sorte que vous emménagiez dans l'une de ses propriétés. Entre le travail, la maison et la cessation de vos exécutions sommaires, tout devrait très bien se passer.

— Je ne peux pas arrêter. Pas tant que je n'aurai pas trouvé ceux que je recherche. Et même alors, je ne suis pas sûre de pouvoir renoncer. Je ne m'imagine pas continuer à vivre tranquillement en sachant que des créatures de ce genre continuent à terroriser les gens, c'est impossible.

Une lueur traversa le regard d'Adrian. De triomphe, peut-être ?

— L'alternative, c'est que vous viviez ici, que vous vous entraîniez dur en vous concentrant sur la chasse.

— N'y a-t-il pas moyen de parvenir à un compromis ? Que je vive ailleurs, en m'entraînant les week-ends, et que je vous appelle en renfort dès que quelque chose déclenche mon radar à monstres ?

— Même si j'avais les moyens de vous allouer l'un de mes hommes pour l'identification ou la classification des créatures que vous croisez, ça ne serait pas possible : nous ne chassons pas de façon indiscriminée. Nous contenons les vampires, il n'est pas question de les exterminer.

Lindsay sentit son sang se figer dans ses veines.

— Et pourquoi ça ?

— Leur châtiment consiste justement à vivre avec leur condition.

— Et nous, les humains, nous sommes… quoi ? Des dommages collatéraux ? Nous aussi, nous devons vivre – et mourir – avec leur condition ?

Au-dessus de leur tête, le ballet prenait fin et les anges atterrissaient peu à peu. Lindsay les observait avec un mélange d'émerveillement et de fureur. Ces magnifiques créatures semblaient magiques, extrêmement puissantes, et pourtant elles autorisaient ces parasites de vampires à empoisonner la vie des simples humains.

— Nous chassons tous les jours, reprit Adrian. Nous tuons tous les jours. Est-ce donc si mal de nous concentrer sur ceux qui causent le plus de dégâts ?

Elle le regarda par-dessus le bord de sa tasse.

— OK, alors je pourrais peut-être me joindre à vous pendant mes jours de congé ?

— Raguel avait une bonne raison de vous engager. À quel poste vous a-t-il recrutée ?

— Assistante du directeur général.

— Un poste important sur une grosse propriété qu'il vient d'acquérir. Je ne doute pas un instant de vos qualifications, cependant j'imagine que ce poste représente une sacrée promotion, pour une personne de votre âge, non ?

Lindsay chassa d'un coup de langue une goutte de café à la commissure de ses lèvres.

— Et j'ajoute qu'il me paie très généreusement.

— Parce qu'il veut que vous soyez ambitieuse, affamée et prête à lui accorder tout votre temps ou presque.

Elle hocha la tête, résignée. Son nouveau travail occuperait en effet tout son temps, c'était d'ailleurs l'une des raisons qui avaient rendu le poste si attrayant à ses yeux. Elle allait peut-être enfin avoir une vie à peu près normale, si elle pouvait dépenser son énergie débordante dans une activité régulière. Certes, c'était la solution de facilité, mais elle avait réussi à se convaincre qu'il s'agissait vraiment de la meilleure opportunité qui s'offrait à elle.

Alors que ses anges se regroupaient autour de lui, Adrian restait calme au centre de l'agitation. Il n'était pas l'œil du cyclone, non, il était le cyclone. Cet amas de nuages sombres à l'horizon, superbes vus de loin mais capables d'une violence létale.

Lindsay prit soudain conscience qu'elle dégustait son café en discutant de sa carrière au milieu d'un groupe d'anges. Une vie à peu près normale, quoi.

Elle avala une autre gorgée pour se donner du courage.

— OK. Eh bien, toutes ces années d'études. Et pour quoi ?

— Je n'arrive pas à croire que vous fassiez une croix sur votre rêve si facilement, nota Damien en l'observant. Les mortels dépérissent, sans leurs rêves.

— Elle ne rêvait pas d'hospitalité, intervint Adrian, très sûr de lui. Mais d'une existence ordinaire, ou du moins d'un semblant de vie normale.

— Est-ce donc si mal ?

Lindsay voulait aussi un homme dans sa vie, tomber amoureuse, sortir avec des amis et pointer à un travail où elle ne se couvrirait pas de cendres à chaque exécution. En même temps, elle s'en voulait d'aspirer à une ignorance confortable. Quel genre de personne préférerait ignorer les souffrances des autres afin de pouvoir être heureuse elle-même ?

— Ce n'est pas mal. Loin de là. Vous ne vous êtes jamais sentie à l'aise dans le monde des mortels, je me trompe ? Vous êtes bien trop belle, trop sûre de vous pour vivre en solitaire et pourtant, jamais vous ne vous êtes sentie à votre place, déclara Adrian, la couvant de ses yeux profonds, comme s'il lisait dans son âme. Il n'y a pas de honte à vouloir être reconnue pour ce que l'on est et à se sentir bien dans son environnement.

— Ce qui est certain, c'est que je ne me sens pas à ma place ici, objecta-t-elle.

Elle ne pouvait cependant nier que, au fond, elle éprouvait exactement les sentiments qu'il avait décrits. Et que la présence d'Adrian y était pour beaucoup. Il savait ce qu'il faisait, l'acceptait sans hésiter, et cela lui donnait une impression de plénitude qu'elle n'avait encore jamais ressentie.

— Vraiment ?

— Pas encore, non.

Mais cela risquait fort de changer.

Bon Dieu… Qu'est-ce que ça ferait de se battre aux côtés de créatures qui livraient la même bataille qu'elle, de ne plus se sentir aussi seule dans le monde brutal et impitoyable qu'elle avait découvert avec la mort de sa mère ?

— Vous devriez pourtant réfléchir à deux fois, de votre côté, avant de prendre cette décision, fit-elle en se frottant la nuque. Je vais vous ralentir, être un poids pour vous.

— En effet, commenta Damien.

Adrian haussa une épaule avec son élégance nonchalante.

— Tous les talents sont utiles.

— J'aurai besoin d'un salaire, insista-t-elle. Quelle que soit la vie que je choisisse, je n'accepterai pas de travailler pour rien.

— Ah, ces mortels ! ricana Damien. Obsédés pas les biens matériels.

La bouche d'Adrian esquissa l'ombre d'un sourire.

— Tous les jours, j'envoie des équipes dans le monde entier. Jusqu'à présent, c'était au malheureux qui passait à ma portée le matin qu'incombait cette tâche ingrate. Je ne peux pas, en effet, imposer ce genre d'occupation à mes employés de Mitchell Aéronautique sans éveiller les soupçons. Désormais, cet individu, ce sera vous. À moins que vous montriez une parfaite inaptitude ou une profonde aversion pour cette tâche, nous pouvons vous occuper indéfiniment. Nous négocierons ensemble votre salaire et votre loyer. Je fournis téléphone portable, notes de frais et transport à tous mes Sentinelles. Si vous tenez à conserver votre propre téléphone mobile, alors vous devrez avoir deux appareils.

— Vos Sentinelles ?

— Les anges que vous voyez autour de nous.

Lindsay balaya la vaste terrasse des yeux.

— Combien êtes-vous ?

— Cent soixante-deux, au dernier compte datant d'hier.

— En tout ?

Il hocha la tête et elle ne put réprimer un petit rire.

— Pas étonnant que vous cherchiez à m'embaucher. Vous avez bien besoin de renfort.

— Nous avons aussi les lycanthropes, gronda Damien.

Elle jeta un coup d'œil aux gardes répartis sur le périmètre de la terrasse. Ils étaient de stature bien différente de celle des anges, ce qui aidait à les distinguer de ces derniers. Alors que les anges arboraient des silhouettes minces et élancées, taillées pour l'aérodynamisme, les lycanthropes étaient plutôt trapus et musculeux.

Adrian se tourna vers Damien.

— Je veux fouiller la zone où Phineas a été attaqué. Et je pense qu'il est temps pour moi de rendre une nouvelle visite à la meute du lac Navajo.

Avec un hochement de tête, Damien se leva.

— J'envoie une équipe d'éclaireurs pour sécuriser la base.

— Non, ça donnerait l'impression que l'on est effrayés, ou du moins méfiants. Je ne veux pas envoyer ce genre de message.

— Envoyez-en un autre, alors, suggéra Lindsay. Un vrai message, qui les avertit de votre visite.

Les deux anges la regardèrent fixement.

— Je ne sais pas très bien ce qui s'est passé, je suis peut-être complètement à côté de la plaque, poursuivit-elle avec un geste désinvolte. À vous entendre, on dirait que vous vous rendez sur une zone à risque, mais vous ne voulez surtout pas que les gens auxquels vous rendez visite sachent que vous les considérez comme potentiellement dangereux, je me trompe ? Dans ce cas… annoncez-vous. Faites-leur savoir que vous arrivez. C'est un bon moyen de vous montrer tout à fait à l'aise. En quelque sorte, vous leur fournissez l'occasion de tramer tous les mauvais coups que vous redoutez d'eux. En amont, envoyez une équipe de reconnaissance comme le suggère Damien, mais en douce. Contrôlez la zone sans qu'ils le sachent. Placez plusieurs de vos hommes pour sécuriser le périmètre, puis informez-les que vous venez. Et là, observez leur réaction.

Damien plissa les yeux.

— Les lycans ont un odorat très développé. Ils s'en apercevraient immédiatement, s'ils étaient surveillés.

— Alors envoyez des lycanthropes de confiance pour s'acquitter de la tâche. Vous n'en avez pas ? s'étonna-t-elle quand sa suggestion ne rencontra qu'un silence embarrassé. Pourquoi les utilisez-vous comme gardes du corps, alors ? Pour garder vos ennemis à portée de main ?

D'un mouvement du menton, Adrian fit signe à Damien de les laisser.

— Oups ! Voilà qui m'apprendra à prendre la parole sans y avoir été invitée, commenta Lindsay en regardant l'ange s'éloigner.

Dépliant ses longues jambes, Adrian se mit debout.

— Je trouve votre idée intelligente et saine, et j'ai hâte de profiter de vos suggestions, maintenant comme dans l'avenir.

— Flatteur.

Où se rendait-il ? Et qu'était-elle censée faire en son absence ? D'abord, elle allait appeler son père, puis elle prendrait le temps de la réflexion avant de se décider quant à son futur emploi.

Adrian passa de son côté de la table.

— Pouvez-vous venir avec moi un instant ? demanda-t-il.

— Bien sûr.

Il l'aida à écarter sa chaise, puis lui posa une main au bas du dos. La chaleur de sa paume traversa le tissu fin de son haut à bretelles, déclenchant un frisson qui lui parcourut le corps. Il la guida vers la balustrade, à l'écart des autres. La chaleur de son épaule contre la sienne, son odeur délicieuse la pénétrèrent immédiatement. Elle n'avait qu'une envie : presser le nez dans le creux de son cou et inspirer. L'inhaler. La fragrance de sa peau était enivrante, addictive... familière.

— Me faites-vous confiance ? s'enquit-il doucement.

Son souffle lui effleurait le lobe de l'oreille en une exquise caresse.

— Je ne vous connais pas, murmura-t-elle, traversée par un autre frisson de plaisir.

Ils s'immobilisèrent au bout de la terrasse.

— D'accord, admit-il, avec une touche d'amusement dans sa voix rauque. Alors, acceptez-vous de m'accorder le bénéfice du doute ?

Elle se tourna face à lui. Il fit un pas en avant, pénétrant ainsi dans son espace personnel. Il était désormais si proche, à quelques centimètres à peine, qu'elle dut lever la tête pour le regarder dans les yeux. Il déploya ses ailes, qui les protégèrent aussitôt des regards curieux. Lindsay ne put s'empêcher d'admirer le torse à la fois mince et puissant qu'elle aurait pu toucher en tendant la main. Les abdominaux parfaitement dessinés d'Adrian éveillèrent en elle une faim profonde, celle de les voir se contracter de plaisir alors qu'il la pénétrerait. Une vague de désir lui brûla la peau et elle se raidit. Passant la langue sur ses lèvres sèches, elle vit les yeux d'Adrian suivre son geste et elle hocha la tête.

— Bien, fit-il en l'attirant plus près encore, un bras passé autour de ses épaules, tandis que l'autre retombait nonchalamment sous la courbe de ses fesses.

Chaque centimètre carré de son corps dur était désormais collé à elle. Elle sentit son sexe tressaillir contre son bas-ventre, provoquant une douloureuse pulsation entre ses jambes moites.

Elle noua les bras autour de son cou.

— Adrian...

— Accrochez-vous à cette pensée, murmura-t-il. Et accrochez-vous à moi.

Et il sauta par-dessus la rampe.

8

Lindsay poussa un cri. Les jambes battant l'air alors qu'ils fendaient le ciel, elle s'agrippa de toutes ses forces au corps mince d'Adrian. Il pressa les lèvres contre sa tempe, et tout à coup elle se tut, débarrassée de la terreur qui lui avait d'abord noué les tripes. Comme si son angoisse s'en était allée par l'endroit même où il l'avait embrassée. Il étala ses ailes et, ensemble, ils prirent leur essor.

— D'un point de vue aérodynamique, lui indiqua-t-il calmement, j'ai besoin que vous cessiez de gigoter.

Et elle comprenait bien pourquoi. N'empêche, il l'avait tout de même projetée avec lui dans le vide sans aucun avertissement.

— Vous m'avez flanqué une trouille dingue ! protesta-t-elle en lui mordillant le cou.

— Pourquoi ça ?

— J'ai peur du vide !

Elle enroula les jambes autour des siennes.

— Vous avez peur de tomber, corrigea-t-il, les lèvres dans son cou. Mais jamais je ne vous laisserai tomber.

Ben voyons. En tout cas, elle était bel et bien en train de tomber... amoureuse de lui. Avait-il la moindre idée de l'effet dévastateur que produisaient sur elle ses quelques marques d'affection ? Elles la mettaient tout bonnement sens dessus dessous, à tous les coups. Elle aurait pu repousser la pensée d'une intimité torride, si elle avait vu dans ses attentions la mise en œuvre d'une tactique de séduction, mais en l'occurrence l'attitude d'Adrian semblait totalement dépourvue d'arrière-pensées. Il paraissait au contraire animé par des pulsions profondément ancrées en lui, voire innées. Et l'idée qu'il ne pouvait s'empêcher de se montrer tendre avec elle l'effrayait encore plus que de voler sans avion. Peur et excitation, le mélange était explosif.

Le visage dans son cou, elle s'accrocha plus fort à son corps puissant, dont elle sentait chaque muscle se contracter alors qu'ils s'élevaient à flanc d'un escarpement rocheux. Il la tenait bien serrée, si étroitement que l'air ne pouvait circuler entre eux, et son assurance tranquille apaisait toute anxiété. L'adrénaline aidant, elle avait de plus en plus chaud malgré la fraîcheur matinale. Ses seins s'alourdirent et ses tétons durcirent en deux pointes érectiles.

Ils infléchirent leur course sur la droite et son chemisier voleta. Elle retint son souffle au contact de la peau nue d'Adrian contre la sienne. Elle était chaude, les muscles durs se contractant à chaque battement de ses immenses ailes. Elle dut fermer les yeux pour se protéger des mèches qui lui fouettaient le visage. Autour d'eux, le vent chantait un air joyeux.

L'ondulation des abdominaux d'acier contre son ventre plat était d'une sensualité torride, d'autant que leurs contractions cadencées lui rappelaient les mouvements qu'Adrian ferait s'il était en train de lui faire l'amour. Et que dire de la pression de sa formidable érection contre son pubis ! Difficile, dans ces conditions, d'oublier le désir qui montait.

Elle ondula à son tour contre ce sexe dur et épais.

Ils tombèrent de plusieurs mètres. Une chute libre qui la fit hurler de terreur, et Adrian marmonna quelques mots en une langue qu'elle ne comprenait pas, mais sur un ton suffisamment explicite.

— Soyez sage, la réprimanda-t-il en resserrant son étreinte pour l'immobiliser.

— Ce n'est pas moi qui suis en érection.

Il la serra un peu plus fort, écrasant sa poitrine contre lui.

— Si j'en crois vos tétons, je ne suis pas le seul.

Ils coiffèrent un autre sommet, avant de plonger pour atterrir délicatement dans une petite clairière sur le versant opposé. Lindsay ne relâcha pas immédiatement les épaules qu'elle agrippait. Au contraire, elle s'autorisa ce qu'elle mourait d'envie de faire depuis le début : elle colla son nez à la peau nue d'Adrian et inspira. Il lui passa une main dans les cheveux et s'arrêta sur sa nuque, qu'il maintint fermement contre lui.

Elle entendait sa respiration rauque.

— Tu es une tentatrice, *tzel*.

— Dois-je être offensée que vous me tutoyiez et m'interpelliez dans une langue que je ne comprends pas ? demanda-t-elle, cherchant son pouls rapide du bout de la langue, avant de mordiller la veine saillante.

Adrian lâcha un grognement.

— Refaites ça et je ne pourrai pas être tenu pour responsable des graviers que vous allez trouver incrustés dans la peau de votre joli dos.

— Aïe.

Elle s'écarta. Un coup d'œil autour d'elle l'informa qu'il ne l'avait pas emmenée ici pour bénéficier de l'intimité propice à un rendez-vous galant. Les buissons desséchés et le sol rocailleux ne s'y prêtaient aucunement.

— Les Sentinelles et les lycanthropes ont une ouïe très développée, expliqua-t-il, retrouvant son apparence soignée d'un simple coup de main dans les cheveux. Si je souhaite vous parler en privé, je dois le faire loin de la maison.

— Qu'avez-vous à me dire de si important qu'ils ne puissent l'entendre ?

Les ailes d'Adrian disparurent.

— Ce n'est pas tant le contenu de ce que j'ai à vous dire, mais plutôt la façon dont je vais le dire qui importe. Et avec quels yeux je vous regarde en le disant.

Elle haussa un sourcil interrogateur.

Il la dévorait de son regard bleu, s'attardant sur les pointes toujours dures de ses tétons. Redressant les épaules, elle se laissa faire.

— Je n'ai pas pour habitude d'amener des femmes à la maison, poursuivit-il d'un ton radouci. Du coup, les lycans ne savent pas comment interpréter votre présence et ils m'observent de près. Ils cherchent des réponses à leurs questions.

Lindsay essayait de contenir au mieux la chaleur qui émanait de son corps. Après une vie à se sentir en décalage avec le monde entier, enfin elle se retrouvait à un endroit où elle était bien. Un endroit qui lui donnait la sensation d'avoir été créé spécialement pour elle. Était-il possible qu'elle eût enfin trouvé chaussure à son pied ?

— Je comprends que vous n'emmeniez pas de femmes ici. Comment leur expliqueriez-vous la légion d'anges qui vivent sous votre toit et la meute de loups qui rôdent autour de la propriété ? À moins qu'il n'y ait d'autres femmes comme moi...

— Non, répondit-il doucement. Je n'ai pas besoin de réfléchir longtemps pour vous assurer que vous êtes unique au monde.

— Pourtant, vous m'aviez invitée à dîner avant que je tue le dragon.

Il croisa les bras, ce qui eut pour effet de bander ses biceps. Une nouvelle vague brûlante balaya Lindsay.

— Parfois, on sent les choses. J'ai su en vous voyant que je devais vous faire entrer dans ma vie. C'était inévitable.

— Même si je n'étais qu'une humaine tout ce qu'il y a de banal ?

— Il y avait quelque chose de spécial chez vous, je m'en suis rendu compte dès le début.

Elle lui tourna le dos. Ses sentiments pour lui se développaient à une allure tout à fait déraisonnable, sans que ce constat l'aide pour autant à les maîtriser.

— Je ne vois pas en quoi je pourrais devenir autre chose qu'un fardeau pour vous.

— Comme vous l'avez dit vous-même, ils ne vous voient pas venir. Vous pouvez servir d'appât pour les vampires, ce qui serait évidemment très utile pour moi. Ma réponse vous paraît-elle acceptable ?

Elle le regarda par-dessus son épaule. Mercenaire et impitoyable, elle ne pouvait pas le blâmer pour cette idée. Elle comprenait que l'on ait besoin de se comporter ainsi. Si elle pouvait se rendre utile en jouant les hameçons à vampires, aucun problème, elle le ferait. Des innocents mouraient chaque jour, des familles, des enfants notamment, perdaient des êtres chers, comme elle jadis. Si seulement il y avait eu quelqu'un, alors, un mercenaire sans pitié comme Adrian, pour sauver sa mère...

— Que je vous serve d'appât ? Oui, ça me semble acceptable. Mais je veux en savoir plus sur votre histoire d'anges qui se transforment en vampires. Et sur celle des anges transformés en lycanthropes. Après tout, la connaissance est une force.

— Je suis d'accord. Peu après la création des hommes, commença-t-il dès qu'elle se fut tournée vers lui, deux cents Séraphins furent envoyés sur terre pour les observer et rendre compte de leurs progrès. Ces anges étaient connus sous le nom de Veilleurs. C'était une caste d'érudits, à qui l'on avait donné l'ordre strict de ne pas interférer dans la progression naturelle de l'évolution humaine.

— Je comprends, ils étaient censés « veiller ».

— Sauf qu'ils ont désobéi.

Elle eut un sourire désabusé.

— Je m'en étais doutée.

— Certains Veilleurs ont commencé à fraterniser avec les mortels, à leur enseigner des choses qu'ils n'auraient pas dû apprendre.

— Comme quoi ?

— La fabrication des armes, l'art de la guerre, la science... (Il agita la main en un geste ostensiblement désinvolte.) Entre autres compétences dangereuses.

— Je vois.

— Une caste de guerriers appelés Sentinelles fut alors créée pour faire respecter les lois que les Veilleurs enfreignaient.

— Et vous êtes à la tête de ces Sentinelles ?

— Oui.

— Vous êtes donc le responsable de la transformation des Déchus en vampires, l'accusa-t-elle, le cœur battant plus vite sous l'effet mêlé de la colère et de l'effroi.

— Ce sont eux les responsables de ce qu'ils sont. Ce sont eux qui ont fait les choix qui les ont conduits à leur chute, rétorqua-t-il en rivant sur elle ses yeux insondables. Oui, je leur ai infligé le châtiment. Oui, j'ai dépossédé les Veilleurs de leurs ailes. Les ailes et l'âme sont en étroite connexion, et en perdant leur âme, ils ont sombré dans leur état actuel de buveurs de sang. Mais je ne suis pas coupable de leurs erreurs, pas plus qu'un officier de police n'est responsable des crimes commis par ceux qu'il arrête.

— Comparer ce que vous faites avec un système pénal qui relâche des criminels encore plus dangereux qu'avant leur incarcération serait plus approprié, suggéra-t-elle en ébouriffant ses boucles. Pourquoi doivent-ils boire du sang ? Avant, ils étaient des anges, eux aussi, or, vous n'en buvez pas, vous.

— Physiologiquement, ce sont encore des Séraphins. Leur couper les ailes ne les a pas rendus mortels pour autant. Ils ne peuvent pas ingérer la même nourriture que vous. Nous avons la même apparence extérieure que les humains, mais nous ne sommes pas pareils. Nous ne sommes pas construits de la même façon. Votre corps crée de l'énergie via un procédé chimique purement physique ; pas le nôtre.

Elle hocha lentement la tête. Les ailes d'Adrian, et la façon dont elles apparaissaient et disparaissaient, constituaient des preuves en soi de leur différence.

— Et les lycanthropes, que font-ils ? Comment les utilisez-vous ?

— Ils dénichent les tanières des vampires, attaquent leurs nids et les parquent dans les endroits les plus reculés, afin qu'ils provoquent le moins de dommages possibles parmi les mortels.

— Vous m'avez dit qu'il y avait cent soixante-deux sentinelles, aujourd'hui. Et les autres ? Ils sont... morts ?

Un long soupir souleva le torse d'Adrian.

— Il y a eu des victimes, oui.

— Combien y a-t-il de lycanthropes ?

— Plusieurs milliers. Ils n'étaient que vingt-cinq à l'origine, mais ils peuvent se reproduire.

— Et combien y a-t-il eu de victimes chez les vampires ?

— Des centaines de milliers. Cela étant, ils sont toujours plus nombreux, car ils ont la capacité de transmettre le vampirisme aux mortels bien plus vite que les lycans ne se reproduisent.

— Et vous, vous restez en nombre égal, sauf quand l'un de vous est tué ?

Lindsay expira, soudain submergée par l'énormité de la tâche qui attendait Adrian.

— Pourquoi les anges-vampires déchus peuvent-ils répandre leur maladie ? Je ne vois pas la justice qu'il y a là-dedans.

— Je n'ai pas de réponse à cette question. Si je devais me hasarder à faire une supposition, je dirais que ça a quelque chose à voir avec la liberté de choix : le choix qu'ont les Déchus de ne pas partager leur châtiment, tout comme ils auraient dû s'abstenir de diffuser leurs connaissances. Et le choix des mortels qui sont transformés en vampires.

— Vous supposez donc que les mortels ont le choix.

— Il en est qui aspirent à la transformation. Surtout les malades, les infirmes. Ceux qui veulent vivre, à n'importe quel prix.

Elle haussa les épaules.

— Qui voudrait vivre comme ça ? Je préférerais être morte.

Adrian fit un pas vers elle. Puis un autre.

— La vraie question serait plutôt : qui veut mourir comme ça ? La plupart des mortels ne survivent pas à la transformation. Parmi ceux qui y parviennent, beaucoup reviennent à l'état sauvage et doivent être abattus. Quand ils contaminent des mortels, qui eux, ont une âme, la transformation provoque des dommages irréversibles. Certains mignons réussissent à survivre sans âme, mais la plupart perdent leur capacité à ressentir quoi que ce soit, et très vite, ils perdent aussi l'esprit.

— Vous les appelez des « mignons » ? fit-elle en plissant le nez. Rien que le terme est dégoûtant.

Une petite brise souleva les cheveux d'Adrian, attirant une épaisse boucle noire sur son front. Cette légère altération de sa perfection lui donna soudain l'air plus juvénile que le début de trentaine où elle l'avait classé jusqu'alors.

Même si tout cela n'était qu'illusion, bien sûr. Ses yeux bleus, si brillants, étaient en réalité anciens. Depuis combien de temps se tenait-il là, à discuter ? Elle n'en avait pas la moindre idée. Des lustres. Une éternité. Rien que d'imaginer les siècles d'histoire dont il avait été le témoin donnait le frisson.

— Donc, reprit-elle précautionneusement, calant les pouces dans les passants de son pantalon, vous êtes là pour punir les anges qui ont divulgué aux mortels des secrets qu'ils auraient dû garder pour eux. Et pourtant vous vous apprêtez à m'enseigner des choses que je ne connaîtrais jamais sans vous. Les règles auxquelles étaient soumis les Veilleurs ne s'appliquent-elles pas également à vous ?

— Je vais vous apprendre à mieux vous défendre, mais dans les limites de votre enveloppe humaine. En fait, rien que des spécialistes mortels de l'autodéfense ne puissent vous enseigner ailleurs.

— Bien, conclut-elle en relâchant le souffle qu'elle retenait involontairement. À présent que je suis au courant des bases, je veux vous accompagner quand vous partirez en chasse.

Il secoua la tête.

— Je ne sais jamais ce qui m'attend. Tant que ce sera ainsi, c'est trop dangereux.

— Existe-t-il un endroit plus sûr qu'à vos côtés ? le défia-t-elle.

— Il n'y a pas de lieu plus dangereux pour vous qu'à mes côtés, justement.

La tentation qu'il incarnait tendait à le prouver, en effet. Cependant…

— Je prends le risque. Et puis, mes bagages sont prêts.

Elle vit le regard d'Adrian s'allumer d'une lueur arrogante, celle du commandement, et elle leva la main.

— Réfléchissez bien avant de répondre, le prévint-elle.

Il s'immobilisa. Complètement, absolument.

À la seconde même où elle l'avait rencontré, elle avait su que cet être était habitué à donner des ordres et à ce qu'on lui obéisse sans discuter. Avec elle, il allait devoir s'accommoder d'une certaine résistance.

— Si je comprends bien, c'est comme vous le décidez ou rien ? demanda-t-il avec une inquiétante douceur.

Elle baissa la main.

— Je fais ce que je fais, à savoir tuer des créatures pleines de haine, pour venger quelqu'un. J'agis en lieu et place des victimes, parce qu'elles n'ont pas eu la possibilité de se défendre elles-mêmes. Si je peux aider quelqu'un qui a un nom et un visage, des amis, une vie que je lui ai vu vivre... Vous comprenez ? Vous avez dit que vous me donneriez un objectif, et c'est là le genre d'objectifs auxquels j'aspire. Je veux vous aider à traquer celui qui a tué votre ami.

— Je ne vais pas à la chasse aujourd'hui.

— N'importe quoi ! Vous partez en quête d'informations, je le sais. Vous comptez dénicher quelque chose sur la zone où il a été tué. Et si c'est le cas, vous n'allez pas vous contenter de rentrer gentiment à la maison. Je n'ai pas besoin d'être entraînée pour me rendre utile, je suis déjà létale.

— Grâce à l'élément de surprise, précisa-t-il. Dans un combat au corps à corps, vous seriez morte en un clin d'œil. Or, dès que l'information va transpirer à votre sujet, vous serez une proie de choix. Et vous n'êtes pas encore prête à faire face.

— Personne ne peut être totalement préparé à une agression. Et puis, quand mon heure viendra, elle viendra. Les choses arrivent toujours pour une bonne raison.

— Maintenant, c'est vous qui dites n'importe quoi.

— Vous devez m'emmener avec vous, répliqua-t-elle sur un ton qui ne supportait pas la contradiction.

Qu'elle agrémenta du fameux « regard », celui qu'elle avait dardé sur lui à l'aéroport pour capter son attention. Après tout, pourquoi ne pas utiliser ses atouts féminins, s'ils lui permettaient d'arriver à ses fins ?

Adrian sourit. Un vrai, un grand sourire qui la renversa.

— N'essayez pas de me manipuler, Lindsay. Je suis ravi de faire l'objet de vos talents de persuasion, mais certainement pas si vous devez être furieuse qu'ils ne vous rapportent pas ensuite ce que vous souhaitez.

Ce sourire... Il lui donnait des frissons, pire que si elle venait de prendre une décharge électrique. D'ailleurs, elle en avait la chair de poule.

— Adrian...

La courbe exquise de ses lèvres se raidit brusquement.

— Non. Pas question que je fasse une erreur tactique, juste à cause du désir que vous m'inspirez. Ma mission est trop importante pour que je prenne ce risque. Et vous aussi, vous avez trop de valeur.

Elle avait la poitrine serrée, oppressée par le respect. Et en même temps, elle avait une furieuse envie de ramper sur son corps nu.

— J'ai moi aussi des responsabilités, Adrian. Je sais que ces créatures maléfiques sont là, quelque part. Je préférerais ne pas en être consciente, croyez-moi. Je préférerais ne pas les sentir arriver. Mais voilà, je les devine, et il y a une obligation, attachée à ma malédiction. Bon, assez parlé de ce que cela représente pour moi. Je peux vous être utile, je peux vous protéger.

— Je suis un Sentinelle, je suis capable d'assurer tout seul ma protection.

Aussi ferme que soit sa voix, elle était adoucie par la chaleur qui émanait de ses yeux extraordinaires.

— Si vous ne m'autorisez pas à vous accompagner, je ne reste pas ici. Je sais, c'est puéril, mais c'est le seul choix que vous me laissez.

— Vous êtes en train de faire du chantage à un ange.

Elle haussa les épaules.

— Attaquez-moi en justice.

Les ailes réapparurent soudain, qui se crispèrent en même temps que sa mâchoire.

— Je peux très bien vous retenir contre votre volonté.

— Et mon père fera tout un pataquès de ma disparition. Vous aurez un souci de plus à gérer, je vous le garantis. Hé ! Pas la peine de montrer vos ailes, hein. Après tout, c'était votre idée de le mêler à ça. Par ailleurs, je sais que vous voulez attraper les coupables, alors chaque jour qui passe est un jour où la piste s'efface un peu plus. J'ignore si vous êtes doté du même sixième sens que moi, mais dans le cas contraire, nous savons tous les deux que je suis en mesure de les localiser très vite. Et comme vous l'avez dit, ils ne se méfieront pas de moi. Pour eux, je ne suis qu'une artère comme une autre.

— Le chantage, ça fonctionne dans les deux sens, Lindsay. Je veux quelque chose en retour.

— Ah bon ?

Dès qu'elle vit la lueur étinceler dans ses yeux, elle fut immédiatement sur ses gardes. Il avait l'air trop… triomphant pour être honnête. Presque comme si elle venait de se jeter dans la gueule du loup.

— La raison de votre chasse… Ce quelqu'un que vous cherchez à venger, je veux savoir qui c'est.

— Je parlais de quelqu'un en général, pas en particulier, mentit-elle.

Adrian l'observa un long moment, avant de reprendre la parole.

— Très bien, alors je veux autre chose.

— Quoi ?

— Ça…

Avant qu'elle ait eu le temps de comprendre ce qui lui arrivait, il avait collé ses lèvres aux siennes. Tout était arrivé si vite qu'elle avait l'impression d'avoir manqué plusieurs scènes du film.

Sous le choc, elle resta immobile. Les lèvres fermes et sensuelles d'Adrian étaient scellées aux siennes, empreintes d'une douceur inattendue compte tenu de la fermeté avec laquelle il avait pris son visage entre ses mains. La langue d'Adrian glissa le long de sa lèvre inférieure, avant de s'insinuer dans sa bouche. La caresse soyeuse lui donna un frisson. Puis elle gémit. Adrian l'embrassait avec la patience d'un homme qui prenait son temps pour faire l'amour, luxe qu'elle n'avait jamais eu le plaisir de s'offrir. Pour elle, les relations sexuelles avaient toujours été le moyen d'assouvir un besoin naturel, de se sentir humaine pendant quelques instants volés. Jamais elle n'avait éprouvé ce lent, ce profond mélange. Et ce n'était qu'un baiser. Bon sang, qu'est-ce que ça donnerait dans un lit !

Vacillante, elle se raccrocha à la ceinture d'Adrian, prête pour le voyage. Derrière ses paupières closes, elle absorbait son goût, son odeur, son contact. On aurait dit qu'il avait trouvé le moyen de s'immiscer à l'intérieur d'elle. Plus rien n'existait alentour que la sensation de cet être qui pénétrait en elle comme une volute de fumée…

Elle s'arracha à son étreinte avec un juron et s'indigna :

— Vous étiez à l'intérieur de ma tête ?

— J'avais besoin de m'assurer que votre passé n'était pas un obstacle, se défendit-il en se léchant les lèvres, comme pour savourer les dernières gouttes de sa bouche.

Un geste primitif qui tourneboula le bas-ventre de Lindsay. Heureusement, elle était trop furieuse pour se laisser amadouer.

— Vous vous êtes permis de violer mon intimité en fouillant mon cerveau, dans le but d'y pêcher les informations personnelles que je refusais de partager ?

— Oui.

— Allez vous faire foutre.

Elle aurait bien aimé partir en claquant la porte, sauf que les lieux ne s'y prêtaient pas. Avait-il aussi prévu cette éventualité depuis le début ?

— Je sais qui vous cherchez, dit-il, et je vous assure que vous aurez besoin de mon aide pour la piéger. Et aussi pour l'obliger à donner ses complices.

Les yeux fixés sur lui, elle se demandait comment l'on pouvait se sentir violé et plein d'espoir à la fois. Il avait vu l'attaque dans son esprit, il avait vu la garce aux cheveux roux, genre Amazone en combinaison de cuir moulante.

— Vous n'avez pas reconnu les deux types qui l'accompagnaient ?

— Il y a des milliers de vampires mâles avec des cheveux en brosse de la même couleur. Même la stature et les caractéristiques ethniques ne sont pas très utiles, lorsque le souvenir est aussi fragmenté par la terreur et le chagrin que le vôtre. (Ses ailes battirent violemment, comme si la mémoire qu'elle conservait de sa douleur l'avait affecté.) À un moment donné de l'attaque, vous avez cessé de voir pour vous concentrer sur vos sentiments. C'est ce qui résonne le plus fortement en vous, les émotions que vous avez ressenties en voyant votre mère se vider de son sang. Et en attendant votre tour.

Son tour qui n'était jamais venu. Quand enfin elle avait pu s'enfuir pour chercher de l'aide, elle n'avait pas la moindre égratignure. Les dommages qu'ils lui avaient infligés étaient exclusivement psychiques et émotionnels. La vision de sa mère en train de perdre la vie en se vidant de son sang. Les railleries scabreuses de la créature. Le contact contre sa peau des griffes acérées qui la maintenaient au sol.

— Mais la femme, vous la connaissez ? insista-t-elle.

Elle avait besoin de réponses. N'importe quel indice qui puisse l'aider à retrouver les responsables de la tragédie qui avait à jamais bouleversé sa vie.

— Oh, oui ! Vashti, on ne peut pas la rater. C'est la commandante en second des vampires.

— Commandante en second... Ce sont des vampires comme ça qui gouvernent ? Et vous trouvez que ça n'est pas une raison suffisante pour les exterminer tous ?

— C'est une raison largement suffisante pour l'exterminer elle, ainsi que ses complices, corrigea-t-il avec un sourire morne. Avec votre mère, vous avez été prises dans une embuscade en plein jour. Or, les Déchus sont les seuls vampires à ne pas être sensibles à la lumière. Ils peuvent conférer une immunité temporaire à leurs mignons en leur injectant un peu de leur sang, mais quoi qu'il en soit, l'un des Déchus au moins est à l'origine de l'attaque qui a visé votre mère. Au vu des faits, c'est un vrai miracle que vous ayez survécu. Ils auraient dû vous tuer aussi, ne serait-ce que pour empêcher leur identification.

— Il faut croire que je ne représentais pas une menace suffisamment importante. Les imbéciles !

Elle souffla bruyamment. Si furieuse qu'elle soit contre Adrian pour avoir fouillé dans son esprit sans sa permission, elle avait toujours une incroyable envie de l'embrasser à pleine bouche. Il détenait désormais la clef du mystère de cette funeste journée. Elle avait enfin le « qui », restait à trouver le « pourquoi ». Alors elle pourrait tuer ces ordures et clore enfin ce chapitre de sa vie.

— Bien. Maintenant que nous en avons fini avec la partie extorsion de cette conversation, je vous suis.

— Vous obéirez à tous mes ordres, sans discuter ?

— Promis, affirma-t-elle en se signant. Croix de bois, croix de fer.

Il lui fit signe d'approcher.

— Il faut qu'on rentre.

Lindsay sentit son corps tout entier frémir d'excitation. Pris d'une euphorie telle qu'elle se demanda soudain si elle ne risquait pas d'atteindre l'orgasme en plein ciel, si un jour il l'emmenait pour un vol plus long. Comme ces bimbos à l'arrière des Harley Davidson que les vibrations de la moto rendaient dingues. L'adrénaline l'avait toujours mise en transe, alors ajoutée à la présence d'Adrian, c'étaient les flammes de l'enfer. D'un regard, elle embrassa sa silhouette parfaite, de la pointe de ses cheveux bruns jusqu'à ses pieds nus… qui déjà ne touchaient plus le sol rugueux.

Bon Dieu, elle était mal partie !

9

Syre fit pivoter son siège en direction de la jolie rue principale sur laquelle donnait son bureau. Raceport, en Virginie, ressemblait à une scène tirée d'un tableau de Norman Rockwell, à l'exception de la touche de modernité qu'apportait l'alignement parfait de dizaines de Harley Davidson dans chaque virage.

— Adrian a avoué ? Il a dit qu'il l'avait tuée ?

La voix habituellement mélodieuse de sa lieutenante vibrait de colère et de chagrin. Les talons de ses bottes claquant en rythme sur le parquet, Vashti arpentait la pièce comme un animal en cage.

— Oui, répondit calmement Syre.

— Comment allons-nous la venger ? Qu'allons-nous… ?

— Ne fais rien, père.

La voix de son fils avait une douceur inhabituelle et angoissante qui brisa le cœur de Syre, bien plus que n'importe quel accès de fureur. Il se redressa et fit face à son seul enfant encore en vie. Planté sur le seuil, Torque restait dans l'ombre, évitant les rayons du soleil qui tombaient sur le bureau de son père et coupaient la pièce en deux.

— Nikki veut – voulait – la paix entre nous et les Sentinelles, reprit Torque, dont les traits harmonieux étaient crispés par un chagrin que soulignaient ses yeux rougis et sa bouche cerclée de rides creusées. Jamais elle n'aurait souhaité être la cause d'une guerre.

— Ta femme n'a pas déclenché tout ça, rétorqua Vashti. Adrian s'est engagé tout seul dans cette guerre.

Syre noua ses mains sur ses reins.

— Il prétend qu'elle l'a attaqué.

— Foutaises !

— J'aurais tendance à penser comme toi, sauf qu'à ce qu'il a raconté, elle avait la bouche pleine de bave. Comme si elle était enragée. Il ne l'a même pas reconnue, il ne sait pas qu'il a tué ma belle-fille. Comment serait-ce possible, si son apparence n'avait pas été drastiquement altérée ? Nikki a disparu voici deux jours, qui sait ce qu'on a pu lui faire subir pendant ce laps de temps ? On a très bien pu l'empoisonner.

Il regarda son fils, lui qui avait été plusieurs fois témoin des effets terribles que certaines drogues humaines pouvaient avoir sur l'alchimie si particulière d'un corps de mignon.

— Alors, peut-être que ce n'était pas Nikki ? suggéra immédiatement Vashti. Peut-être qu'il s'agissait de quelqu'un d'autre ?

— Non, c'était bien elle, confirma Torque d'une voix sourde. J'ai senti sa disparition au moment même où la vie la quittait.

Syre hocha la tête. Le lien qui existait entre un vampire et son mignon était encore renforcé quand l'amour entrait en jeu. Lui-même ressentait profondément les morts successives de Shadoe, quelle que soit la distance qui les séparait.

— Que savons-nous sur l'enlèvement ?

Torque se passa une main sur le visage.

— On l'a déposée à l'aéroport vers dix heures. J'ai appelé son QG à minuit, car elle était en retard pour venir me récupérer à Shreveport. On a envoyé Viktor à sa recherche, mais elle avait disparu. Il a senti des traces de lycanthropes autour de l'hélicoptère.

— Traque ces lycans et ramène-les-moi fissa, ordonna Syre à Vashti.

— Enfin ! Je croyais que tu n'allais jamais te décider à me le demander.

Les yeux couleur d'ambre de Vashti étaient froids et durs comme la pierre. Un demi-siècle plus tôt, une meute de lycanthropes avait tendu une embuscade à sa compagne et l'avait tuée. La haine qui couvait en elle depuis lors l'empoisonnait à petit feu.

— Je te jure que je leur ferai avouer quels étaient les ordres d'Adrian.

— Si Adrian y est pour quelque chose…

Torque fronça les sourcils.

— Qui veux-tu que ce soit d'autre ?

— Bonne question.

Vashti jura à mi-voix. Avec sa crinière rousse flamboyante qui lui descendait jusqu'à la taille et sa combinaison de cuir noir moulante, elle donnait corps à l'imagerie populaire de la belle vampire. Elle ne cachait jamais ses crocs, arguant que certains mortels allaient jusqu'à payer pour des fausses dents de vampires.

— Adrian t'a dit lui-même qu'il avait tué Nikki. Qu'est-ce qu'il te faut de plus ?

— Un mobile.

Syre tendit le cou pour tenter d'apaiser la tension croissante de ses cervicales. Cet étirement fit descendre ses canines, de la même façon que ses ailes, jadis, exprimaient son humeur.

— Jusqu'au tréfonds de lui, Adrian est un Sentinelle. Ça peut paraître réducteur, mais ça ne l'est pas du tout. Cet être est une machine, il a des ordres et il n'en dévie pas. Son obstination est d'ailleurs sa plus grande force. Ainsi que sa faiblesse la plus facile à prédire. Jamais il ne tuerait au hasard, ça n'est pas dans sa nature. Ce que je vais dire prêche en sa faveur, mais pour l'affaire qui nous occupe, je crois plutôt à une contre-attaque : selon moi, Adrian a agi en état de légitime défense.

— Peut-être les ordres d'en haut ont-ils changé ? suggéra Torque d'un ton las.

Vashti ricana.

— Ou peut-être qu'il ment. Qu'est-ce qui nous prouve qu'il n'a pas inventé toute cette histoire de légitime défense pour se couvrir, alors que son véritable but était de nous pousser à bout ? Pour que nous ne pensions plus qu'à la vengeance et qu'il ait une bonne excuse de nous attaquer ? Peut-être qu'il nous envoie tout simplement un message.

— Tu oublies qu'il rend toujours des comptes au Créateur, fit remarquer Syre, désabusé. Et s'il voulait nous transmettre un message, il aurait accroché un mot sur le corps brisé de Nikki, qu'il aurait déposé sur mon pas de porte. Jamais il ne laisserait la moindre place au doute. Vous voulez savoir ce que je pense ? Quelqu'un veut que nous l'accusions. Et le pire, c'est que de son côté il pense que j'ai envoyé Nikki à ses trousses. Donc, le contraire est vrai aussi : il nous fait porter le chapeau pour les actes de Nikki. Pour démêler cet écheveau, il nous faut trouver qui a le plus à gagner d'une guerre entre les vampires et les anges.

— Les lycans, lâcha Vashti dans un soupir, avant de recommencer à arpenter la pièce.

De ses grandes enjambées, elle avalait les six mètres de distance entre chaque mur, de long en large et de large en long, à une vitesse qui donnerait la migraine à la plupart des mortels.

— Ces chiens sont les spécialistes des actions sournoises et maladroites, c'est vrai. Pourtant, je ne les aurais pas crus assez courageux, ou malins, pour s'extraire du joug des Sentinelles.

Syre eut un sourire désabusé. Adrian avait en effet réussi à garder les lycanthropes à son service depuis fort longtemps, c'était à mettre au crédit de son règne. Sans que l'on sache vraiment comment, il parvenait à imposer à chaque nouvelle génération le contrat digne d'un esclavagiste auquel avaient souscrit leurs ancêtres.

Aujourd'hui encore, Syre admirait le chef des Sentinelles pour sa prévoyance. La mortalité des lycanthropes leur permettait de se reproduire, contrairement aux vampires qui étaient stériles. Ou aux Sentinelles, qui n'avaient pas le droit de procréer. Adrian avait donc besoin des petits lycanthropes pour renforcer les rangs de ses Sentinelles, dont les effectifs n'avaient jamais été augmentés.

— N'oubliez pas ceci, rappela sombrement Syre. Les lycanthropes descendent de nos amis Veilleurs. Ils sont de notre sang, même de façon lointaine, ils ont donc sans doute en eux des restes de notre tempérament indocile. Et s'ils ne valaient guère mieux que des animaux lorsqu'ils ont été infectés par du sang de démon, leur mortalité leur a conféré un avantage : nous restons les mêmes, alors qu'eux évoluent.

— Donc, en résumé, un lycanthrope renégat ou un petit groupe aurait décidé de déclarer la guerre aux Sentinelles. Pourquoi ? C'est un suicide collectif ! Leur seul but dans la vie, c'est tout de même de servir les Sentinelles ! Ils sont coincés.

— Peut-être en ont-ils assez. Trouve les responsables de l'enlèvement de Nikki et nous les interrogerons. Mais pour l'instant, ne t'attaque pas aux Sentinelles.

— Nous aurions pourtant de bonnes raisons, grommela Vashti.

— Fais ce que je te dis.

— À tes ordres, Syre.

Elle fit demi-tour et se dirigea vers la porte. Vashti se mouvait toujours comme la chasseresse qu'elle était, avec mesure et précision. Syre lui faisait suffisamment confiance pour remettre sa vie entre ses mains, tout comme il l'avait fait avec celle de Shadoe dans sa première incarnation. Vashti avait entraîné son entêtée de fille, lui instillant le sens de la discipline qui lui faisait alors défaut. Ensemble, les deux femmes avaient éradiqué des milliers de démons.

Vashti serra Torque dans ses bras avant de sortir, tout en lui promettant à mi-voix de retrouver les salauds qui avaient tué sa femme. Elle referma enfin la porte, emportant avec elle son énergie dévastatrice. Dans le soudain silence qui suivit son départ, Torque s'affaissa, comme s'il portait le poids du monde sur ses épaules. Il avait transformé Nikki parce qu'il était tombé amoureux d'elle. En lui accordant l'immortalité, il s'assurait qu'elle serait toujours auprès de lui. Pour l'éternité. Malheureusement, l'immortalité n'était rien face à un Sentinelle.

Les yeux brillants d'une haine à peine contenue, Torque croisa les bras.

— Venger Nikki est mon droit, dit-il ; pas le tien, ni celui de Vashti.

— Absolument. Mais j'ai besoin d'informations, et c'est une mission trop délicate pour que je la confie à qui que ce soit d'autre que Vashti.

Traversant la pièce, Torque s'immobilisa quand l'extrémité de ses chaussures à pointe d'acier toucha la ligne de démarcation entre ombre et lumière. Ses cheveux d'Asiatique, si courts qu'ils en étaient hérissés, se dressaient ici et là de façon aléatoire. Il les portait noirs, avec les pointes décolorées, quasi blanches, un style qui s'accordait à la fois aux traits exotiques qu'il avait hérités de sa mère et à son style de vie agité. Alors que Syre affectionnait les petites villes qui attirent les fans de motos, grands pourvoyeurs de sang frais pour tous les vampires réfugiés dans les abris et autres tanières locales, Torque gérait une chaîne de discothèques en pleine expansion, sorte de paradis pour ses mignons débutants.

Syre s'approcha de son fils et l'agrippa par les épaules. La ressemblance entre les traits de Shadoe et ceux de Torque était saisissante. La similarité obsédante des jumeaux. À présent, sa fille avait été dépossédée de ses gènes, en même temps que de ses souvenirs. Jadis portrait craché de sa mère, elle manifestait désormais dans ses incarnations les traces d'une lignée étrangère. Celle d'un autre père. Et même s'il aimait Shadoe quelle que soit son apparence extérieure, une partie de lui avait l'impression de perdre sa mère un peu plus chaque fois que leur fille renaissait sous les traits d'une autre femme.

— Je sais que le moment est très mal choisi, dit-il doucement, mais je dois te demander de te faire discret. En plus de ses commentaires concernant l'attaque dont il aurait fait l'objet de la part de Nikki,

Adrian a fait une allusion à Phineas qui m'inquiète beaucoup. J'ai besoin que tu te renseignes sur les événements des dernières quarante-huit heures.

— Je m'en charge, répondit Torque en posant les mains sur celles de son père. J'ai besoin de me concentrer sur quelque chose, de toute façon, sinon je risque de faire une bêtise.

Syre posa les lèvres sur le front de son fils. Il le comprenait, ô combien ! Lui-même avait survécu par miracle à la perte de sa femme et de Shadoe. S'il ne s'était pas senti obligé de continuer pour Torque, leur mort l'aurait tué depuis longtemps.

— Il suffit que nous répandions la nouvelle de ton deuil et personne ne s'étonnera de ton absence.

C'était faire montre de bien peu de compassion que d'utiliser le chagrin de son fils à ses propres fins, mais Syre n'avait pas les moyens de laisser passer une occasion aussi parfaite.

Oh, bon Dieu ! Il se faisait l'impression d'être insensible. Et vieux. Si vieux qu'il ne reconnaissait même pas le visage juvénile qui le regardait dans le miroir, près de la porte. On l'aurait cru plus âgé que Torque, ce fils qui paraissait tout juste vingt-cinq ans, d'à peine dix ans.

— Comment Adrian arrive-t-il à garder la tête sur les épaules, lui qui perd l'amour de sa vie tous les cent ans ? lâcha Torque d'une voix bourrue. Tu es sûr qu'il est sain d'esprit ? Shadoe est partie depuis long-temps, papa. Ça doit le rendre dingue.

— Ce serait sûrement le cas si la laisser mourir, encore et encore, le préoccupait un tant soit peu. Et l'empêcher d'avoir le moindre souvenir de sa famille et de ceux qui l'aiment. J'appelle ça de la cruauté, pas de l'amour.

— Je ne sais pas, admit Torque, dont les yeux reflétaient l'insupportable tourment. Pour ma part, je crois que je ferais tout pour récupérer Nikki. Quel que soit le prix.

— Il n'est pas comme nous. Si tu l'avais entendu au téléphone… ce calme, cette insensibilité. C'est vraiment un Séraphin, dans tous les sens du terme. L'âme est tout ce qui compte pour lui. Il ne voit pas l'intérêt de vivre sans elle. Tu dis que tu ferais n'importe quoi pour retrouver Nikki, mais si tu étais confronté à un choix, je sais que tu ferais le bon.

— Tu ne peux pas le savoir. Moi-même, je l'ignore. Là, tout de suite, la seule chose dont j'aie envie, c'est d'éviscérer tous les Sentinelles et les lycanthropes qui croiseront mon chemin.

— C'est précisément ce que cherchent ceux qui ont sacrifié Nikki : nous rendre fous de rage. Il faut nous montrer plus intelligents que ça. Si nous collectons d'abord suffisamment d'informations, nous pourrons frapper avec précision, au lieu de tirer à l'aveuglette. Songe au bénéfice que nous tirerions d'une dissension entre les Sentinelles et les lycanthropes. Tout ce qu'il nous faut, c'est la preuve que les chiens conspirent contre leurs maîtres. Ensuite, on passe le bébé à Adrian et il fait le sale boulot à notre place.

— Qu'est-ce que je dois chercher ?

— Tu le sauras quand tu le trouveras. S'il y a quelque chose de bizarre, tu le sentiras.

— Tu me suggères de commencer par où ?

Syre porta le poignet à hauteur de la bouche de son fils, lui offrant le pouvoir de son sang de Déchu pour l'aider dans sa quête. Bien que le statut de Néphel donne à Torque un avantage sur les mignons, il restait inférieur aux Déchus. Quelques centilitres de pur sang de Déchu annihileraient cette différence, pour quelques jours au moins.

Syre ferma les yeux, serrant les dents alors que les canines de Torque plongeaient dans son artère.

— Phineas doit être près d'Adrian. Commence par Anaheim.

— Vous n'aimez pas l'avion ? s'enquit Lindsay en voyant la force avec laquelle Elijah agrippait l'accoudoir de son siège.

Il posa sur elle ses superbes yeux émeraude.

— Pas vraiment.

— Pourtant, admettez que voyager en jet privé, c'est carrément mieux qu'un vol commercial, non ?

— Non, répondit-il, blêmissant encore au moment où l'avion effectuait un virage.

Elle-même eut un sourire un peu tendu. Elle balaya la luxueuse cabine du regard tout en frottant ses paumes contre le cuir tanné de son siège-baquet. Adrian était assis à quelques mètres, en grande conversation avec Damien et un autre gars blond, Jason. Super sexy, d'ailleurs, comme apparemment tous les anges.

Elle reporta son attention sur Elijah, installé face à elle de l'autre côté d'une table. Une table. Dans un avion ! L'appareil était à peu près aussi confortable qu'un camping-car.

— Vous êtes de corvée de baby-sitting, c'est ça ? Désolée, reprit-elle alors qu'il la regardait fixement sans répondre. Je ne vous causerai pas de problèmes, promis.

Elle le plaignait, au fond.

— Vous dites ça, répliqua-t-il enfin, mais à ce que je vois, si Adrian vous a emmenée, c'est contraint et forcé.

— Et selon vous, cela signifie qu'il s'est plié à mes caprices, termina-t-elle. Et donc que je suis une emmerdeuse.

De nouveau, les yeux vifs l'observèrent. Des yeux de chasseur, vigilants et attentifs. Elle avait tout intérêt à atténuer cette image de fardeau qu'il semblait avoir d'elle. Il la considérait comme une faiblesse.

— Vous le connaissez, non ? enchaîna-t-elle. Il n'est pas du genre à agir contre son gré.

Pour toute réponse, Elijah haussa une épaule massive.

Elle posa un coude sur la table et son menton dans sa main.

— Vous n'êtes pas très causant, dites-moi. Je crois que je vais bien vous aimer, ne serait-ce que pour la confiance que vous témoigne Adrian. Mais pas seulement. J'espère que vous finirez par m'apprécier aussi.

— Je préfère n'affronter le danger que pendant la chasse.

Lindsay dut réfléchir un instant avant de comprendre où il voulait en venir.

— Vous pensez que devenir sympa avec moi risque de vous causer des problèmes ? Si Adrian se sentait d'humeur possessive, il ne vous aurait pas affecté au baby-sitting, il me semble.

Au fur et à mesure qu'il se concentrait sur leur conversation, et cessait donc de se focaliser sur sa peur, Elijah reprenait quelques couleurs.

— Il y a une grande différence entre m'ordonner de vous protéger et m'autoriser à devenir votre... ami.

Un nouveau regard en direction d'Adrian confirma à Lindsay qu'Elijah avait peut-être raison. Vêtu d'un pantalon kaki parfaitement coupé et d'une chemise noire qui devait coûter l'équivalent d'un mois de son salaire à elle, il l'observait. Il avait retroussé ses manches et déboutonné son col, juste assez pour laisser apparaître un captivant triangle de peau mate. Jusqu'à présent, elle l'avait vu habillé de façon décontractée à l'aéroport, à demi nu ce matin même, et à présent vêtu d'un ensemble élégant. Quel que soit l'emballage, il était sublime. Elle en pinçait tellement pour lui qu'elle avait toutes les peines du monde à détourner les yeux. Ce fut d'ailleurs lui qui brisa le contact visuel, en reportant son attention sur ses hommes.

— Vous voyez ? dit-elle à Elijah. Pas possessif pour deux sous.

— Nous avons le même sang, murmura-t-il. Notre bestialité n'est pas entièrement démoniaque.

Un instant déboussolée par cette idée, Lindsay finit par hocher la tête. Oui, il y avait bien une certaine sauvagerie chez Adrian, elle la sentait palpiter juste sous la surface.

— Vous n'êtes pas surprise ? s'étonna Elijah en étrécissant ses yeux verts. Il vous a expliqué qui nous sommes.

Il parlait si bas qu'elle devait lire sur ses lèvres pour compléter ce qu'elle parvenait à entendre. Avec une voix aussi grave, il était même incroyable qu'il parvienne à parler si bas.

— J'ai eu droit à la version *CliffsNotes*[1], répondit-elle, incapable de s'exprimer aussi discrètement,

---

1. Collection d'ouvrages destinés aux étudiants. Sorte d'équivalent américain du « Que sais-je ? ». *(N.d.T.)*

mais faisant de son mieux tout de même. Je ne suis cependant pas certaine de bien saisir toute la hiérarchie. Enfin, visiblement les Sentinelles sont des durs à cuire, autrement ils n'auraient pas réussi à soumettre les Veilleurs. À moins que ces derniers ne se soient pas défendus ?

— Je n'en sais rien. Peut-être pas autant que s'ils avaient su ce qui les attendait.

— Comment ça, vous n'en savez rien ? Vous ne vous en souvenez pas ?

Il fit une sorte de moue.

— Je n'y étais pas. Les lycanthropes ne sont pas immortels. Je n'ai que soixante-dix ans.

Lindsay ouvrit grand la bouche. L'incroyable spécimen assis face à elle correspondait à tout sauf à l'idée qu'elle se faisait d'un sexagénaire. Son épaisse chevelure blond cendré ne révélait pas une mèche grise, ni son visage, puissant et beau, la moindre ride.

— Ouah ! lâcha-t-elle.

Un silence s'installa et, contre toute attente, ce fut Elijah qui le brisa.

— Pourquoi chassez-vous ?

Elle réfléchit un moment à la réponse. Voilà un sujet qu'elle n'abordait jamais, car évoquer la mort de sa mère signifiait revivre ce terrible souvenir. Mais Adrian était au courant, et dans ce nouveau monde auquel elle appartenait désormais, son passé servait à mieux la comprendre. Or, c'était quelque chose qu'elle ne prenait pas à la légère. Jamais on ne l'avait vraiment comprise, avant ; à présent qu'elle avait trouvé en Adrian l'acceptation totale de qui elle était, elle se rendait compte à quel point ce sentiment lui avait manqué toute sa vie. Elle prit une profonde inspiration, puis se lança :

— J'ai été la victime d'une attaque de vampires.

— Pas vous directement, sinon vous seriez morte.

— Un membre de ma famille.

Elijah opina du chef.

— Moi aussi.

— C'est pour ça que vous combattez aux côtés des gentils ?

Il haussa un sourcil sombre.

— Comme si j'avais le choix ! Mais oui, ça me motive.

— Mmm, soupira-t-elle. Moi non plus, je n'ai pas le choix. Je le croyais, mais je me trompais.

— Qui êtes-vous ? demanda-t-il à brûle-pourpoint.

— Pardon ?

— Comment saviez-vous que c'était un démon, hier soir ?

Elle cilla.

— Oh, ça… Je suis une humaine, une mortelle, comme vous dites, et qui n'a pas de chance en plus. Voilà, je crois que ça me définit plutôt bien.

Longtemps, elle s'était demandé quel effet cela ferait de vivre dans une ignorance béate, comme les autres mortels. Mais elle avait cessé de se poser cette question des années auparavant. Depuis longtemps, elle avait compris que ce genre de pensées étaient inutiles, aussi improductives que se demander à quoi ressemblerait son existence si elle était un chat, par exemple.

— Qu'est-ce que vous voyez ?

— Je ne vois rien. Je sens les choses. Ça me donne la chair de poule, si cette expression vous dit quelque chose.

— Vous vous êtes dirigée vers Adrian dès l'instant où vous l'avez vu. Ça relève du même genre d'intuition ?

— Non. Je l'ai remarqué parce qu'il est super beau, répondit-elle, enveloppant son aveu d'un sourire coquin. (Mieux valait garder pour elle la façon dont elle percevait la météo et sa connexion avec Adrian.) Je suis avant tout une femme, voyez-vous. Hétéro-sexuelle. Et donc attirée par les hommes séduisants.

— Et vous ne trouvez pas bizarre d'avoir juste-ment jeté votre dévolu sur le seul ange de tout le terminal ?

— C'est exactement ce que j'ai fait remarquer à Adrian hier soir, mais il a expliqué ça par une his-toire de « bon endroit au bon moment ». Une succes-sion de coïncidences, quoi.

— Hmm…

— Moi aussi, je suis plutôt sceptique, mais comment pourrais-je en être sûre ? Je ne suis pas croyante, alors…

— C'est la femme qui vit désormais avec des anges qui parle ?

Lindsay sourit.

— Absolument. Vous avez vu la tête d'Adrian quand j'ai abattu le dragon ?

Les yeux d'Elijah s'allumèrent d'une lueur amusée.

— Oui.

L'avion entama sa descente.

— J'espère que nous allons trouver celui ou celle que nous cherchons, conclut Lindsay en se frottant les mains.

— Nous le trouverons.

Le visage d'Elijah s'était durci en un rictus sauvage de prédateur.

— Vous aimez chasser, hein ?

— Oui. Et particulièrement cette fois, répondit-il. (Ses iris avaient pris un éclat surnaturel.) En plus du lieutenant d'Adrian, ce vampire est responsable de la mort de deux lycanthropes.

— Des amis ?

— Quelque chose comme ça.

Lindsay se demanda à combien de personnes Elijah accordait le titre d'ami. Sans doute un tout petit groupe, trié sur le volet. Elle fit rouler ses épaules et expira bruyamment.

— Ça va ? s'inquiéta Elijah, qui blêmissait à vue d'œil au fur et à mesure que l'avion plongeait.

— Bien sûr.

Pour la toute première fois, elle avait hâte de tuer. Et elle n'en éprouvait pas la moindre honte, contrairement à ce qu'elle avait imaginé.

10

Sitôt descendue de l'avion, Lindsay chaussa ses lunettes de soleil et regarda autour d'elle.

— Putain de merde !

Une main chaude se posa dans le creux de son dos.

— Quoi ? lui murmura Adrian à l'oreille.

Elle tourna lentement sur elle-même, lui fit face.

— Où est la terre ferme ?

La piste se terminait… au milieu du ciel.

— Nous sommes sur une *mesa*.

— Pas possible !

— Et si.

— Qui est assez fou pour construire une piste d'atterrissage sur une *mesa* ? Si le pilote se rate, tu es mort.

Un coin de la bouche d'Adrian se retroussa, et Lindsay eut soudain très envie de revoir son sourire.

— Allons-y.

Il la guida jusqu'au petit parking de l'aéroport, où deux berlines sombres et rutilantes les attendaient. Jason et Damien montèrent à l'arrière du premier véhicule, Elijah prit le siège passager du second.

— Saint-George, c'est ça ? s'enquit-elle alors qu'Adrian lui ouvrait la portière. C'est la première fois que je viens dans l'Utah.

— C'est un très bel État, l'informa-t-il en se glissant à côté d'elle.

Il referma la portière et la voiture se mit en marche.

— La partie méridionale compte de superbes formations de roches rouges, ajouta-t-il.

— Où allons-nous exactement ?

— Pas loin, dans une petite ville appelée Hurricane.

Lindsay fronça les sourcils.

— Hu-ri-ken ? Drôle de nom.

De nouveau, il faillit sourire.

— Comme « ouragan », en anglais.

Un ouragan. Oh, là, là !

Heureusement qu'elle se sentait pleine de résolution, car le nom de cette ville ne pouvait pas être une coïncidence. Pas après tout ce qui lui était arrivé depuis qu'elle avait quitté Raleigh.

Au fur et à mesure qu'ils descendaient vers la ville, Adrian devenait de plus en plus silencieux et impassible. Pourtant, elle percevait son agitation croissante. Son meilleur ami était mort. Malgré un apparent stoïcisme, Adrian avait manifestement été très affecté par cette perte. Sa douleur le rendait plus humain, plus homme qu'ange. Elle amenait aussi Lindsay à se demander vers qui il se tournait pour trouver du réconfort, lorsqu'il en avait besoin. À moins qu'il n'intériorise tout. Bien qu'entouré par des anges qui donneraient leur vie pour lui, il semblait bien seul.

Elle posa la main sur le siège entre eux et noua subrepticement son petit doigt au sien. Même s'il ne montra aucun signe de surprise, elle la sentit bondir en lui. Il lui saisit la main, presque avec violence, le regard toujours abîmé dans la contemplation du paysage. Elle couvrit leurs paumes jointes avec le rabat de son sac à bandoulière, les cachant aux yeux qui les observaient dans le rétroviseur. Il la remercia de sa discrétion par une brève pression de la main.

Singulièrement émue de devenir une source de réconfort pour cet être si puissant, Lindsay songea à la complicité qu'ils avaient déjà développée. Ils se tournaient l'un vers l'autre avec un naturel que ne leur inspiraient pas des gens qu'ils connaissaient depuis plus longtemps. Pourquoi ? Pourquoi Adrian avait-il décidé de l'emmener chez lui, la veille ? Un dîner au restaurant aurait été un choix plus sage pour éviter qu'elle ne découvre ses secrets. Et puis, pourquoi se montrait-il si proche ? Si tendre ?

Et elle, pourquoi le laissait-elle faire ? Pourquoi ne se méfiait-elle pas davantage, comme elle en avait pourtant l'habitude avec tous ceux qui croisaient son chemin ?

Les yeux rivés à la vitre, elle demeurait trop perdue dans ses pensées pour faire attention au paysage. Comment se faisait-il qu'elle attire toujours l'étrangeté ? Pourquoi se mouvait-elle si vite, alors qu'elle n'était qu'humaine ? Son père l'avait emmenée consulter au moindre rhume ; elle avait eu sa dose de radios, dentaires et autres, de prises de sang de routine, et avait même passé un scanner, la fois où elle était tombée d'un arbre dans le jardin d'une amie. Il n'existait aucune explication médicale à ses capacités. N'empêche, elle était différente, et la solitude où la confinaient ses anomalies créait une affinité entre Adrian et elle. Elle n'aurait su dire s'il s'agissait d'une bénédiction ou le contraire.

Ils quittèrent la route et entrèrent sur le parking d'une petite quincaillerie de campagne. Alors que la voiture se garait sur un emplacement marqué au sol, à côté du véhicule transportant Jason et Damien, Lindsay regarda autour d'elle pour essayer de se repérer.

— Nous y voilà, commenta Adrian, avant de descendre du véhicule.

Sa portière s'ouvrit sur Elijah, grand et intimidant. Bien que musculeux et doté de larges épaules, il n'était pas immense, contrairement à l'impression que donnait sa formidable présence. Comme Adrian, il n'était pas le genre d'homme avec qui l'on avait envie de se fâcher.

Elle sortit du véhicule, prit une profonde inspiration et observa ce qui l'entourait. A priori, Hurricane était une bourgade, avec une rue principale pour centre-ville. En plus de la quincaillerie, elle apercevait deux fast-foods, une supérette et quelques petits commerces.

Le vent soufflait dans ses cheveux en hurlant. Le souffle coupé, elle fit un pas en avant pour essayer de s'en protéger. Elijah lui prit aussitôt le bras pour la stabiliser.

Adrian vint à ses côtés avant qu'elle ait eu le temps de reprendre sa respiration.

— Que sentez-vous ?

Elle frissonna.

— Cet endroit grouille.

— Peut-être un nid ? suggéra Damien, qui les avait rejoints.

— Je ne comprends pas de quoi vous parlez.

— C'est le nom que l'on donne à un groupe de vampires en chasse, expliqua Adrian.

162

Super ! Exactement ce dont elle avait toujours rêvé.

— En tout cas, ils sont nombreux.

Damien se tourna vers Adrian.

— Tu ne plaisantais pas, elle est vraiment hyper sensible.

Adrian hocha la tête.

— On commence tout de suite ou on attend des renforts ? demanda-t-elle, une fois qu'elle se fut reprise.

Jason lui jeta un regard circonspect.

— Vous êtes capable de les localiser ?

Elle opina du chef, certaine que le vent la dirigerait si elle le laissait faire.

— Plus je m'approcherai d'eux et mieux je les sentirai. J'ai juste besoin de faire un petit tour dans le coin.

— Non, dit Adrian, avant de se détourner, comme si le sujet était clos. Nous savons à présent que Phineas n'a pas été suivi : il est tombé sur un nid. Suivons leur trace à partir d'ici, on n'a pas besoin de faire prendre des risques à Lindsay.

Cette dernière hésitait entre plusieurs attitudes. Elle ne pouvait décemment pas défier l'autorité d'Adrian devant ses hommes, mais pas question non plus qu'elle se laisse mettre de côté « pour son bien ».

Faute de meilleure idée, elle opta pour la seule solution qui lui venait à l'esprit et s'éloigna.

Elle prit la direction de la rue principale. Logiquement, la route la plus fréquentée était le meilleur point de départ, et en restant bien visible de tout le monde, elle s'éviterait des remontrances de la part d'Adrian. Elle ne supporterait pas qu'il l'empêche d'agir à sa guise. Or, il était tout fait capable de la jeter sur son épaule et de la déposer à l'endroit qu'il jugerait le plus sûr, elle n'en doutait pas un instant. D'ailleurs, elle sentait son regard sur elle. Pour le meilleur ou pour le pire, tous ses sens étaient concentrés sur cet être, au moins autant qu'ils l'étaient sur la poursuite de leur proie.

Elijah la rattrapa et marcha à ses côtés. Il avait les yeux protégés par des lunettes de soleil, mais elle savait qu'il scrutait la zone avec la méticulosité d'un prédateur.

— Pour votre information, la désobéissance n'est pas un choix sans conséquences.

— Oui, je m'en doute. Mais je suis une grande fille, je gère. Et vous, vous n'allez pas vous mettre dans le pétrin ?

— Je ne suis pas censé vous perdre de vue.

— Donc vous êtes mal si vous m'accompagnez, et mal si vous me laissez partir. Comment pensez-vous qu'il va réagir ? demanda-t-elle avec une moue.

Il haussa les épaules.

— Je ne suis pas sûr. L'insubordination est généralement fatale, mais j'ai dans l'idée qu'il se montrera moins intransigeant à votre égard.

Une vague d'appréhension la traversa, intensifiant l'agitation causée par le vent fou. Elle savait Adrian capable de choses qu'elle n'imaginait même pas. Il n'aurait pas été nommé chef des Sentinelles, sinon. Et pourtant, elle ne le craignait pas. Après tout, il s'inquiétait avant tout pour sa sécurité, alors s'alarmer des éventuelles conséquences de son geste ne la mènerait nulle part. La seule chose qui lui restait à faire, c'était de continuer comme toujours : mettre un pied devant l'autre et avancer.

Heureusement, cette attitude semblait lui réussir, car à chaque pas, elle se sentait de plus en plus en confiance. Quoi qu'Adrian pense de sa mutinerie, il la laissait agir à sa guise. Ce dont elle lui savait gré, car cela signifiait qu'il la croyait intelligente et expérimentée. Si elle considérait le fossé qu'il y avait entre ses capacités et celles d'Adrian, cette marque de confiance lui allait droit au cœur.

Alors qu'elle passait en compagnie d'Elijah devant un *Dairy Queen*, elle jeta un coup d'œil à l'intérieur. Des familles, des adolescents, des gens qui mangeaient et riaient, qui vivaient dans une bienheureuse ignorance. Les veinards !

— Vous avez une petite amie ? demanda-t-elle. Ou une femme ? Des enfants ?

— Je ne suis pas en couple.

Lindsay résistait à grand-peine à l'envie de se retourner pour vérifier à quelle distance Adrian les suivait. Au fond, il aurait mieux valu qu'elle soit seule, parce qu'un groupe de types aussi sexy dans une ville de cette taille passerait difficilement inaperçu.

— C'est votre compagne que vous avez perdue, dans l'attaque de vampires dont vous m'avez parlé ? Désolée, je suis trop curieuse.

Elijah la regarda.

— Si j'avais perdu ma compagne, je ne serais plus en vie. Les lycanthropes dépérissent quand leur partenaire meurt, ils le rejoignent sans tarder.

— Ah bon ? Comme les loups, alors ? Les vrais, je veux dire. J'ai lu quelque part qu'ils se mettaient en couple pour la vie.

Il reporta son attention sur la rue devant eux.

— Oui.

— Ça arrive aux humains aussi, vous savez. Avec les couples mariés depuis longtemps. Le partenaire survivant ne résiste généralement pas bien longtemps, après le décès de sa moitié. Les vampires fonctionnent pareil ? Et les Sentinelles ?

— Les vampires s'accouplent, mais pas pour la vie. Quant aux Sentinelles, ils n'ont pas de relations.

— Ah ? Oui, c'est sûr, ils ont beaucoup à cacher, et puis ils ne peuvent pas sortir entre eux, ils sont trop peu nombreux. Forcément, ce genre de circonstances n'est pas vraiment idéal pour les aventures sexuelles ou romantiques.

— Que je sache, ils n'ont pas de vie sexuelle. Rien. Apparemment, ils n'en éprouvent pas le besoin et d'après ce que j'en vois, ils ont l'air de considérer le désir comme indigne d'eux.

Lindsay sourit. Adrian, lui, avait des besoins sexuels, elle en était certaine. Il exsudait le désir par tous les pores de sa peau.

— Sans doute parce que vous n'êtes pas leur style.

— Les Sentinelles ne se promènent jamais sans lycanthropes autour d'eux, insista-t-il tranquillement. Je le saurais, s'il y avait quelque chose.

La certitude absolue qu'elle décela dans le ton d'Elijah la frappa, et elle songea au calme et à la mesure des Sentinelles. Elle n'en avait toujours pas vu un seul rire, ni même sourire de toutes ses dents. Jamais ils n'élevaient la voix, ni d'excitation ni de colère. Mais bon, elle ne les fréquentait pas depuis assez longtemps pour pouvoir faire d'eux une étude exhaustive.

— Vous plaisantez, répliqua-t-elle.

— Pourquoi le ferais-je ?

Elle se surprit à le croire. Ce n'était pas le genre à raconter n'importe quoi. Voilà qui était troublant. Elle reconnaissait l'intérêt masculin quand elle le rencontrait, sans compter qu'Adrian ne lui avait rien caché de ses intentions à son égard. Que pourrait-il bien vouloir d'autre de sa part, sinon explorer l'attirance évidente qui les électrisait ?

Ils arrivaient au bout de la rue principale, à l'endroit où la route bifurquait sur la gauche, vers une zone plus résidentielle. D'après les panneaux, ils approchaient de l'embranchement menant au Parc national de Zion.

— Et donc, vous cherchez votre âme sœur ? reprit-elle. Est-ce que ça marche comme ça ? Une seule personne au monde, ce genre de truc-là ?

— Non, certainement pas !

— Comme je vous comprends. La vie que l'on mène n'est pas idéale pour avoir une relation sur le long terme. Pour ma part, j'ai tiré un trait sur cette éventualité il y a belle lurette.

Le vent lui balaya les cheveux.

— On approche.

Elijah la regarda.

— Vous voulez bien m'expliquer ces rafales de vent qui vous suivent ?

— Cette ville s'appelle Hurricane, vous vous attendiez à quoi ?

Elle désigna une colline rocailleuse de l'autre côté de la rue, puis elle traversa à toute vitesse, Elijah sur ses talons.

— Les lycanthropes ressentent le danger dans l'air qui les entoure, avant même de sentir quelque odeur que ce soit, insista-t-il.

Peut-être, mais son radar météo était trop personnel et trop révélateur pour qu'elle ait envie de s'en ouvrir à lui. Elle ne savait pas précisément ce qu'il indiquait, mais c'étaient en tout cas des informations qu'elle préférait garder pour elle. Du moins pour l'instant.

Elle glissa la main sous le rabat de son sac et saisit le manche de son couteau. Ils dépassèrent une sorte de monument, qui n'était en fait qu'un pilier de pierre orné d'une plaque en cuivre. Quelques maisons avaient poussé en demi-cercle autour de lui, de vieux bâtiments datant des années 1950, voire plus anciens.

— Est-ce que vous avez la même finesse de perception dans vos deux formes ? demanda-t-elle, tout en examinant attentivement l'endroit.

Avant qu'elle ait eu le temps de dire ouf, un énorme loup couleur chocolat lui heurta la cuisse. Voilà qui répondait sans doute à sa question. En tout cas, c'était sacrément impressionnant.

— Ouah ! Comment avez-vous fait, si vite ? Et où sont passés vos vêtements ?

Il lui jeta un regard qu'elle devina exaspéré.

— OK, concéda-t-elle.

Tendant la main pour vérifier si sa fourrure était douce ou rêche, elle constata que la réponse se situait entre les deux. Le pelage cacao, superbe et brillant, était parsemé de touches de blanc sur la poitrine et les pattes. L'ensemble était à la fois beau et majestueux.

— Vous êtes un loup splendide, vous savez ?

Elijah ricana.

En avançant un peu, Lindsay nota que le vent s'était soudain calmé. L'air était quasi immobile, comme suspendu. Il la protégeait en n'éparpillant pas l'odeur des lycanthropes et des anges. Même si elle soupçonnait les anges d'avoir choisi la voie des airs. Elle n'avait pas besoin de lever la tête, elle les sentait postés au sommet de la colline qui les surplombait.

— J'irais bien faire un tour en sous-sol, dit-elle à Elijah, qui sembla ravi de cette suggestion.

Ils firent le tour du fer à cheval que formaient les maisons et découvrirent une vieille femme assise sur une balancelle, sous un porche couvert. Elle leur sourit et leur fit un signe de la main, apparemment peu perturbée par le monstrueux animal qui accompagnait Lindsay. Sans doute n'y voyait-elle pas très bien, c'était la seule explication, hormis la sénilité, qui justifiait que l'on ne s'effraie pas, quand un loup de la taille d'un poney se tenait à quelques mètres de vous.

Délimité par deux lampadaires montés sur des piliers massifs en briques, un sentier de gravier apparut entre deux maisons. Ils l'empruntèrent pour contourner la colline et débouchèrent devant un spectacle inattendu : une maison construite dans le style typique d'avant-guerre et un panneau délabré indiquant BED & BREAKFAST.

Une brise glacée caressa la nuque de Lindsay.

— Je le crois pas ! ronchonna-t-elle à haute voix.

Si le bâtiment n'était visiblement plus habité, il gardait néanmoins une sorte de dignité et de style, de quoi douter qu'il abrite un « nid » de vampires. Un jardinier et un bon coup de peinture, voilà tout ce dont cette bicoque avait besoin pour faire bonne figure.

Alors qu'ils s'approchaient de la petite entrée dans le mur de brique qui entourait la propriété, une ombre impressionnante et un battement d'ailes annoncèrent l'atterrissage d'Adrian. Juste devant elle.

— Ça suffit, Lindsay.

Elle haussa les sourcils.

— Mais tout le plaisir était pour moi, j'ai été ravie de rendre service.

Les traits d'Adrian se radoucirent.

— Merci.

Jason et Damien atterrirent à leur tour, de l'autre côté du mur d'enceinte, dans la cour. À leur droite se dressait la colline, derrière eux, à environ huit cents mètres, la rue en forme de fer à cheval avec ses vieilles maisons. Et à gauche, des hectares de terre vierge. Autrement dit, les vampires se cachaient dans un nid visible de tous. Ce qui ne surprit pas Lindsay outre mesure, car les créatures qu'elle tuait ressemblaient la plupart du temps comme deux gouttes d'eau à des êtres humains normaux. C'en était même flippant.

Elle resta en arrière, à six bons mètres du mur. Elijah s'assit à ses pieds. Les anges seuls avancèrent : Adrian marchait au centre, Jason à gauche et Damien à droite. Soudain, deux autres loups apparurent qui la firent sursauter. Elle se demanda d'où ils sortaient, puis se souvint des chauffeurs qui conduisaient les deux berlines. L'un d'eux avait un pelage gris, mélange de charbonneux et de blanc, l'autre était brun-roux et taupe. Ils respiraient bruyamment, preuve de leur soif d'action à peine contenue.

Et pourtant, ils se postèrent autour d'elle, laissant les anges affronter seuls une éventuelle attaque.

Lindsay se pencha et caressa l'énorme tête d'Elijah, dans un geste de gratitude muette. Les deux autres se placèrent derrière lui, pour le laisser mener la danse. Seuls ses oreilles et ses yeux bougeaient. Bien que son attitude paraisse naturelle, elle le savait capable d'exploser en un clin d'œil. Toutes les caractéristiques du chasseur puissant et attentif qu'elle avait observées chez lui, sous son apparence humaine, étaient comme démultipliées dans sa forme animale.

170

Elle reporta son attention sur les anges qui s'approchaient de la maison, les ailes resserrées dans leur dos. Étonnant. Pourquoi afficher cet élément qui les rendait vulnérables quand ils ne volaient pas ? Jason et Damien pouvaient peut-être fuir par les airs, à supposer qu'ils soient capables de décoller à la verticale, mais Adrian, lui, était déjà sous le porche et emprisonné entre des colonnes de deux étages, avec un toit au-dessus.

Il entra par la porte principale, alors que ses compagnons s'introduisaient par des ouvertures latérales que Lindsay ne voyait pas d'où elle se trouvait. Un silence absolu enveloppait le secteur. Elle se balançait d'un pied sur l'autre, faisant tournoyer son couteau dans une main et jouant machinalement avec l'oreille d'Elijah de l'autre.

— J'ai un très mauvais pressentiment.

Une rafale de vent hurla à travers la plaine déserte, soulevant le fin duvet sur ses bras. Et puis l'enfer se déchaîna.

Deux fenêtres voilées explosèrent, projetant du verre partout alentour, et les anges en jaillirent, suivis par une horde de vampires.

— Putain de bordel de merde !

Le flot de vampires se déversait vers elle, par-dessus le muret. Lindsay jeta son couteau, qui atteignit un assaillant à la bouche écumante pile entre les deux yeux. Et elle continua à lancer des lames, les unes après les autres, tout en reculant, protégée par les lycanthropes qui avaient bondi pour former une barrière devant elle.

Au milieu de la masse mouvante et désordonnée de membres entremêlés, elle chercha Adrian. *Oh, bon sang !*

À grands coups d'ailes, il se frayait un passage à travers la cohue. Littéralement. Et dire qu'elle les avait crues fragiles. Elles étaient mortelles, au contraire ! Adrian les maniait comme des lames, tranchant membres et torses, tournoyant avec une précision fatale. Le spectacle qu'offraient les trois anges en action était tout bonnement fascinant. Leurs ailes battaient telles des capes, s'étirant puis enveloppant leur corps dans un mouvement fluide. Tourbillonnant autour d'eux, les cendres brûlantes des vampires vaincus faisaient penser à des nuages scintillants. Lindsay ne parvenait plus à détacher les yeux de leur sinistre danse, à la fois gracieuse et macabre.

Un hurlement strident ramena son attention vers les lycanthropes, et sur la vampire suicidaire qui s'était jetée sur le dos d'Elijah. Résistant à ses violents soubresauts destinés à la faire tomber, la garce aux yeux de folle tenait bon, même lorsque Elijah roula sur le dos et se frotta contre le sol, y écrasant son assaillante.

Lindsay chercha éperdument les deux autres lycanthropes du regard et les trouva la gueule pleine. N'écoutant que son courage, elle se jeta dans la mêlée. Un vampire fonça sur elle, tête baissée, pour tenter de l'intimider. Mais elle savait que changer de direction lui ferait perdre l'équilibre, elle chargea donc, couteau à la main. Elle le lui planta en plein cœur, puis utilisa le manche de son arme comme un levier pour se propulser par-dessus son épaule et atterrir de l'autre côté.

Elle poursuivit sur sa lancée, plongeant sur Elijah qui se redressait. Son poing s'écrasa sur la mâchoire de la vampire, qui céda dans un craquement écœurant. Enfin désarçonnée, la démone tomba le dos dans la poussière. Elijah sauta sur elle en grondant, l'attrapant par le cou pour l'égorger. Lindsay l'acheva d'un coup de couteau au front.

Un coup de feu retentit, suivi du sifflement reconnaissable d'une balle qui ricochait.

Lindsay fit volte-face. Une femme se tenait dans l'encadrement de la porte de la maison, un fusil de chasse à la main, dont elle rechargeait déjà la chambre. Elle visa Adrian et pressa sur la détente. Comprenant ce qui se préparait, Lindsay sentit ses poumons se serrer, si fort qu'ils l'empêchaient de hurler la mise en garde qui résonnait pourtant dans son esprit horrifié.

D'un battement d'ailes, Adrian repoussa la balle qui rebondit avec un bruit métallique contre le blanc immaculé. Au même moment, l'arme disparut de la main de la vampire pour tomber aux pieds de Lindsay.

Il lui fallut quelques secondes pour comprendre ce qui venait de se passer. Enfin, elle ramassa le fusil et le réarma. Elle tira d'abord sur un vampire qui attaquait l'un des loups. Six coups de feu supplémentaires lui permirent de couvrir les autres lycanthropes. Quand la chambre fut vide, elle utilisa le fusil comme un club de golf, frappant un vampire à terre qui essayait de se relever.

Elle risqua un coup d'œil en direction de la maison, espérant y apercevoir Adrian.

Il était entouré de tous côtés et se battait comme... un dieu. Sauf que la fille du porche s'était procuré un autre fusil, à canon scié cette fois, et qu'elle le levait pour viser...

Lindsay fonça à travers l'ouverture dans la clôture, évitant les corps projetés à droite et à gauche et enjambant les tas de cendres. Un vampire faillit lui tomber dessus mais elle l'esquiva, surprise elle-même par sa propre agilité. Elle saisit le dernier couteau dans son sac et se prépara à le lancer.

Le canon du fusil se tourna vers elle.

Attrapant le vampire le plus proche, elle s'en servit comme d'un bouclier alors que son adversaire tirait, la décharge produisant une déflagration assourdissante.

Le vampire tressauta contre Lindsay, dont l'avant-bras, qui lui ceinturait la taille, fut irradié d'une douleur vive. Elle tomba à genoux dans un nuage de cendres alors que le vampire se désintégrait.

Les trois lycanthropes se jetèrent sur le tireur.

Elle avait beau essayer d'inspirer, Lindsay n'y parvenait plus, tant la douleur était cuisante. Redoutant ce qu'elle risquait de découvrir, elle évita de regarder son bras.

À quatre pattes, un vampire se rua hors de la maison et bondit vers Adrian. Elle l'abattit grâce à la dernière lame qu'elle tenait toujours fermement dans sa main valide. Les cendres du monstre s'élevèrent en nuage au-dessus de la pelouse jaunie envahie d'herbes folles, au moment où Adrian enfonçait son poing dans la mâchoire écumante d'un autre vampire. Celui-ci s'affala, inconscient. La seconde d'après, Lindsay l'imitait.

11

Lindsay s'éveilla dans une pièce obscure. Elle cligna plusieurs fois les yeux et balaya la pièce du regard pour essayer de déterminer où elle se trouvait.

En tournant la tête, la joue appuyée contre la taie d'oreiller en coton, elle vit Adrian. Assis à son chevet sur une chaise basse et ronde recouverte de damas argenté, il ne portait qu'un bas de pyjama ample... La bouche dangereusement serrée, il fixait sur elle ses yeux perçants et intenses. Bien que pas un muscle de son visage ne bougeât, à l'exception du clignement de ses paupières, elle sentait une véritable tornade tourbillonner en lui.

— Salut, parvint-elle à marmonner malgré la sécheresse de sa gorge.

Elle avait dû sacrément malmener son corps, qui le lui faisait payer en retour, comme chaque fois qu'elle dépassait ses limites physiques.

Adrian prit un pichet sur la table de nuit et versa un grand verre d'eau. Puis il se leva et l'aida à s'asseoir dans le lit, lui glissant des oreillers derrière le dos avant de lui tendre la boisson, qu'elle accepta avec un sourire reconnaissant.

Une douleur sourde attira son attention vers un épais coussin de gaze blanche autour de son avant-bras gauche. Elle avala le contenu entier du verre et le lui rendit.

Adrian décrocha le téléphone à la tête du lit et appuya sur un bouton pour être mis en relation avec le service d'étage. Ils étaient donc dans un hôtel. Sur sa droite, les fenêtres étaient immenses et tendues d'épais rideaux turquoise. Le vaste salon qui l'entourait donnait sur une non moins impressionnante aire de jeu au pied du lit. Vu la taille et le luxe de la chambre, également dotée d'un grandiose piano qu'elle apercevait par la porte ouverte du séjour, ils étaient à...

— Las Vegas ?

Reposant le combiné, Adrian hocha la tête. Il lui servit un autre verre.

— Combien de temps suis-je restée inconsciente ? demanda-t-elle après un profond soupir.

— Nous étions à Hurricane avant-hier.

Bon sang !

— Tout le monde va bien ?

— Vous avez été la seule à être sérieusement touchée, répondit-il, les yeux toujours plantés dans les siens.

— C'est bien.

— Non, ce n'est pas bien du tout, tonna-t-il d'une voix qui fit trembler les vitres et les babioles sur les meubles. Je vous avais dit de rester à l'abri.

Nous y voilà.

— C'était aussi mon intention, jusqu'à ce que la vampire du porche braque son fusil sur vous. À partir de là, je ne pouvais plus rester tranquille.

— Et pourquoi pas, bon sang ?

Dieu qu'il était sexy quand il s'énervait. Jamais elle ne l'avait vu montrer autre chose qu'une parfaite maîtrise de lui-même, mais là, il bouillait visiblement.

— Parce que vous aviez besoin de renfort. Tout le monde était occupé, je ne pouvais pas prendre le risque que vous ayez mal replié vos ailes protectrices et laissé une ouverture.

— J'y aurais survécu.

— Qu'en savez-vous ? Vous m'avez dit vous-même que l'armée des Sentinelles avait subi des pertes. Vous n'êtes pas indestructible et je n'allais pas rester plantée là à vous regarder mourir.

S'il y avait une justice, on ne l'obligerait pas une nouvelle fois à regarder mourir une personne qu'elle aimait.

— Et donc vous avez préféré que ce soit moi qui vous regarde mourir ?

Encore.

Elle ne le prononça pas, mais le mot se forma insidieusement dans l'esprit de Lindsay. Elle plissa le front et porta la paume à sa tempe douloureuse. Adrian récupéra le verre dans son autre main, celle qui aurait dû être trop faible pour le tenir, et déposa un baiser sur son front. Immédiatement, l'élancement disparut, comme une vague qui reflue.

— Si vous pouviez mettre ce talent en bouteille..., murmura-t-elle.

Le souvenir du saut de ninja digne de *Matrix* qu'elle avait effectué par-dessus le vampire l'effraya et l'impressionna rétrospectivement. Comment diable avait-elle réussi ce truc ?

— Vous allez me rendre fou.

La voix d'Adrian était redevenue douce comme la soie, même si les turbulences à l'intérieur de lui ne s'étaient pas calmées. Il se raidit.

— Vous pouvez ouvrir les rideaux ?

Il pressa un bouton derrière le lit et les tentures s'écartèrent sur un ciel couvert et bruineux. À Las Vegas… Certes, il arrivait qu'il pleuve dans la ville-désert, mais pas à cette époque de l'année !

Lindsay se tourna vers Adrian. Une fois encore, son humeur affectait la météo, qui influait ensuite sur elle.

— Vous étiez vraiment inquiet.

Il porta les mains à ses hanches étroites, révélant la perfection de son torse et des biceps exquis. Ses ailes se matérialisèrent aussitôt gracieusement. Décidément, il était magnifique. Aussi attirant qu'une pelouse parfaitement taillée, sur laquelle elle rêverait de se rouler avec lui dans un merveilleux moment d'oubli. Oh, oui ! S'immerger enfin dans son odeur qui la rendait folle.

— Quand vous êtes tombée à terre…

Il souffla brusquement, baissant les paupières pour cacher l'éclat soudain de ses yeux, et croisa les bras. Ses plumes s'ébouriffèrent aussitôt. C'était incroyable combien ses gestes et son corps en disaient long sur son état d'esprit.

— Oui, reprit-il enfin. Oui, j'étais inquiet.

— Vous ne devriez pas vous en faire autant pour moi, vous ne me connaissez pas.

— Je pourrais vous retourner la réplique. Je vous rappelle que vous avez risqué votre vie pour moi.

Il avait raison. C'était la peur insupportable de le perdre qui l'avait poussée à charger un vampire armé d'un fusil. Un acte suicidaire pour quiconque, surtout si l'on n'était qu'une faible humaine. Oui, mais Adrian était… eh bien, il était inestimable à ses yeux.

En si peu de temps, il lui avait donné un sentiment d'appartenance inédit. Il connaissait le meilleur et le pire d'elle, et ne la jugeait pas pour autant. Si fort que soit l'amour de son propre père, Eddie Gibson ignorait ce qu'elle avait vu le jour où sa mère était morte, et il ignorait aussi que depuis elle chassait les démons.

Elle repoussa les couvertures et balança les jambes au bord du lit. Des jambes nues. Lindsay prit conscience de sa tenue : un haut à bretelles déchiré et un caleçon court. Bien que décemment couverte, elle ressentit soudain le besoin de se doucher, de se brosser les dents et de se pomponner un peu.

— Je vais me rafraîchir…

Un léger bruit de serrure lui indiqua qu'Adrian avait déjà quitté la pièce.

Bondissant entre les rayons de soleil et les cyprès chauves, Vashti courait dans la forêt. Devant, elle entendait la respiration lourde et bruyante des lycanthropes qu'elle poursuivait. À ses côtés, trois de ses capitaines déchus donnaient la chasse avec la même concentration rageuse qu'elle, en dépit de la broussaille des sous-bois qui leur égratignait les pieds. Peu leur importait, éperonnés qu'ils étaient par le feu de la vengeance embrasant leurs veines, ils parcouraient des kilomètres à la minute.

Juste un…

Il lui suffisait d'en capturer un, et elle obtiendrait les informations dont elle avait besoin sur la mort de Nikki.

Elle vit un lycan trébucher, puis tomber. Le grondement frustré de la bête amena un sourire sur ses lèvres. Portant aussitôt la main à son épaule, elle agrippa la garde de son katana et le libéra du fourreau accroché dans son dos. Le murmure de la lame contre l'étui était tonitruant à ses oreilles, comme il le serait d'ailleurs pour le lycanthrope. En effet, elle perçut immédiatement l'accélération des battements de cœur de la créature, et ce constat déclencha l'allongement de ses canines.

Vashti sauta par-dessus un sapin abattu. Sa proie n'était plus qu'à quelques mètres, assez proche désormais pour qu'elle sente la peur se mêler à l'odeur naturelle du lycanthrope. Sa fragrance préférée, plus douce encore que celle de leur sang.

L'assaut, sur sa gauche, la prit totalement au dépourvu.

Vashti fut projetée contre le tronc d'un arbre et sa lame lui échappa, tombant en tournoyant dans les débris de végétation qui jonchaient le sol. L'énorme sapin qu'elle avait heurté trembla, lâchant sur elle et alentour une pluie d'aiguilles.

Étourdie par l'attaque inattendue, elle mit un moment pour prendre conscience du danger. Déjà, le loup roux bondissait vers elle, avant qu'elle ait eu le temps de rappeler sa lame.

Elle ne put que se raidir dans l'attente du choc, et prier pour qu'il ne la tue pas.

Alors elle serait en mesure de se battre.

Posté devant la fenêtre surplombant le Strip de Las Vegas, Adrian essayait de repousser les émotions troublantes qu'il ne devrait pas ressentir. Quand la porte s'ouvrit derrière lui, il se retourna, s'attendant à voir Lindsay. À sa place il découvrit Raguel Gadara, qui entra dans la chambre comme s'il était chez lui. Ce qui était le cas, puisque le mondialement célèbre

Hôtel Mondego lui appartenait effectivement. Cependant, Raguel étant placé bien au-dessous d'Adrian dans la hiérarchie des anges, il lui devait le respect.

— Raguel.

— Adrian. J'espère que tu es bien installé.

— Tu le saurais, si ce n'était pas le cas.

L'archange marqua un temps d'hésitation, puis courba la tête pour exécuter le geste de déférence attendu. Dans son visage à la peau aussi lisse et riche que le meilleur chocolat, son sourire était éblouissant. Quelques boucles grises ornaient ses tempes, mais ce signe extérieur de vieillesse n'était en fait qu'un truc destiné à masquer son immortalité. Contrairement à Adrian, l'archange accueillait à bras ouverts les médias qui s'intéressaient à lui.

Il sortit un cigare de sa poche et l'offrit à Adrian.

— Non.

Le sourire éclatant s'élargit. Une ample guayabera et un pantalon de lin lui donnaient un air décontracté, aussi soigneusement étudié que ses cheveux grisonnants. Comme les six autres archanges, Raguel était d'une ambition extrême, voire impitoyable.

— Le mignon que tu as ramené avec toi... Il est malade.

Bouche écumante. Yeux rougis. Quasi-inconscience. Ceux qui étaient infectés ressemblaient à des zombies. Le nid sur lequel ils étaient tombés en était infesté, les malades côtoyant les sains. Adrian avait interrogé la vampire au fusil à propos des responsables de l'attaque sur Phineas la veille. Il l'avait aussi questionnée sur le nombre de Déchus qui les nourrissaient. En effet, seuls quelques occupants du nid étaient photosensibles. Le reste du groupe, qu'il estimait à une centaine de mignons, avait chargé en plein jour sans le moindre problème.

La démone avait ri, longtemps, à perdre le souffle. Enfin, ses yeux d'ambre pétillant de méchanceté, elle avait sifflé :

— Qu'est-ce que ça fait d'être pourchassé, Sentinelle ? Il va falloir vous y habituer.

Au bout du compte, elle n'avait rien révélé du tout. Mû par la frustration et la peur qui le hantait au sujet de l'état de Lindsay, il avait coupé la tête de l'imprudente. Et la vue de son corps s'affaissant avait brisé quelque chose en lui. Il n'avait plus aucun souvenir de ce qu'il avait fait entre ce moment-là et celui où il avait décidé que Lindsay vivrait. Si elle mourait avant Syre, le cercle des réincarnations de Shadoe continuerait, de nouveau il devrait attendre son retour, avec la paralysie émotionnelle que cela impliquait. Mais, plus perturbant encore, voir tomber Lindsay avait suscité un sentiment d'horreur qu'il n'avait jamais éprouvé. Il venait de la découvrir, il commençait tout juste à la connaître, à imaginer quelques années de chasse avec elle à ses côtés. Face à la possibilité de perdre cette myriade de bonheurs à venir, il n'avait découvert que la perspective d'un enfer.

La peur. Voilà ce qu'il avait ressenti. Au début, il ne l'avait pas reconnue, lui qui n'en avait jamais fait l'expérience. À présent il la comprenait, pour l'avoir vécue à travers les souvenirs de Lindsay. La terreur pure qui l'avait glacée de l'intérieur. Ce qu'elle gardait du meurtre de sa mère était un cauchemar capable de détruire un adulte, alors que dire d'une enfant de cinq ans... Un pique-nique éclaboussé de sang, les cris d'une mère appelant à la pitié pour sa fille, un après-midi ensoleillé brisé par les hurlements d'une enfant. Le sang qui s'écoulait goutte à goutte des lames, souillant l'herbe de taches écarlates, le souvenir des griffes qui déchiraient presque la peau fragile du cou, tout restait si vibrant à l'esprit de Lindsay que cela s'était imprimé dans celui d'Adrian.

C'était un véritable miracle que Lindsay Gibson soit devenue la femme qu'elle était. Forte, déterminée et pleine d'empathie. Comme une ironie du sort, la responsable de sa chute était la même femme qui redonnait un peu de lustre à sa foi ternie. La preuve vivante qu'une rédemption était toujours possible, si terribles que soient les circonstances et si improbables les chances.

Alors le cœur battant à tout rompre, fou d'angoisse, il l'avait rejointe à l'arrière de la voiture et avait maladroitement soulevé son corps inanimé. Il avait senti son bras blessé lui pulser contre le torse, fracture ouverte et tendons sectionnés. La chair de Lindsay avait palpité quand le sang qu'il avait fait couler d'une entaille dans sa main avait accompli son prodige, ressoudant les tissus et reconstruisant ce qui avait été arraché par la balle. Si elle avait été mordue, il n'aurait pas été en mesure de sauver son bras. Il ne pouvait pas lui rendre un membre perdu, il ne pouvait que soigner ce qui vivait encore.

Elle avait risqué sa vie de mortelle pour lui !

— Ce n'est pas le premier mignon malade que je vois, ces derniers temps, répondit Adrian, s'obligeant à reporter son attention sur Raguel. J'ai besoin de savoir exactement de quoi il souffre et à quel stade en est son infection.

— Peut-être au fond que l'heure des vampires a enfin sonné. Jehova a un goût certain pour les grandes épidémies.

— Je ne veux laisser de côté aucune éventualité, cependant je crois plus probable qu'ils essaient de combattre leur photosensibilité avec un nouveau produit qui aurait d'atroces effets secondaires. Ce nid comportait trop de mignons capables de supporter la lumière.

Une autre explication serait que Syre ait envoyé d'énormes quantités de sang déchu à Hurricane. Vu la proximité du nid avec la meute du lac Navajo, c'était tout à fait envisageable. Sauf qu'évidemment, il n'avait pas l'intention de s'ouvrir de cette idée à Raguel, pas à ce stade du moins, à supposer qu'il le fasse jamais.

— Tu veux que je fasse analyser son sang ?

La lueur d'avarice qui passa dans les yeux sombres de l'archange contredisait la générosité de son offre.

— Oui.

Adrian avait l'intention de procéder à une analyse complète une fois rentré chez lui, mais il devait au préalable se rendre au lac Navajo. En attendant, il lui fallait des réponses, et tout de suite. Car bien qu'il soit désormais prouvé que la mort de Phineas était due à une attaque vampire, il restait nécessaire de poursuivre la réduction de population lycanthrope entamée par son lieutenant défunt.

— Je m'en charge. Et si je peux t'être utile à autre chose, fais-le-moi savoir.

Adrian haussa un sourcil.

— Tu es bien serviable.

À quoi Raguel répondit par un sourire énigmatique, avant d'ajouter :

— Cela paie toujours de se rendre utile.

— Je m'en souviendrai. Si nous en avons terminé…

Avec un salut légèrement moqueur, l'archange quitta la pièce, sans avoir obtenu ce qu'il était venu chercher.

Adrian garda les yeux rivés à la porte après qu'elle se fut refermée, conscient que la visite de Raguel avait un but bien précis, et un seul : voir Lindsay.

Voir Adrian avec Lindsay. Voir de ses propres yeux à quel point elle le rendait vulnérable. Car la conversation qu'ils venaient d'avoir aurait parfaitement pu se tenir au téléphone.

Les vampires n'étaient pas les seules créatures à flairer le sang et à tourner autour des cadavres comme des vautours.

Au sortir de la douche, Lindsay se planta devant le miroir brillamment éclairé et examina son avant-bras gauche. À force de le tourner dans tous les sens, elle finit par remarquer la minuscule cicatrice rosée. Même si la peau semblait encore fragile à cet endroit, les muscles et les tendons en dessous avaient été assez résistants pour lui permettre de se laver les cheveux. Ses doigts et ses mains se pliaient normalement et sans douleur, seule une très légère faiblesse trahissait la blessure reçue.

Son bras se régénérait. Un vrai miracle !

Elle quitta la salle de bains enveloppée dans une serviette... pour découvrir un cadeau romantique qui l'attendait sur son lit : un pantalon de pyjama en soie couleur champagne et un haut à bretelles, accompagnés d'un luxueux peignoir dans les mêmes tons. Un string de dentelle assorti complétait la panoplie.

Pendant un long moment elle garda les yeux rivés à l'ensemble, avant d'ôter sa serviette et de l'enfiler. Elle ne put réprimer l'onde de chaleur provoquée par le contact de la soie sur sa peau nue, mais le désir fut immédiatement tempéré par tout ce qu'elle savait. Et ce qu'elle ignorait. Adrian était un être très complexe, et elle avait déjà assez de complications comme ça dans sa vie.

Elle noua le peignoir et se dirigea vers la porte avant de s'arrêter, le souffle coupé par le séjour gigantesque qui s'ouvrait devant ses yeux. À part le grandiose piano, la pièce contenait aussi une cuisine complète, une salle à manger et une table de billard. Plus incroyable encore, elle apercevait une piscine couverte, par-delà une paroi de verre.

— Le petit déjeuner de madame est servi.

Elle tourna les yeux vers le sofa, où Adrian était assis. Son pantalon d'un blanc immaculé créait un contraste saisissant avec les coussins bleus. Et la façon dont il avait nonchalamment croisé les jambes pour poser ses pieds nus sur la table basse d'acajou et de verre était d'une grâce pleine d'érotisme. Il se leva afin de saluer son arrivée, coulant sur elle la caresse brûlante de son regard.

Il avait l'air tellement humain... son incroyable beauté et son élégance sensuelle mises à part.

Lindsay s'approcha de la table et souleva une à une les cloches qui couvraient les assiettes. Crêpes, œufs, bacon, jambon et saucisses, pains complets, jus d'orange et café. Un festin pour deux, sauf qu'Adrian ne mangerait pas. Elle, en revanche, dévorerait tout cela bien volontiers, jusqu'à la dernière bouchée. Elle mangeait toujours comme quatre, après l'une de ses sorties de chasse.

— Vous êtes très belle, murmura Adrian en se rasseyant.

Il reprit l'iPad posé sur le coussin à côté de lui.

— Merci, répondit-elle en s'installant à table. Vous n'êtes pas mal non plus.

Il hocha la tête.

— Qu'est-ce qu'on fait ici ? s'enquit-elle en étalant une couche de beurre entre deux tranches de pancake.

— On se ressaisit.

— Avouez plutôt que je vous retarde.

— Non, fit-il, les yeux rivés à son écran.

— Je vous suis reconnaissante de ce que vous avez fait à mon bras, même si j'ignore en quoi a consisté l'opération.

— Tout le plaisir était pour moi. Mais si vous vous mettez encore en danger pour moi, je vous le ferai regretter.

Elle lui jeta un regard noir qu'il ne remarqua pas. En même temps, elle trouvait très excitante sa menace à peine voilée. Elle était folle, ou quoi ? Aucune femme saine d'esprit ne jugerait sensuel ce ramassis de bêtises macho. Pourtant, c'était bel et bien ce qu'elle ressentait, et un long frisson brûlant, primaire et récessif, lui traversa le corps de la tête aux pieds.

— Ne me menacez pas.

— Ce n'est pas une menace. Je ne veux pas vous perdre, j'ai déjà beaucoup trop perdu.

Elle cilla. C'est vrai qu'il venait de perdre un ami, presque un frère. Sa colère oubliée d'un coup, Lindsay s'efforça de trouver quelque chose à dire pour combler le soudain silence. Pas facile.

— Merci pour les vêtements, lâcha-t-elle faute de mieux. Ils sont ravissants.

— Je suis content qu'ils vous plaisent, répondit-il d'une voix neutre.

Même s'il semblait en complète maîtrise de lui-même, le hurlement étouffé du vent et la pluie qui tambourinait contre les baies vitrées révélaient tout le contraire.

Elle ne supportait plus de le sentir ainsi tourmenté. Elle était aussi perturbée que lui, aussi vulnérable, mais ne pouvait pas le cacher comme lui. Et elle refusait de le laisser étouffer ainsi ses émotions. Il connaissait ses secrets et elle voulait conserver entre eux cette sorte d'intimité qu'ils l'avaient maintenant atteinte.

— Le seul inconvénient, c'est qu'ils ne sont pas vraiment portables en public, reprit-elle. Vous comptez m'abandonner en chemin ?

Sans lever les yeux, il répondit :

— Nous partons demain. Ensemble. D'ici là, vous avez besoin de manger et de vous reposer.

— Ces vêtements ne sont pas vraiment étudiés pour le repos non plus, commenta-t-elle en versant du sirop d'érable sur un pancake, avant de mordre dedans.

Enfin, il leva la tête pour l'observer.

— Ils ne sont pas confortables ?

Elle avala sa bouchée.

— Si, bien sûr que si.

Il haussa un sourcil perplexe.

— Ils sont aussi très sexy, compléta-t-elle en plantant sa fourchette dans un morceau de saucisse. Pour le porteur comme pour le public. Mais d'après ce que j'ai pu comprendre, les anges ne sont pas forcément excités par les mêmes choses que nous, les mortels. Vous vous fichiez donc de la sensualité de cet ensemble, quand vous l'avez acheté.

Très calmement, Adrian éteignit son iPad et le déposa sur le coussin près de lui.

— J'ai appris que vous aviez discuté avec Elijah. Sachez que je préférerais répondre moi-même à vos questions.

— Eh bien, voyez-vous, c'est justement ça, le problème. Je ne sais pas quoi vous demander.

Elle mordit dans un autre morceau de saucisse avec plus d'appétit que nécessaire.

— Peut-être parce qu'il n'y a rien à demander.

— J'en doute fort, fit-elle en mastiquant. Vous essayez de me faire marcher ? Après tout, vous m'avez peut-être choisie parce que vous aviez besoin d'une compagne à exhiber devant les médias. Ou d'une cavalière pour un événement à venir. Ensuite, je vous ai dérouté avec cette histoire de dragon et maintenant vous ne savez plus quoi faire de moi.

Il s'accouda au canapé et s'installa confortablement, mettant par la même occasion son corps de rêve encore plus en valeur. Il avait beau être un ange, il connaissait ses atouts et devinait le faible qu'elle avait pour eux. Il n'hésitait pas à utiliser les uns et les autres.

— Je sais parfaitement que faire de vous.

— Pourtant, vous n'avez rien entrepris la nuit dernière. Et apparemment, vous n'avez tenté aucun rapprochement avec qui que ce soit depuis bien longtemps... si tant est que cela ait été le cas un jour.

Oh, bon Dieu ! L'idée qu'il était peut-être puceau, en lui traversant l'esprit, l'avait plongée dans un état d'excitation avancé. Initier un être comme Adrian aux choses du sexe... tout ce qu'elle pourrait lui apprendre...

— Ainsi, murmura-t-il, que je ne sois pas entreprenant vous perturbe ?

— *Pfff*... fit-elle en agitant son couteau dans sa direction. Il y a une grosse différence entre discernement et chasteté.

— Peut-être la chasteté existe-t-elle à cause du discernement.

— C'est votre réponse ?

Il scruta un instant les ongles de sa main droite.

— J'ignorais qu'il y avait une question.

— OK, alors en voilà une : les anges sont-ils interdits de relations sexuelles ?

— Non.

Elle plissa les yeux.

— Il n'y aurait donc aucun fondement à la rumeur selon laquelle vous êtes au-dessus du désir ?

— Qu'en pensez-vous ?

— J'en pense que j'ai envie d'être au-dessus de vous. Et que je nous croyais sur la même longueur d'onde à ce sujet. Mais j'ai le sentiment qu'il y a pas mal de choses que j'ignore.

Il passa sa langue sur sa lèvre inférieure, et Lindsay se sentit soudain aussi humide que s'il l'avait léchée, elle.

— Eh bien, allons-y, alors.

Elle se tamponna le coin des lèvres avec sa serviette, puis repoussa sa chaise. Elle s'avança vers lui avec une lenteur calculée et de sa démarche la plus gracieuse, tout en portant les mains à sa ceinture pour desserrer tranquillement le lien de soie de son peignoir. Près de la table basse, elle s'arrêta et laissa glisser le peignoir jusqu'au sol. Adrian se mit à respirer plus fort, et elle sourit. Il se redressa sur son siège, écartant les jambes devant elle pour lui révéler la taille de son érection. Ce seul geste aurait pu suffire à embraser Lindsay, mais la réaction naturelle du corps d'Adrian emporta la faim qu'elle avait de lui à une intensité encore supérieure.

Elle se faisait l'effet d'une imprudente qui aurait marché volontairement sur la patte d'un tigre, et à en juger par le regard acéré, rapace, affamé qu'il posait sur elle, l'animal était prêt à bondir. Et à mordre.

Elle se pencha vers lui, une main en appui sur le dossier du canapé, suffisamment courbée pour que son haut bâille et révèle ce qu'il y avait à révéler. Elle profita du moment où il explorait l'échancrure pour se saisir de son iPad.

En un bond, elle avait regagné la table et s'était remise à manger tout en utilisant le moteur de recherche pour googler certains mots-clés. Comme « sexe des anges », « anges sentinelles » et, enfin, « veilleurs anges vampires ». Elle fut brièvement distraite par un article affirmant que les Veilleurs mâles étaient capables d'érections interminables, mais l'information qui retint véritablement son attention concernait la faute que les Veilleurs avaient commise, précisément, pour être condamnés au vampirisme : ils avaient désiré et fait l'amour avec des mortelles.

Pendant tout le temps que dura sa lecture, Adrian resta sur le sofa, immobile et silencieux. Elle n'avait pas besoin de regarder dans sa direction pour sentir son impatience intérieure, matérialisée par un grondement de tonnerre au-dehors. Dans la suite et malgré l'air conditionné, l'atmosphère ressembla soudain à celle d'une journée d'été, une heure avant que l'orage n'éclate. Étouffante et humide, chargée d'électricité. Les turbulences qu'il retenait en lui étaient au bord du déchaînement. Elle savait qu'il avait besoin de relâcher la pression, tout comme elle savait d'instinct qu'elle pouvait le conduire au point de rupture. Mais à quel prix ?

Elle avala les dernières miettes de son pain bis, puis s'adossa à sa chaise. Leurs regards se croisèrent. Se retinrent.

— Je m'en doutais, je n'ai pas posé la bonne question, constata-t-elle après une gorgée de jus d'orange.

À présent repu, son corps se rechargeait d'énergie, si vite qu'elle en avait le tournis.

— Vous n'avez pas le droit de faire l'amour, Adrian ? Est-ce là le péché auquel vous faisiez allusion l'autre soir ? Pas le désir lui-même, mais son assouvissement ?

Adrian posa les coudes sur ses genoux et croisa les doigts.

— Je suppose que si je vous dis de me laisser gérer les conséquences, vous ne vous en satisferez pas ?

Ce qui la satisferait, ce serait lui, chaud et dur et profondément fiché en elle. Mais il y avait conséquences et conséquences.

— Vous pourriez perdre vos ailes et votre âme, devenir vampire ?

— Je pourrais perdre l'esprit à force de vous désirer.

— Vous n'êtes pas sérieux.

Il la rendait dingue.

— Ah non ?

Il posa le menton sur ses doigts.

— Non. Et je serais bien idiote de penser que je m'en tirerais indemne. Ma vie ne fonctionne pas comme ça. Je paie chèrement tout ce que je fais. En fait, il se peut même que je paie ma guérison – elle agita impatiemment le poignet sous ses yeux – toute ma vie. Parce que flûte, à qui d'autre ça arrive, toutes les conneries qui me tombent dessus ? Si ça se trouve, quand je suis née, quelqu'un a dit : « Tiens, on va lui jeter un sort, on va dire que c'est elle qui baisera avec le parfait Adrian. »

Il se redressa brusquement, le regard hanté.

— Lindsay…

— Vous êtes le guerrier le plus puissant de la caste la plus élevée des anges. J'ai vu comment les autres vous regardaient. Ils vous font confiance. Vous admirent. Pour vous avoir donné ce pouvoir et cette apparence… il faut que quelqu'un vous aime sacrément fort, là-haut. Je ne serai pas celle qui vous détruira.

Elle repoussa sa chaise et se mit debout, assez agitée pour courir dix kilomètres sans parvenir à épuiser son énergie.

Adrian se leva à son tour.

— La décision nous appartient à tous les deux. Il existe quelque chose entre nous. Quelque chose de précieux et de fort. Dont je veux m'emparer. Je vous veux.

Ses ailes apparurent, larges et magnifiques. Leur surface opalescente étincelait d'une telle beauté que Lindsay en eut des picotements dans les yeux. Elle n'avait pas pleuré depuis la mort de sa mère, mais Adrian l'avait plus d'une fois conduite au bord des larmes depuis qu'elle l'avait rencontré. La façon qu'il avait de lui donner de l'importance, de la valeur, la facilité avec laquelle il l'acceptait telle qu'elle était… Rien que pour la tendresse qu'il lui prodiguait, elle ne pouvait le laisser déchoir pour elle. Avec lui, elle avait enfin la sensation d'être humaine. Avec lui, elle avait des sensations. Elle était vibrante de vitalité à ses côtés, comme si elle avait dormi toute sa vie et qu'elle s'éveillait enfin. Mais l'humanité qu'il lui avait rendue était interdite pour Adrian, et ça, elle ne pouvait pas se permettre de l'oublier. Il ne pouvait pas se permettre qu'elle oublie.

— J'aime le sexe autant qu'une autre, lâcha-t-elle en se mettant à arpenter la pièce.

Adrian était un Séraphin, comme les Veilleurs. Même classe d'anges, même faute… même châtiment ? Elle n'avait aucune raison de croire qu'il ne subirait pas un destin identique, et visiblement il n'était pas non plus en mesure de lui prouver le contraire.

— Ça peut être très agréable, et un bon moyen de se débarrasser de son stress. C'est tordu, je l'avoue, mais je suis flattée de vous inspirer du désir et de voir que je vous tourmente à ce point. Mais ça ne vaut pas la peine de risquer de devenir un suceur de sang pour autant. Ça ne vaut pas la peine de perdre ces magnifiques ailes. Faites-moi confiance, l'attente est le meilleur moment. Vous ne ratez rien.

Il traversa la pièce en un clin d'œil pour la rejoindre et vint se planter devant elle, l'obligeant à lui faire face. Elle s'immobilisa brutalement, manquant de le heurter dans son élan. Au-dessus d'eux, un grondement de tonnerre fit trembler et tinter les couverts sur la table.

Il croisa les bras sur son torse puissant et darda sur elle la flamme bleu pur de ses iris embrasés.

— Prouvez-le, lâcha-t-il, dévoilant ses dents dans un sourire prédateur.

12

Lindsay secoua la tête avec empathie.

— Non.

Alors qu'elle s'apprêtait à reculer, Adrian l'attrapa par les épaules. Immédiatement, ce contact lui rappela la fragilité de son corps de mortelle.

Et pourtant elle avait risqué sa vie pour lui.

Il la désirait tant qu'il en avait mal. Et sa propre vulnérabilité, quand il s'agissait de Lindsay, le rendait à la fois fou de rage et humble.

— Ne me regardez pas comme ça, marmonna-t-elle.

— J'ai besoin de toi, *tzel*, chuchota-t-il.

— Non, ce dont vous avez besoin, c'est que je me montre assez forte pour vous dire « non ». Que j'essaie de vous remettre sur le droit chemin.

Elle leva les yeux, fixant un point au-delà de son épaule. Se dégageant, elle le contourna.

— J'aurais dû le comprendre avant, poursuivit-elle. Vous traversez une période difficile, vous avez beaucoup encaissé en peu de temps, du coup vous n'avez plus l'esprit clair. Vous vous montrez imprudent. Bon Dieu, vous avez attaqué un nid entier, c'était suicidaire !

Elle était délicieuse. L'humidité donnait à son épaisse chevelure la couleur du miel le plus pur. Quand elle lui avait chipé son iPad, tout à l'heure, il avait été cloué sur place par sa rapidité de prédatrice. Sans parler de l'ondulation sensuelle de ses hanches, du doux froufrou de la soie alors qu'elle approchait. Une lionne dorée en chasse. Largement assez forte pour lui, bien décidée à l'affronter… jusqu'à ce qu'elle découvre les risques qu'il encourait, lui.

Lindsay Gibson se retenait pour ne pas lui nuire, parce qu'elle s'inquiétait pour lui.

L'excitation lui crispait l'échine, l'attente pesante d'un contact dont il n'était pas sûr qu'il arrive mais qui déjà l'embrasait. Quand les doigts de Lindsay effleurèrent timidement les plumes de son aile droite, il ferma les yeux pour savourer ce fantôme de caresse.

— Elles sont si belles, murmura-t-elle d'une voix remplie d'admiration et de crainte mêlées. Oh ! Je croyais qu'il y en avait une paire, mais il y en a… trois ? Mon Dieu, vous avez six ailes !

La gorge trop serrée pour parler, il ne put que hocher la tête.

La caresse de Lindsay se fit plus hardie. Elle glissa le long de la courbe et son aile s'étira de plaisir.

— Oh ! désolée, fit-elle en reculant d'un pas.

— Ne vous arrêtez pas.

Il y eut une pause.

— Elles sont si sensibles ? Pourtant, vous avez repoussé des balles avec !

— Rien qui provienne de la main de l'homme ne peut blesser les ailes d'un Séraphin.

Elle s'approcha de nouveau, écarta les doigts et les passa délicatement sur ses plumes.

— C'était incroyable de vous regarder vous battre.

Au timbre grave de sa voix, il sut que ce souvenir l'excitait, éveillant peut-être d'autres réminiscences, plus anciennes, de ses années Shadoe. À moins qu'elle ne soit juste comme ça. Lindsay était une guerrière, Shadoe ou pas.

Avide d'absorber encore davantage la chaleur de son attention et de son admiration rivées sur lui, il déploya lentement ses ailes, pour l'encourager sans un mot à continuer de les toucher.

— Tous les anges que j'ai vus n'avaient qu'une paire d'ailes, susurra-t-elle, continuant l'exquise torture de ses cajoleries. Celles de Jason sont brunes, celles de Damien grises. Celles des autres se ressemblent, mais personne n'a les mêmes que les vôtres. Cette touche de rouge aux pointes... C'est sublime. Est-ce que ça signifie quelque chose ? Ou est-ce que les motifs qui décorent les ailes sont dus au hasard et propres à chaque individu, un peu comme les empreintes digitales ?

— La tache est apparue quand j'ai coupé les ailes de Syre. J'étais le premier à faire couler le sang d'un ange.

— Le tout premier ?

— Oui.

Lindsay lui toucha la base de la nuque, puis glissa les doigts entre ses ailes, le long de sa colonne vertébrale. Il arc-bouta le dos et un grognement rauque lui échappa. Son corps tout entier tremblait.

— Est-ce... ? (Elle s'éclaircit la gorge.) Est-ce que c'est érotique, pour vous ?

Il tendit le bras dans son dos et lui attrapa la main, pour la faire passer sous ses ailes, jusqu'à son entrejambe. Elle fut obligée de s'approcher encore, et il sentit son souffle le long de sa nuque. Il lui enveloppa la main autour de son sexe en érection.

Elle émit un doux gémissement, dans lequel il reconnut un aveu de faiblesse. Enhardi, il poussa son avantage, baissant son pantalon pour lui presser la paume contre sa peau nue.

Muets et immobiles, tous deux retinrent leur souffle. Il attendit qu'elle décide du mouvement suivant : s'enfuir ou continuer.

Quand elle reprit enfin la parole, sa voix était calme.

— Vous l'avez fait avec le fusil aussi, non ? Vous l'avez arraché à la vampire et vous me l'avez envoyé. Comme à l'aéroport, avec la paille. Vous faites bouger les objets, par la seule force de votre volonté.

— Oui.

Elle referma la main sur lui.

Il laissa retomber les bras sur ses flancs, serrant les poings. L'odeur de propre qu'exhalait son corps, mêlée à celle, riche et douce à la fois, de son désir pénétrait ses sens. Lindsay était enivrante, elle serait forcément addictive.

— Vous êtes brûlant, souffla-t-elle.

— C'est à cause de vous.

Son sang s'était refroidi à l'instant où il avait appris la mort de Phineas. Puis glacé quand Lindsay s'était effondrée, couverte de sang. Maintenant, au contact brûlant de ses mains, il se sentait enfin… humain à nouveau.

Elle empoigna la base de son sexe dur, puis remonta jusqu'à la pointe.

— Vous êtes grand aussi. Dieu, vous êtes énorme, long et épais ! J'ai tellement envie de ça. J'ai tellement envie de toi, avoua-t-elle, abandonnant enfin le vouvoiement qui les éloignait. Tellement. Depuis le moment où je t'ai vu.

— Prends-moi, lui enjoignit-il d'une voix éraillée.

— Je ne peux pas.

Il serra les mâchoires. Évidemment, elle avait tout à fait le droit de se méfier. Elle était assez intelligente pour avoir peur. Car la situation allait devenir plus compliquée. De plus en plus compliquée.

Elle recommença à le caresser, de haut en bas, plus fort, plus vite. Encore. Et encore.

— Oui, grogna-t-il en poussant contre sa main. Caresse-moi. Fais-moi jouir.

— Seigneur...

Elle le relâcha brusquement, le laissant tremblant de désir inassouvi. Il avait besoin de ses mains. Deux cents ans sans elle, et il était comme mort à tous les sens du terme. À présent chaque sens, chaque terminaison nerveuse avait été réveillée par son contact enflammé et il la voulait. Désespérément.

Elle reparut, contournant son aile droite.

Il était là, debout et à demi nu, offert de toutes les façons possibles.

Elle souda son regard au sien.

— Dis-moi la vérité, mon ange. Est-ce qu'il s'agit juste de toi et moi ? Ou est-ce que c'est toi, moi et un motif que je n'ai pas encore découvert ?

— Il n'y a que toi et moi, mentit-il.

En fait, c'était plus une demi-vérité qu'un mensonge. Pourtant, sa poitrine se serra. Car au fond, tout était contre eux. Sa mission, le père de Lindsay, les règles qui lui interdisaient de jouir du corps de Lindsay.

Dis-moi la vérité, mon ange.

La vérité l'étouffait. Elle lui nouait la gorge, si fort qu'il arrivait tout juste à respirer. Et encore, il ne parlait même pas de la révélation qu'il lui devait. *Je vais te monter contre ta propre famille. Je vais t'apprendre à tuer ton père. Je vais enlever ton âme à cette terre, une fois pour toutes. Mon amour te détruira, il me détruira, il détruira tout ce qui nous est cher. Je n'y peux rien.*

Elle passa son bras gauche convalescent autour de sa taille, juste sous les ailes. Et sa main gauche lui empoigna de nouveau le sexe. Il souffla entre ses dents serrées.

Elle le caressait avec fermeté à présent, et ses ailes se mirent à frémir du plaisir qui le traversait de part en part. Cette étreinte était si parfaite qu'elle en devenait douloureuse.

— Plus vite, haleta-t-il, l'attirant à lui par l'épaule.

Mais Lindsay s'écarta de nouveau, gardant le bras autour de sa taille, le calant contre elle, son flanc entre ses seins, ses jambes de part et d'autre des siennes. Son contact l'enflammait. Bien campée au sol, elle empoigna son membre avec une force et une vitesse redoublées.

Adrian laissa retomber la tête en arrière dans une supplique. Ses ailes les enveloppèrent tous deux, protégeant leur précieuse intimité.

Les mains de Lindsay montaient et descendaient le long de son sexe, inlassablement, la poigne ferme et le rythme régulier. Des respirations saccadées soulevaient le torse d'Adrian, se mêlant à celles, rapides et chaudes, dont elle lui caressait le thorax. Elle avait les tétons durs et pointés contre lui, et ses hanches se balançaient en petits cercles vifs et pleins de désir. Les yeux humides, il colla les lèvres à son front.

— Tu es de plus en plus gros, murmura-t-elle. Et dur.

Il regardait la main qui pompait inlassablement sur son membre, à une vitesse surnaturelle. Tout à fait ce dont il avait besoin. Après deux siècles de désir refoulé, il lui fallait se libérer. Maintenant.

Ensuite il pourrait la séduire comme il se doit. Il l'attirerait dans son lit, l'envelopperait de ses bras et ferait comme si rien ni personne d'autre n'existait au monde qu'eux deux. Sans conséquences, sans duperie, sans séparation inévitable et éternelle.

— Oui, haleta-t-il contre son front humide de sueur. J'y suis presque...

Le plaisir s'enroula autour de son échine et se déversa comme de l'acier en fusion à la base de son sexe. Tentatrice, Lindsay l'encourageait d'une voix rauque de désir.

— Montre-moi. Jouis pour moi, Adrian. Jouis fort.

— Continue à me caresser, ne t'arrête pas.

— Je ne vais pas m'arrêter. J'en suis incapable. Je veux te voir.

Son corps tout entier fut secoué par le jet brûlant.

— *Lindsay.*

Elle émit un gémissement affamé alors qu'il frissonnait de son orgasme explosif, continuant à le pomper inlassablement, avec le dévouement d'une femme qui ne souhaitait rien d'autre que de lui donner du plaisir.

Je t'aime. Les mots grimpèrent depuis le tréfonds de son âme, menaçant de lui échapper.

Incapable de contenir le flot des sentiments qui l'assaillaient, il étouffa la vérité dans la douceur de sa bouche.

Lindsay flageola sur ses jambes dès l'instant où Adrian scella sa bouche à la sienne.

Il la fit pivoter dans ses bras et lui prit le visage entre ses mains. Si férocement excité qu'il ait été dans l'attente de l'orgasme, il était à présent d'une tendresse à faire fondre. Ses lèvres étaient légères sur les siennes, sa langue un lien de velours. Elle lui prit les poignets, si profondément pénétrée de son odeur et de son goût qu'elle recula sans s'en rendre compte jusqu'à heurter le mur.

— Merci, chuchota-t-il, avant de replonger la langue dans sa bouche.

Elle laissa échapper un petit gémissement. Il balançait la tête lentement, d'un côté et de l'autre, ses lèvres glissant contre les siennes. Il plongea soudain les doigts dans ses cheveux et lui caressa la nuque. Un plaisir torride la traversa, s'infiltra dans son corps avide tout en apaisant son désir. Comme engourdie par les assauts étonnamment délicats de sa bouche, elle agrippa ses hanches et l'attira contre elle.

— Tu n'entres pas dans ma tête, OK ?

— Ce n'est pas dans ta tête que j'ai envie d'entrer, en ce moment.

La pression de son membre encore dur comme l'acier contre son ventre lui coupa le souffle. Adrian respirait à l'intérieur de sa bouche, lui emplissait les poumons de son souffle. Et ce geste-là était plus intime que les doigts qui glissaient sur ses épaules pour écarter les fines bretelles de son caraco. Elle arqua le dos, offrant ses seins.

Au fond d'elle, Lindsay savait parfaitement que ce qu'elle faisait avec Adrian était mal. Il fallait arrêter, il fallait qu'elle l'arrête. Laissant retomber ses mains, elle pressa les paumes contre le mur derrière elle. Mais les doigts d'Adrian sur sa peau nue, la caresse le long de sa ceinture, puis les mains plongeant sous son haut… C'était sublime. Parfait.

Elle ne put réprimer un petit rire, alors que son ventre se crispait pour fuir les doigts curieux. Contre sa bouche, les lèvres exquises d'Adrian se retroussèrent.

— Tu es chatouilleuse, constata-t-il, ravi.

Son plaisir palpable se réverbérait en elle, ébranlant sa résolution. Il l'agrippa par la taille et l'emporta dans une étreinte fougueuse.

Dieu du ciel ! Jamais elle ne lui résisterait s'il se montrait aussi sensuel et joueur. Ses yeux avaient perdu leur teinte orageuse, pour scintiller maintenant d'un éclat joyeux. Grâce à elle. C'était un degré d'intimité qu'elle ne connaissait pas, qu'elle n'avait jamais vécu dans ses brèves relations précédentes. Elle ne savait pas, alors, ce qu'elle ratait...

— Adrian.

— Mmm ?

Il l'embrassa sur la tempe, puis descendit plus bas, jusqu'à son oreille.

— Y a-t-il d'autres endroits où tu crains les chatouilles, Linds ?

Le coup de langue sur son lobe la fit frissonner.

— On... On ne dev... on ne devrait pas faire ça.

— Je ne te demande pas de faire quoi que ce soit, ronronna-t-il en empaumant ses seins gonflés.

Un long gémissement lui échappa et elle tourna la tête vers la baie vitrée. Le soleil brillait de mille feux à travers les gouttes de pluie accrochées aux vitres, belle image de l'humeur d'Adrian et de la façon dont elle l'avait éclairée.

Il lui pinça légèrement les tétons entre le pouce et l'index.

— De si petits tétons, si délicats, pour des seins bien pleins. Je vais les embrasser jusqu'à ce que tu jouisses.

En dépit de sa volonté de résister, ses hanches se collèrent à lui et son sexe se serra de désir inassouvi.

— Pour quelqu'un qui n'a jamais fait l'amour, haleta-t-elle, tu es bien doué en matière de séduction.

Adrian interrompit son geste et ses yeux bleu ciel pétillèrent d'une lueur amusée.

— Tu penses que je suis vierge ?

— Tu veux dire que tu l'as déjà fait ? (Une onde de jalousie glaciale la transperça de part en part.) Je croyais que ça te faisait pousser des crocs, si tu couchais avec qui que ce soit.

Il esquissa un sourire mâle.

— Il n'y a que toi, *neshama*. Toi seule fais ressortir ce côté-là de moi.

Elle n'avait pas la moindre idée de ce que signifiait le petit nom qu'il venait de lui donner, mais la sonorité du mot fit vibrer une corde, tout au fond d'elle. Quant à sa voix lorsqu'il le prononçait, elle lui donnait des papillons dans le ventre.

— Adrian... Merde, je vais aller brûler en enfer pour ça.

— Parce que tu t'appuies à un mur ? fit-il en lui léchant de nouveau l'oreille, dans un geste extrêmement érotique. Non, ne t'inquiète pas.

— J'essaie de faire ce qu'il y a de mieux, protesta-t-elle.

N'empêche qu'elle ne parvenait pas à trouver la volonté de le repousser. Pas quand l'une de ses mains expertes se frayait subrepticement un chemin dans son bas de pyjama, pendant que l'autre relevait son caraco pour dévoiler ses seins.

— C'était inévitable. Nous sommes inévitables, dit-il en levant les yeux vers les siens. Et tu le sais parfaitement.

La tête lui tournait, à présent.

— Pourquoi est-ce que tu n'as pas peur ?

— J'ai plus peur de ne pas te posséder que de devoir payer pour ce privilège, susurra-t-il en posant une main conquérante sur la dentelle de son string.

Elle abandonna sa tête en arrière, incapable de résister aux doigts qui titillaient la peau sensible, à l'endroit précis où la chair rencontrait la dentelle. Une pointe d'anxiété la taraudait, une faim aiguë et un désir puissant qui l'effrayaient plus que les conséquences en chaîne de leurs actes. L'érotisme qui se dégageait d'Adrian l'enveloppait elle aussi, flattant son désir au point qu'elle ne parvenait même plus à penser. Elle voulait le sentir contre elle. Plus que tout.

Soutenant son dos dans l'une de ses grandes mains, Adrian la cambra vers lui. Elle tendit les seins, impatiente. Il souffla un courant d'air froid sur la pointe érectile, et le minuscule morceau de tissu de son string disparut comme par enchantement, au moment où la langue chaude de son merveilleux amant la caressait. De la pointe des doigts, il écarta les chairs humides et se fraya un chemin jusqu'à son clitoris. Elle frissonna violemment et lâcha un cri. Elle était tellement à fleur de peau qu'elle ne serait pas étonnée d'exploser sur-le-champ. Elle se sentait à la fois fiévreuse et déjà trempée d'un mélange de sueur et d'excitation.

Adrian émit une sorte de grognement approbateur.

— Douce et humide. Et épilée de frais. Rien ne se mettra sur mon chemin pendant que je te dévorerai des heures durant.

Ce n'était pas une simple épilation à la cire, comme il semblait le croire, mais au laser. Enfin, à quoi bon argumenter, puisqu'il aimait ? Et qu'elle adorait qu'il aime ça... Elle aimait aussi le contact léger, pareil à celui d'une plume, de ses doigts effleurant l'entrée frémissante de son corps, de sa langue agaçant ses tétons durcis. Elle aimait la façon dont ses ailes se rabattaient presque jusqu'au mur, formant un bouclier blanc à l'intérieur duquel elle se sentait protégée. En sécurité. Chérie.

Elle leva les mains pour les enfoncer dans l'épaisse masse de ses cheveux noirs. Puis elle enroula une jambe autour de sa hanche, s'ouvrant un peu plus à ses caresses.

— Touche-moi, souffla-t-elle, cambrée de plaisir alors qu'il creusait les joues en absorbant son mamelon.

Son souffle réchauffa la pointe humide de son sein, et elle geignit. Alors, deux longs doigts s'insinuèrent en elle.

— C'est ça que tu veux ?

Fermement accrochée à sa nuque, elle se souleva et lui prit la bouche. La dévora. Puis mordilla le long de sa mâchoire jusqu'à sa gorge. Elle écarta les lèvres sur le pouls battant, le caressant de sa langue, palpant la veine épaisse qu'elle finit par presser entre ses dents.

Avec un grognement, il lui passa un bras dans le dos.

— Ce que tu es excitante ! Tu me rends complètement dingue.

Elle balançait les hanches, chevauchant ses doigts fichés en elle.

— Vas-y, rétorqua-t-elle. Fais-moi jouir.

La bouche d'Adrian s'abattit sur la sienne. Le pouce pressé sur son clitoris palpitant, il le pétrissait à chaque va-et-vient dans son vagin. Elle hoqueta son plaisir, toujours collée à sa bouche, alors que ses ongles s'enfonçaient dans les muscles de pierre de ses épaules angéliques. Il enroula la langue autour de la sienne et la suça, provoquant un regain de tension à l'intérieur de son sexe trempé, qui serrait à présent férocement les doigts experts.

Le contact des poils soyeux de son torse contre ses seins hypersensibles achevait ce que sa tendresse avait déclenché. Tout dans la façon dont il la touchait trahissait le respect. La dévotion. Et même au plus fort de la rencontre sexuelle la plus torride qu'elle eût jamais connue, elle sentait cette douceur aimante autour d'elle. Comme si tout ce qui comptait pour lui, c'était elle, et son envie de partager l'intimité la plus profonde possible.

L'orgasme la frappa comme la foudre. Elle se tordit dans ses bras, secouée par la violence du plaisir que faisaient naître les doigts diaboliquement habiles qui continuaient à glisser contre ses chairs délicates. Son vagin était brûlant. Elle jouissait, sans pouvoir s'arrêter, encore et encore.

Elle s'accrochait à Adrian de toutes les forces qui lui restaient, alors que ses paupières closes laissaient échapper des larmes de bonheur. Son souffle court se mêlait à celui d'Adrian, qui n'avait pas cessé de l'embrasser. Aussi avidement que si sa vie en dépendait.

Elle tremblait encore lorsque ses doigts la quittèrent et que ses bras la soulevèrent contre lui. Nue. Ses vêtements avaient disparu, comme ceux d'Adrian. Ainsi enlacés, ils tourbillonnèrent dans une course folle mais maîtrisée. Et soudain, ses fesses entrèrent en contact avec la surface froide de la table. Appuyant les bras derrière son dos, elle cambra la poitrine. Adrian lui écarta les genoux d'une main, alors que de l'autre, il empoignait son membre. Dans l'instant qui suivit, la tête large de son sexe heurta sa fente encore humide.

Les yeux de son ange, scintillant de flammes bleues, plongèrent dans les siens.

— J'ai faim de toi depuis si longtemps, *neshama sheli*.

À peine avait-elle retrouvé suffisamment de souffle pour lui demander ce que ces mots signifiaient qu'il entamait un va-et-vient brûlant et dur en elle. Il la repoussa, l'obligeant à s'allonger, et la couvrit de la chaleur torride de son corps. Elle ondula pour faciliter son entrée, puis l'agrippa par les hanches, espérant ainsi ralentir l'avancée de son sexe long et épais.

— Doux Jésus, haleta-t-elle en s'arc-boutant. À quoi ça sert que tu sois bâti comme une star du porno, si tu n'as pas le droit de faire l'amour ?

Son rire glissa sur elle, la fit tressaillir. Le son en était riche, profond, infiniment beau et bouleversant. Elle sentit son cœur se gonfler, comme si toute sa vie elle n'avait vécu et respiré que pour l'entendre produire ce rire.

Il plongea au fond, tout au fond d'elle. Ses ailes s'étendirent, s'étirèrent élégamment, rappelant le mouvement sensuel d'un félin rassasié. Leurs regards se croisèrent, se verrouillèrent. Tout comme leurs souffles. Il lui prit le visage entre les mains et la regarda d'une façon qui la fit fondre. Le temps resta suspendu.

— *Ani ohev otach*, Lindsay, murmura-t-il avant d'écraser sa bouche sur la sienne pour emplir ses poumons brûlants de son souffle.

Il balança légèrement les hanches, pénétrant un peu plus loin. Elle sentait chaque millimètre de lui, chaque veine et chaque battement de son cœur déchaîné.

Toujours accrochée à sa nuque, elle lui lécha les lèvres, bouleversée par la certitude absolue de se trouver précisément là où elle avait toujours voulu être sans le savoir.

— Adrian, je…

Le son d'un carillon les figea.

Ils restèrent accrochés l'un à l'autre, le souffle court. Son sexe épais pulsait encore en elle, mais soudain elle prit pleinement conscience de ce qu'elle était en train de faire. Et avec qui. Ce fut comme un déluge d'eau glaciale.

Le bruit se répéta, suivi d'une série de coups frappés à la porte. Bon Dieu, la sonnette !

Lindsay lâcha un soupir de soulagement, puis gémit. Les yeux rivés aux siens, Adrian commença à se retirer, lentement, douloureusement, comme si son sexe à elle refusait de le laisser partir. Au moment où il retomba lourdement de son corps, elle rampa sous lui et courut jusqu'à la chambre.

Avant même qu'elle ait refermé la porte derrière elle, il lui avait renfilé son pyjama. Cependant, il faudrait plus que des vêtements pour qu'elle cesse de se sentir nue et vulnérable.

13

Avant de se regarder dans le miroir ovale du vestibule, Adrian passa une main tremblante dans ses cheveux pour les recoiffer. Bien que la tunique qu'il avait fait apparaître sur son torse lui descende jusqu'à mi-cuisses, couvrant ainsi son érection, ses yeux brillants et ses joues rougies trahissaient sa faiblesse mortelle. Sans parler de ses lèvres meurtries par l'ardeur de Lindsay.

Il observa son reflet un instant, forçant sa respiration à se calmer, son attitude à retrouver la raideur et l'austérité que l'on attendait de lui. Il rangea ses ailes, qui trahiraient ses troublantes émotions aussi sûrement que son regard.

La sonnette retentit pour la troisième fois, suivie d'une nouvelle série de coups martelés à la porte. Excédé, il actionna la poignée de l'un des deux battants et avança alors que la porte se refermait derrière lui dans un glissement automatique. En traversant la pièce, il écrasa mentalement quelques-unes des fleurs les plus odorantes que recelaient les énormes bouquets éparpillés aux quatre coins de la vaste suite. Geste bien inutile, car même leur parfum écœurant ne parviendrait pas à effacer l'odeur puissante de sexe qui baignait la chambre, mais cela permettrait au moins à son visiteur de se montrer respectueux en faisant semblant.

— Capitaine, le salua Jason avec un sourire entendu.

— Tu as des nouvelles pour moi ? répliqua Adrian en se dirigeant vers la cuisine pour se laver les mains de la fragrance adorée de Lindsay et de son plaisir.

Il avait encore les veines en feu au souvenir de la pression chaude et humide de son sexe sur ses doigts. Cet instant d'intense connexion l'aurait anéanti, si elle n'avait réussi l'exploit de le faire rire, chose qui ne lui était pas arrivée depuis si longtemps qu'il ne se rappelait même pas la dernière fois. Il avait oublié combien leur affinité était puissante, il ne se souvenait pas qu'elle eût jamais été aussi torride. À présent, il avait l'impression d'être passé entre les mains d'un forgeron qui l'aurait chauffé à blanc jusqu'à le ramollir, pour le façonner sous une forme nouvelle et libérée de la faute.

— Où est Shadoe ?

Il pivota vers son lieutenant, étrangement agité de l'entendre utiliser un nom dont il ne pouvait pas encore expliquer la signification à Lindsay, et découvrit Elijah aux côtés de Jason. Les activités auxquelles il s'était livré avant leur arrivée n'échapperaient pas à l'instinct plus primaire d'un lycanthrope. D'autant qu'il portait encore sur lui, partout, l'odeur de Lindsay. Et à la façon dont les narines d'Elijah se dilataient déjà, nul doute que le lycan l'avait déjà flairée.

— Lindsay, répondit-il en insistant sur le nom, est encore en train de récupérer de sa blessure.

Jason le scruta ouvertement.

— Pourtant elle s'est levée. Elle... elle a mangé.

— Comme un bûcheron.

— Et son bras ? s'enquit Elijah, le visage soigneusement impassible.

— Il se rétablit bien.

L'air satisfait, le lycanthrope hocha la tête.

— Bien.

Adrian croisa les bras et observa le chef de ses lycans. Pas de doute, Elijah était bien un Alpha : la façon dont ses semblables s'étaient comportés avec lui la veille, lorsqu'ils nettoyaient le nid de Hurricane, confortait ce qui n'était jusque-là qu'une supposition. Sans aucun doute, il était dangereux. De par sa position, il exerçait une domination naturelle qui lui donnait la possibilité d'entraîner ses pairs. Ce qui ne pouvait que causer des problèmes. Heureusement, il semblait dévoué pour l'instant à Lindsay. Elle lui avait sauvé la peau à plusieurs reprises, d'après ce qu'il lui avait dit. Il paierait donc sa dette en la protégeant au péril de sa vie. Pour l'heure, c'était exactement le niveau de loyauté et d'engagement dont Adrian avait besoin pour assurer la sécurité de sa maîtresse.

— Je voulais juste vérifier avec toi ce qu'il en était de nos projets de retour dans l'Utah, demain matin, reprit Jason en s'approchant de la table. C'est toujours d'actualité ?

— Je te l'ai dit, répondit Adrian.

S'il parvenait à parler d'une voix calme et neutre, il devait faire un effort énorme pour ne pas serrer les poings, alors que Jason s'immobilisait à l'endroit précis où, quelques minutes plus tôt, il était plongé au plus profond du sexe de Lindsay.

— Je veux que l'on soit en route à six heures précises.

— OK, fit Jason, qui posa la main sur la table et se tourna vers lui. Par ailleurs, Helena est à Las Vegas, elle veut te voir.

— J'irai lui rendre visite dès que je me serai changé. Elijah, tu restes avec Lindsay.

Adrian se dirigea vers sa chambre, située à l'opposé de celle de Lindsay. Il referma la porte derrière lui et s'assit au bord du lit pour souffler un bon coup avant de décrocher le téléphone. Il appuya sur le bouton qui le connectait à la chambre de Lindsay.

Elle mit un moment à répondre.

— Allô ?

— Linds, ça va ?

Elle soupira.

— Non. Loin de là.

Il ferma les yeux. L'embarras et la confusion étaient palpables dans sa voix.

— Je dois sortir. Elijah va rester avec toi. Dès mon retour, nous aurons une discussion, toi et moi.

— D'accord.

— Si tu as besoin de quoi que ce soit en mon absence, tu fais mettre ta commande sur la note de la chambre.

— Oh, non ! marmonna-t-elle. Ne m'achète pas.

— Jamais je n'y songerais. Tu n'as pas de prix.

Un long silence lui répondit, et quand elle reprit la parole, sa voix était glaciale.

— Tu as raison, Adrian. Tu ne peux pas te permettre de m'avoir. Le prix est trop important, je ne te laisserai pas le payer.

Il jeta un regard vers la porte fermée et lâcha un juron étouffé. Après ce qu'ils venaient de partager, elle avait besoin qu'il s'occupe d'elle, qu'il la rassure. Mais avec les autres dans la pièce voisine, il ne pouvait rien faire en cet instant pour l'apaiser. Il y avait des choses qu'il ne pouvait pas encore dire, mais qu'il saurait lui montrer, si seulement ils arrivaient à se ménager un peu d'intimité.

— Nous en discuterons à mon retour, répéta-t-il.

— Fais attention à toi.

— Et toi, ne va pas te fourrer dans les embrouilles.

Il reposa le combiné et se mit debout à contrecœur. Plus vite il réglerait ce qu'il avait à régler, plus vite il reviendrait vers Lindsay.

Lindsay était bonne pour une seconde douche. Quand elle ressortit de la salle de bains, une autre tenue l'attendait sur le lit, accrochée à un cintre et protégée par une housse, cette fois. Elle fit coulisser la fermeture Éclair et découvrit un magnifique ensemble, composé d'un pantalon chocolat et d'un haut turquoise et doré, dont les étiquettes toujours en place révélaient le prix faramineux. Cher et élégant, voilà qui correspondait parfaitement aux goûts d'Adrian. Une trousse à maquillage était jointe aux vêtements, remplie de produits M.A.C. encore dans leur emballage. Posée innocemment à côté de la housse, une enveloppe à l'en-tête de l'hôtel contenait une liasse d'au moins cinq centimètres d'épaisseur de billets de cent dollars.

Incapable de réprimer un soupir, Lindsay se passa une main sur le visage. Elle était plongée dans cette histoire jusqu'au cou, voire bien au-delà. Si profondément, en fait, qu'elle se noyait. Adrian était au-delà de ses forces, elle ne pouvait pas gérer ça. Elle ne pouvait pas le gérer, lui. Les regards dont il la couvait, sa façon de lui parler, de la toucher… Ce qu'ils avaient entamé, quoi que ce soit, n'avait rien d'une passade pour lui. Et quoi qu'elle objecte, quoi qu'elle entreprenne, il était déterminé à la posséder à tout prix.

Elle s'habilla et se prépara afin d'être présentable, puis s'affala sur le canapé où elle avait trouvé Adrian assis quand elle s'était levée. Elle avait besoin d'appeler son père.

— Eddie Gibson, Gibson Automobile, répondit-il.

— Salut, papa.

En bruit de fond, elle entendait le ronronnement des machines et sa gorge se serra. Elle avait le mal du pays. Son père ignorait tout des aspects sombres de sa vie, mais il la savait différente. Et il lui accordait pourtant son amour inconditionnel.

— C'est moi. Désolée de ne pas t'avoir appelé plus tôt.

— Salut, ma puce. Tu te sens mieux ? demanda-t-il d'une voix inquiète.

Elle fronça les sourcils.

— Mieux ? Oui, ça va. Ça va très bien, même.

— Je suis content de l'entendre. (Elle perçut un soupir soulagé.) J'étais un peu inquiet de ne pas réussir à te joindre. Chaque fois que j'appelais sur ton portable, je tombais directement sur ta messagerie.

— Oui, je sais. Je n'ai pas rechargé la batterie depuis mon arrivée ici. Elle doit être à plat.

— Remercie Adrian Mitchell pour moi de m'avoir appelé pour me rassurer. S'il ne l'avait pas fait, j'aurais fini par appeler la CIA pour qu'ils partent à ta recherche.

— Adrian t'a appelé ?

Quelque chose lui serra le ventre. Avec tout ce qu'il avait à gérer, Adrian avait pris sur son temps précieux pour se soucier d'un de ses problèmes à elle et le régler. Sa sollicitude la touchait profondément.

— Oui, hier. Il m'a appris que tu étais alitée avec une grippe intestinale. Tu vas me faire le plaisir d'y aller doucement, pendant quelques jours. Et de boire beaucoup. Tu sais, tu devrais passer du temps avec Adrian Mitchell. Il m'a semblé vraiment se soucier de toi, il pourrait y avoir quelque chose d'intéressant, là-dessous.

Si seulement c'était vrai. Elle avait enfin rencontré un homme à qui elle n'avait pas besoin de mentir ou de cacher quoi que ce soit. Et elle ne pouvait pas l'avoir.

— Tu prends bien soin de toi, au moins ? s'enquit-elle.

— Vu comme tu me grondes quand je m'en dispense, oui ma fille. Je suis allé chez Sam, hier soir, et j'ai joué au poker aussi.

— Bien.

Elle l'encourageait vivement à sortir plus. Une soirée poker avec les copains, voilà qui constituait un bon début.

— Où es-tu ? L'écran indique « Hôtel Mondego ».

— C'est l'une des propriétés de Gadara, expliqua-t-elle, ayant remarqué le logo de Gadara Enterprises sur le téléphone pendant qu'elle composait le numéro.

— Si je comprends bien, tu as déjà repris le collier. Écoute, Lindsay, il faut vraiment que tu te ménages. Tu as déjà trop poussé la machine.

— Tu es bien placé pour me faire ce genre de reproches, toi, ironisa-t-elle. OK, on va faire un pacte : chaque fois que tu prends un jour de repos, je fais pareil.

Elle s'imprégna avec délices du son réconfortant du rire de son père.

— D'accord, ça marche.

— Je t'aime, papa. Je te rappelle dans un jour ou deux, mais au cas où tu aurais besoin de quoi que ce soit, ou juste envie de discuter, je vais recharger mon portable.

— Très bien. Je t'aime.

Lindsay raccrocha et se leva. Son sac en bandoulière, elle se prépara pour sortir de la chambre. Même si depuis un moment elle n'entendait plus aucune voix masculine en provenance du séjour, elle prit une profonde inspiration avant d'ouvrir la porte. Le coup de fil avec son père lui avait permis de se ressaisir, mais les sensations de vulnérabilité et de danger restaient bel et bien présentes. Adrian la bouleversait. Quoi qu'elle en pense, et si fort qu'elle souhaite le contraire, elle perdait toutes ses défenses face à lui.

Elle trouva Elijah debout près du canapé, les bras croisés, qui l'attendait patiemment. Dieu qu'il était impressionnant ! Doté d'une présence imposante, que ni son tee-shirt vert olive ni son jeans ample ne parvenaient à dissimuler. Il dégageait vraiment une puissance et une résolution incroyables... Le genre de type entre les mains de qui l'on ne craignait pas de remettre sa vie. Et sur ce point, il lui faisait penser à Adrian. Lui aussi était fidèle et majestueux, d'une façon extraordinaire. La sensation qu'il lui donnait de l'ancrer au monde anéantissait toutes ses résistances. Elle le désirait, elle l'appréciait, lui faisait confiance. Et quand elle était avec lui, elle était en paix. Un état que les vampires lui avaient volé ce fameux jour cauchemardesque qu'elle n'oublierait jamais, aussi lointain qu'il fût.

Adrian lui avait rendu sa sérénité. Alors, pour lui retourner cette faveur, elle devait le laisser partir.

Même s'il lui donnait énormément, elle pouvait tout lui reprendre dans un moment d'égarement égoïste.

— Salut, El, dit-elle en souriant au séduisant lycanthrope. Comment allez-vous ?

— Bien, et je suis en vie, répondit-il de sa voix de tonnerre qui roula à travers la pièce. En grande partie grâce à vous.

— Oui, enfin, vous avez été extra. J'ai juste essayé de faire un petit peu mieux qu'une pauvre humaine inutile.

— Inutile ? ricana-t-il. Non, vous n'êtes pas inutile, vous êtes complètement folle.

Elle hocha la tête, un grand sourire aux lèvres.

— Pas faux.

Les yeux émeraude la scrutèrent avec une précision quasi clinique.

— Comment vous sentez-vous ? Votre bras vous fait encore mal ?

Elle s'approcha de lui, le bras tendu. La trace rosée disparaissait peu à peu, remplacée depuis qu'elle avait pris sa première douche par un léger duvet pêche.

Elijah poussa un sifflement admiratif.

— Et moi qui étais sûr que vous alliez le perdre…

— C'était à ce point ?

Il lui jeta un regard ironique.

— Eh bien, disons que le coup de fusil vous a quasiment arraché le bras.

Au souvenir de la douleur cuisante qui lui avait irradié tout le corps, Lindsay massa son bras à présent indolore.

— Comment il a fait ?

— J'aimerais bien le savoir.

— Vous pouvez toucher, proposa-t-elle en le voyant si fasciné par sa blessure.

— Pas question.

Elle haussa un sourcil.

— Je ne mords pas.

— Je ne veux pas énerver Adrian. C'est la curiosité qui tue le loup, dans le conte, vous savez.

— Sérieux ? Je crois que vous surestimez grandement son caractère possessif. Et puis, qu'en saura-t-il ?

— Il me sentira sur vous.

Cette fois, elle leva les deux sourcils.

— Sérieux, l'imita-t-il sèchement. Je ne voudrais pas vous mettre mal à l'aise, mais je le sens partout sur vous.

Son estomac se serra.

— Et moi, vous m'avez sentie sur lui ?

— Oui.

— Merde ! lâcha-t-elle en secouant ses cheveux mouillés d'une main tremblante. Si j'avais dans l'idée de faire mes bagages pour filer d'ici, il faudrait que je vous plante là ? Ou est-ce que vous me laisseriez partir en tournant la tête de l'autre côté ?

— Essayez de me semer, maugréa-t-il doucement. On verra bien jusqu'où vous allez.

— Vous avez reçu l'ordre de me tenir enfermée ?

— Non, mais je ne vous quitterai pas des yeux.

Parce qu'elle lui faisait confiance, elle ne cacha rien de son trouble.

— Je joue avec le feu et je risque de me brûler. Moi, je peux vivre avec ça, mais Adrian... Il n'a pas besoin de ce genre de chaleur-là. Il n'est pas encore remis de la mort de Phineas.

— C'est un grand garçon, il peut prendre soin de lui. Pensez plutôt à vous, répondit Elijah, dont les traits s'étaient radoucis.

Machinalement, elle tourna les yeux vers la table. Le souvenir d'Adrian en elle, de ce qu'elle avait ressenti, était encore bien vivace. Le son de sa voix, à cet instant-là, avait été aussi intime que l'acte physique, et les mots qu'il lui avait murmurés, dans cette mystérieuse langue, résonnaient encore au plus profond d'elle. Sans qu'elle comprenne pourquoi, ils lui semblaient vaguement familiers. Elle ignorait leur signification, mais elle sentait qu'il s'agissait de mots susurrés par un amant à sa bien-aimée. Et ils étaient aussi forts que des caresses, ils glissaient sur la peau comme une brise chaude. Si elle avait été la seule à risquer des conséquences fâcheuses dans cette histoire, elle aurait tenté sa chance. Elle l'aurait pris, elle l'aurait gardé, fait sien. Malheureusement, il n'en allait pas ainsi. Il souffrirait trop...

Elle souffla bruyamment.

— La petite lumière qui s'allume quand je suis en danger est en panne, à ce qu'on dirait.

— J'avais déjà remarqué ça l'autre jour.

— Vous avez faim ?

— Je pourrais manger.

— Allons nous empiffrer, et puis on montera sur le grand huit jusqu'à ce qu'on vomisse tout.

Une bonne montée d'adrénaline, voilà la seule chose qui pouvait encore l'empêcher d'exploser. Elle était trop tendue. Si elle ne lâchait pas un peu de lest, elle allait craquer.

— Vous m'avez sauvé la peau pour ça ? soupira Elijah.

— C'est ça ou je m'enfuis. À vous de choisir.

— Bien, lâcha-t-il en désignant d'un ample geste du bras la porte à double battant de l'entrée. Mais je préfère vous avertir : je vous déconseille de me vomir dessus.

Elle se dirigea vers la sortie, pressée de quitter un endroit trop chargé de souvenirs dangereux.

— Et pourquoi ça ?

— Parce que je vomirais à mon tour, admit-il en ouvrant la porte. Or, je vous garantis que je mange plus que vous.

— Beurk.

Elle s'apprêtait à quitter la pièce quand un homme très apprêté, de type afro-américain, apparut sur le seuil.

Elle s'immobilisa gauchement, sidérée par le sourire éblouissant qu'elle aurait reconnu entre mille. Celui de son patron.

— Bonjour, monsieur Gadara.

— Bonjour, mademoiselle Gibson. Vous êtes justement la personne que je souhaitais voir.

Dès qu'il arriva dans le *Hard Rock Café*, Adrian demanda Helena Bardon. L'hôtesse l'accueillit avec un sourire rayonnant, censé l'encourager à la discussion, mais trop obsédé par Lindsay, il ne lui offrit que quelques réponses monosyllabiques. La jolie brune continua néanmoins à flirter avec lui en l'accompagnant jusqu'à la table d'Helena, mais ses sourires aguicheurs cessèrent rapidement lorsqu'elle repéra la blonde qui se levait de la banquette pour le saluer. Adrian savait ce que voyait l'hôtesse : une femme éblouissante, sculpturale et radieuse, aux yeux bleu séraphin et aux cheveux blonds qui lui descendaient jusqu'à la taille.

— Adrian, dit-elle en l'attirant dans ses bras dans une étreinte chaleureuse. J'étais si inquiète pour toi, quand j'ai appris, au sujet de Phineas.

— Je gère.

Ses narines délicates se dilatèrent alors qu'elle l'observait attentivement.

— Ta Shadoe est revenue pour te consoler, on dirait.

Il lui fit signe de s'asseoir.

— Tu sais que je ne te juge pas, dit-elle avec douceur, en reprenant place sur la banquette.

— Je sais.

Après tout ce temps, Helena restait une âme et un cœur purs. Sa piété était tellement incorruptible qu'elle semblait insensible au monde dans lequel ils vivaient. Une sérénité qu'il lui enviait.

— T'apporte-t-elle vraiment le réconfort ?

— Le réconfort et le tourment, le plaisir et la douleur. Et tout cela à l'extrême. C'est à la fois sublime et infernal, mais j'en ai besoin pour exister. J'ai besoin d'elle.

Il existait quelques rares Sentinelles avec qui il pouvait parler aussi librement. La foi sans faille d'Helena lui conférait une impartialité rare.

Une serveuse apparut et ils passèrent commande. Ils feraient semblant de manger leur repas pour les apparences, mais l'empaquetteraient pour les lycans. Dès qu'ils furent à nouveau seuls, Helena s'enfonça dans son siège, l'air soudain extrêmement las.

— En quoi puis-je t'aider ? s'enquit Adrian.

Il ne lui montra pas à quel point sa préoccupation l'affectait. Ça le touchait même profondément. Car Helena avait toujours été l'une des présences immuables de son existence. Avec Phineas, d'ailleurs.

— En me témoignant ta sympathie, répondit-elle, sa main délicate posée sur la table. T'ai-je dit que l'un de mes lycans, Mark, prétend être amoureux de moi ?

Il se raidit.

— Non.

— Eh bien, si. Enfin, c'est ce qu'il croit.

— Je ne suis pas surpris outre mesure, commenta Adrian, recouvrant ses esprits. Tu es une femme magnifique, dotée d'une âme bonne.

— Tu sais à qui l'on doit le mérite de ces qualités, mais merci tout de même.

Ses doigts tambourinaient légèrement sur la table, révélant son inquiétude, ce dont elle semblait inconsciente.

— J'ai tout fait pour me montrer respectueuse de ses sentiments, si inopportuns soient-ils. Ils le poussent par ailleurs à faire très bien son travail. Mark s'est mis en danger comme aucun autre lycan, et dans des situations tout à fait inouïes.

— Est-il devenu un problème pour toi ?

— Non, soupira-t-elle. C'est moi, le problème, désormais.

Par-dessus la table, il lui prit la main pour calmer l'agitation de ses doigts.

— Je t'écoute.

— Je savais qu'il avait des... besoins. Je comprends la race des lycans. C'est juste... Je refusais de voir comment il les gérait, d'autant qu'il a tout fait pour me cacher ses activités. (Ses doigts se crispèrent à ce mot.) Mais l'autre jour, quand j'ai appris pour Phineas, j'ai convoqué Mark, alors que je lui avais accordé son après-midi. Lorsqu'il est arrivé, j'ai senti... j'ai senti une femme sur lui.

— Helena..., commença Adrian, la poitrine serrée par la compassion.

— J'étais furieuse, Adrian. Comme jamais je ne l'avais été. J'enrageais. Je lui ai dit des choses cruelles et volontairement blessantes. Je l'ai traité de faible. Et pire... je lui ai lancé des mots bien plus durs encore. Je ne pouvais plus m'arrêter, je l'ai poussé à se haïr. La culpabilité et la honte le faisaient déjà souffrir, et moi, j'ai ajouté au sien le fardeau de mon chagrin.

— Tu étais jalouse.

Et voilà, elle avait découvert un sentiment que peu de Sentinelles connaissaient : ils étaient tout aussi possessifs que les lycanthropes ou les vampires. Un trait de caractère semblait-il inhérent aux Séraphins et qui s'était transmis aux Déchus.

— Ç'aurait pu être encore plus grave. Ça l'aurait été si tu avais couché avec lui.

— C'est justement le dilemme sur lequel je souhaitais te consulter. Toi, au moins, tu sais ce que je ressens, ajouta-t-elle en relevant le menton. Tout ce temps, j'ai cru que les besoins de la chair étaient indignes de nous. Que le désir était une bataille que nous ne condescendrions jamais à combattre.

— Nous sommes sans cesse mis à l'épreuve, tu le sais bien.

— En effet, mais alors que j'essayais d'expliquer la situation à Mark, de m'excuser pour la peine que je lui avais causée et de le préparer à son transfert loin de moi, il a saisi quelque chose qui m'avait échappé. Nous n'avons pas le droit de nous accoupler avec les mortels, Adrian, mais les lycans, les vampires ou même les démons… ne sont pas des mortels.

Il lui lâcha la main et s'adossa à son siège. Il devait s'extraire de son rôle d'ami pour retrouver celui de l'officier commandeur.

— Tu espères trouver une échappatoire, rien de plus.

— Ne me juge pas ! jeta-t-elle, trop bouleversée pour conserver plus longtemps sa courtoisie de façade. Comment oses-tu, alors que tu te présentes ici tout imprégné de l'odeur d'une mortelle ?

— Qu'attendais-tu que je te dise ? Pose-toi la question honnêtement : es-tu venue à moi pour solliciter ma compassion ? Parce que tu sais que tu l'as. Ta situation me brise le cœur. En revanche, si tu cherches mon absolution, je ne peux te l'accorder.

— Pourquoi ?

— Si je te donnais l'autorisation de reproduire les erreurs que j'ai faites, je ne vaudrais pas mieux que Syre. Ne compte pas sur moi pour te conduire à la damnation, Helena. Il est de ma responsabilité de tout faire pour empêcher ta chute.

— Faites ce que je dis, pas ce que je fais, constata-t-elle avec amertume.

Son regard rageur le transperçait. En quelques instants, il était devenu son ennemi. Si profondément que la colère d'Helena le blesse, il ne pouvait pas agir autrement.

— Ce n'est pas moi qui ai la réponse à ta question, tu le sais.

La lèvre inférieure d'Helena se mit à trembler.

— Je questionne et je n'entends rien.

— La conclusion que j'en ai tirée, moi, conclut-il avec douceur, c'était que le silence était la seule réponse possible.

Elle prit une inspiration saccadée.

— J'espérais que tu m'aiderais, Adrian.

— J'essaierai. Mais pas de la façon que tu espères.

Une larme se forma, qui roula sur ses joues parfaites. Son chagrin irradiait et résonnait en lui.

— J'ai besoin d'un moment pour me reprendre, annonça-t-elle en se levant de la banquette.

Il hocha la tête et la regarda se frayer un chemin entre les tables jusqu'à l'escalier qui descendait aux toilettes. Tirant son portable de sa poche, il composa un numéro.

— Jason, fit-il quand son lieutenant décrocha, trouve les gardes personnels d'Helena et rappelle-les sur-le-champ.

— Je m'en charge personnellement. Qu'est-ce qui se passe ?

— Nous en parlerons plus tard. Si tu n'as pas réussi à les récupérer d'ici une demi-heure, je veux en être informé.

— Compris.

La nourriture arriva et il la renvoya pour qu'on la leur emballe à emporter. La serveuse mit plusieurs minutes pour s'acquitter de sa tâche, et Helena ne reparaissait pas. Ce qui n'étonna pas Adrian, il avait évalué à une chance sur deux l'éventualité qu'elle disparaisse. Il comprenait ce qu'elle traversait, et il savait ce qu'il ferait si quelqu'un s'avisait de s'interposer entre Lindsay et lui : il s'enfuirait avec la femme qu'il aimait, il volerait au destin le peu de temps, si précieux, qui leur resterait avant d'être pris.

Il jeta une liasse de billets sur la table pour régler l'addition, ramassa la nourriture emballée d'une main, frottant la boule qu'il avait dans la gorge de l'autre. Il avait laissé à Helena une heure d'avance. Maigre concession, la seule qu'il pouvait lui accorder avant de lancer la chasse aux fuyards.

Il espérait qu'elle avait eu la présence d'esprit de poster Mark dans les parages pour l'attendre. L'autre possibilité – qu'elle ait pu croire, même un instant, qu'il approuverait sa décision – était trop douloureuse à envisager.

S'il était tombé aussi bas aux yeux de ses Sentinelles, les épreuves qu'ils auraient à affronter dans les jours à venir promettaient d'être insurmontables.

14

D'un revers de main, Vashti s'essuya la bouche, avant de découvrir ses crocs devant le lycanthrope qu'elle venait d'accrocher au tronc d'un pin grâce à une lame en argent. Coincé dans son enveloppe humaine par le poison de l'argent dans son sang, il restait inerte, tête tombante, le souffle court.

— Tu sais à qui appartient ce sang, répéta-t-elle en lui agitant le chiffon maculé sous le nez.

Elle aussi avait récolté son lot de morsures, sa peau marquée en témoignait.

— Je veux le nom de ton camarade de meute, celui qui a enlevé le pilote à l'aéroport de Shreveport.

— Va te faire foutre, chienne, haleta-t-il en agrippant le manche du couteau qui l'immobilisait.

Il était toutefois trop faible pour l'arracher du tronc.

— On y passera toute la journée s'il le faut, gronda Vashti.

Une frange d'un roux plus clair que les cheveux de Vashti lui cachait les yeux du lycan levés vers elle.

— Je serai mort d'ici une heure et tu ne sauras rien.

— Je ne te conseille pas de casser ta pipe avant de m'avoir dit ce que je veux entendre.

— Tu as misé sur le mauvais cheval, ricana-t-il, visiblement ravi de son jeu de mots bancal.

— Tu es un petit comique, toi, dis donc, jeta-t-elle en le prenant par le menton pour l'obliger à relever la tête. Je vois dans tes yeux que tu reconnais ce sang. Il te suffit de cracher le morceau et tes souffrances prendront fin.

Il lui indiqua son majeur dressé en un geste obscène.

— Et celui-là, tu l'as vu ?

Mâchoire serrée, Vashti regardait le lycanthrope. Cet être était-il responsable de la mort de son amie ? La même question la hantait chaque fois qu'elle mettait la main sur un nouveau lycan. Elle avait besoin de croire que l'ennemi était encore en vie, qu'il était là, quelque part, prêt à payer le prix fort pour les atrocités commises sur sa Charron bien-aimée.

— Combien de vampires as-tu tués, chien ?

— Pas... pas assez.

— Il est encore jeune, intervint Salem, à côté de Vashti.

Avec sa toute nouvelle couleur de cheveux, bleu vif, son collègue la détourna un instant de sa proie. Heureusement pour lui, Salem jouissait d'une forme de visage classique, d'une beauté aristocratique qui ne souffrait pas trop des teintes extravagantes qu'il choisissait pour sa chevelure. C'était aussi un sacré dur à cuire, sinon la méga bosse qu'il avait sur la caboche l'aurait tué depuis longtemps.

Elle reporta son attention sur le visage du lycan. Derrière la douleur et l'épuisement qui marquaient ses traits, elle distinguait en effet l'éclat de la jeunesse. Peut-être était-il trop jeune ?

— Quel âge as-tu ?

— Va te faire foutre.

Elle se pencha vers lui et riva son regard au sien.

— Je suis en train de me demander si je ne vais pas te relâcher, imbécile. Ne bousille pas tes chances.

Le rouquin lui renvoya un œil noir.

— Cinquante ans.

Merde ! Ce n'était donc qu'un chiot d'environ cinq ans à l'époque de la mort de Charron. D'un geste rageur, elle arracha sa lame de l'arbre et regarda son prisonnier s'affaler sur le sol.

— Va voir le salopard qui a kidnappé mon amie et dis-lui que Vashti arrive. Explique-lui qu'il peut m'affronter en homme ou qu'il peut se terrer comme un chien, mais que ça ne l'empêchera pas de se retrouver avec ma lame plantée dans le dos.

La peau du lycanthrope commençait à se recouvrir d'une ombre de fourrure, tentative de la dernière chance pour se sauver en adoptant sa forme de loup. Car durant le processus de transformation, ses blessures se refermeraient plus vite que s'il gardait son apparence humaine.

— Tu le laisses partir ? s'étonna Raze, dont les biceps impressionnants se gonflaient tandis qu'il essuyait le sang du lycanthrope sur sa lame.

— S'il réussit à sortir vivant de ce bois, il mérite de mourir un autre jour.

Sur ces mots, elle se détourna pour se concentrer sur les traces laissées par les deux autres fuyards. Derrière elle, ses deux capitaines déchus l'imitèrent.

Un peu plus d'un kilomètre plus loin, Raze l'attrapa par le bras et la regarda à travers ses verres fumés. Vashti avait beau être grande pour une femme, il la dominait de toute sa hauteur.

— Syre a exigé que nous ramenions les lycans à Raceport.

— Celui-là n'aurait pas craqué, même devant Syre. Si nous voulons qu'il nous soit utile, il fallait lui rendre sa liberté.

— Les chances qu'il parvienne à rejoindre les siens sont quasi inexistantes, objecta sèchement Salem.

Elle lui offrit un sourire sombre.

— Il est motivé, répliqua-t-elle. Il était prêt à mourir pour protéger celui ou celle que nous recherchons. Il aura à cœur de rentrer pour avertir la meute que nous arrivons. Et ce faisant, il va nous mener tout droit à celui qui nous intéresse. Si nécessaire, nous lui donnerons un coup de main en route, en veillant à ce qu'il survive assez longtemps pour accomplir sa mission.

Ils localisèrent le reste des vêtements du lycanthrope trois kilomètres plus loin. Dans les poches de son pantalon, ils trouvèrent son portefeuille. Vashti en tira une carte d'identification au logo de Mitchell Aéronautique, qu'elle agita devant les yeux de ses capitaines, un large sourire aux lèvres.

— J'en étais sûre. Il habite Angels'Point. J'aurais parié qu'Adrian était dans le coup. À présent nous allons peut-être pouvoir le prouver.

— Monsieur Mitchell ?

Adrian s'immobilisa au moment de passer devant la réception du Mondego.

— Oui ?

L'hôtesse d'accueil raccrocha le téléphone.

— M. Gadara souhaiterait vous voir dès que vous aurez un moment.

Adrian hocha la tête et poursuivit son chemin jusqu'à l'ascenseur. Juste avant que les portes ne s'ouvrent, son portable sonna, indiquant qu'il avait reçu un SMS. Il le sortit de sa poche et entra dans la cabine.

```
Le sujet bouge, via Gadara. Vais à l'aéro-
port pour l'intercepter, mais devrai peut-
être la suivre à CA. Fais mon rapport dès que
possible.
```

Distrait par la logistique liée à la prise en chasse d'Helena et de son lycan, Adrian mit quelques secondes à comprendre de qui provenait le message – Elijah – et qui était le « sujet » – Lindsay.

— Merde !

Il tendit la main, empêchant les portes de se refermer complètement, puis sortit de l'ascenseur en trombe.

— Je vais le voir maintenant, annonça-t-il à la réceptionniste.

Elle le dirigea vers un autre ascenseur, obéissant à un code spécial activé par l'occupant ou par la réception.

La cabine ne proposait que deux arrêts : le bureau de Raguel et le toit. Les portes se rouvrirent directement sur une vaste aire d'accueil, où l'on faisait patienter les visiteurs jusqu'à ce que Raguel soit disponible. Adrian posa son sac de courses sur le bureau de la réceptionniste et se dirigea sans hésiter vers le bureau de Raguel.

— Adrian, dit celui-ci en se levant poliment de son siège.

D'un signe désinvolte, il intima à sa secrétaire de les laisser. Derrière lui, un mur vitré offrait une vue panoramique sur la ville. La toile de fond choisie par l'archange correspondait parfaitement à son ambition dévorante.

— Je crains que les résultats des tests ne soient pas encore arrivés, annonça-t-il.

— Tu t'attaques au mauvais Séraphin, gronda Adrian.

— Ah, je vois, répondit Raguel avec un sourire entendu. Tu es là au sujet de Mlle Gibson. J'avais cru que tu étais occupé par des sujets plus urgents.

— Là, je vais être occupé à faire de ta vie un enfer. Et je ne te conseille pas de m'y obliger. Où est-elle ?

— Bien que tes paroles soient très agressives, je ne perçois pas la moindre émotion dans ta voix. J'y trouve deux explications possibles : soit le départ de Mlle Gibson te dérange au plus haut point, soit tu n'as pas acquis les rudiments de sociabilité que tout être convenable se devrait de maîtriser.

— Arrête de tourner autour du pot, Raguel. Où est-elle ?

D'un mouvement élégant, l'archange se rassit.

— Elle a pris mon hélicoptère pour se rendre à l'aéroport, d'où je pense qu'elle a l'intention d'attraper un vol pour la Californie. Elle m'a paru très impatiente de commencer son travail en tant que directrice générale assistante du Belladonna.

— Ton ingérence dans mes affaires est extrêmement téméraire. Je te croyais plus malin que ça.

— Je n'avais pas le droit de la retenir. Une fois qu'elle m'a fait part de son désir de partir, je n'avais pas d'autre choix que de la laisser agir à sa guise. Que voulais-tu que je fasse ? Que je l'enferme ?

Adrian était si contrarié qu'un dangereux frisson lui parcourut le dos.

— Tu n'avais pas besoin de l'aider.

— Elle travaille pour moi. Comment pouvais-je lui refuser mon aide, alors qu'elle la sollicitait ?

— Est-ce vraiment elle qui l'a sollicitée, ou toi qui la lui as offerte ?

— Quelle importance ? En tout cas, elle a accepté avec empressement.

Le sourire de Raguel était tout sauf naturel.

Tirant son portable de sa poche, Adrian envoya un bref message à Elijah.

`Trouve le sujet. Protège-la jusqu'à nouvel ordre.`

— Je serais plus que ravi de te prêter mon hélicoptère aussi, proposa Raguel.

— Pourquoi pas, si une urgence se présente.

Adrian venait de se persuader qu'il ne devait pas partir retrouver Lindsay, même si la chose devenait possible, maintenant qu'il l'avait localisée. Elle était plus en sécurité tant qu'elle restait éloignée de lui, de toute façon, et il n'avait plus besoin d'elle pour appâter Syre. Le chef des vampires lui fournissait déjà toutes les excuses possibles et imaginables de le châtier, sans l'aide de Lindsay.

Et puis, accepter que Shadoe s'en aille était peut-être la leçon qu'il n'avait jamais apprise. Peut-être était-ce ainsi que l'on avait choisi de tester son abnégation, et qu'il s'obstinait à rater lamentablement ce test, encore et encore. Peut-être enfin que libérer l'âme de Shadoe et l'enveloppe qui la portait constituait le véritable sacrifice que l'on attendait de lui. Il n'y avait pas de raison pour que Lindsay ne puisse vivre sa vie loin de lui. Il lui avait donné le choix entre une relative normalité, un travail séculaire et l'arrêt de sa chasse, ou bien l'entraînement à ses côtés. Si elle avait opté pour la première option, il n'avait aucune raison valable de ne pas la laisser partir. Il savait où elle était, il pouvait s'arranger pour garder Syre éloigné d'elle jusqu'à ce que vienne le moment où il pourrait mettre fin à cette tragique histoire.

Or ce moment arrivait. Il était imminent.

En attendant, il devrait affronter Helena. Car il ne voulait confier à personne la tâche de la retrouver. Il respectait trop ses Sentinelles pour ne pas s'occuper personnellement de leur cas. Et quand il la trouverait, qu'il la séparerait de son lycan, il serait préférable de pouvoir la regarder droit dans les yeux pour lui annoncer qu'il avait fait de son côté le même sacrifice qu'il exigeait d'elle.

— Tu me surprends, murmura Raguel. Tu as risqué beaucoup pour abandonner aussi facilement.

— Tu ne sais rien de moi, Raguel, lâcha Adrian, avant de faire demi-tour pour quitter la pièce. Moi, en revanche, je te connais. Ton ambition causera ta perte, surtout si tu fais de moi ton ennemi.

— Je pense que tu découvriras au contraire, rétorqua l'archange dans son dos, qu'il est intéressant pour toi de m'avoir dans ton camp.

— Contrairement à toi, je n'appartiens à aucun camp.

Adrian entra dans l'ascenseur et se tourna face à Raguel, dévoilant ses dents dans un sourire animal. Le territoire de l'archange était circonscrit à l'Amérique du Nord ; le sien n'avait pas de limites.

Les portes de l'ascenseur se refermèrent sur le regard préoccupé de Raguel.

Shadoe n'avait jamais fui Adrian auparavant. Depuis la première fois où elle avait passé outre toutes les barrières, toutes les règles et tout bon sens pour le séduire, elle avait consacré toute sa féroce détermination à le fasciner. Elle avait mis du temps pour y parvenir, au départ. Une série incessante d'assauts passionnés livrés à ses sens, qui avait fini par le rendre fou de désir pour elle, au mépris de toute raison. Depuis lors, ses incarnations avaient toujours été des séductrices accomplies et elle avait savouré chaque abandon.

Jusqu'à aujourd'hui.

Aujourd'hui il était seul, privé de ceux qui d'habitude lui apportaient leur soutien. D'abord Phineas. Ensuite Helena. Le départ de Lindsay était tout aussi difficile à avaler. Il avait trouvé un réconfort immense dans sa présence et elle lui manquait déjà. Mais il n'allait pas laisser ces pertes successives l'empêcher d'accomplir sa mission.

Même s'il devait bien admettre qu'elles signifiaient sans doute que le moment de payer son dû approchait.

Lindsay s'en voulait encore quand son avion atterrit à l'aéroport John-Wayne. Ça ne lui ressemblait pas de fuir. Elle était plutôt une femme d'action, une femme qui affrontait les événements bille en tête. Elle détestait laisser faire le hasard ou ne pas connaître par avance la partition qu'elle aurait à jouer.

Et pourtant, à l'instant où une échappatoire s'était présentée, elle avait sauté sur l'occasion. Pas parce qu'elle avait peur. Quoi que si. Tout ce qui concernait Adrian Mitchell lui flanquait une trouille monstre. La façon dont son existence perturbait sa vie, c'était super flippant. Elle qui avait tellement l'habitude de mener sa barque toute seule, de tout garder caché, elle l'avait déjà tellement dans la peau qu'elle en oubliait comment c'était de ne pas l'avoir dans sa vie. Ce qu'elle ne pouvait oublier, en revanche, c'était l'effet que cela faisait d'être enfin soi-même. Une expérience libératrice, qu'elle venait de fuir pour retourner s'enfermer dans le monde « réel ».

Le sentiment de perte qui l'avait envahie ressemblait à s'y méprendre à du chagrin.

Mais elle apprendrait à le gérer. Avoir le sort de l'âme d'Adrian entre ses mains, voilà qui lui servirait de motivation. Cet être était trop précieux pour se perdre avec elle.

Le vent, ce sale lâcheur, la tentait de ses doux murmures. *Adrian... Retourne vers Adrian...*

— Va te faire voir.

Elle sortit du terminal avec pour tout bagage la tenue de couturier qu'elle avait sur le dos, son téléphone portable et le chargeur acheté à l'aéroport McCarran, ainsi qu'une somme d'argent ridiculement élevée dans son sac en bandoulière. Elle avait bien l'intention de rembourser chaque centime dépensé, mais elle n'avait pas eu d'autre choix que de prendre cet argent. Car sa valise se trouvait toujours chez Adrian. Ce qui signifiait qu'elle le reverrait, ne serait-ce que pour récupérer ses bagages. Elle pourrait certes demander qu'il envoie quelqu'un les lui apporter, afin de leur éviter à tous les deux un moment embarrassant, mais elle ne le ferait pas. Ils avaient une affaire en cours, et il méritait au moins qu'ils la clôturent en personne.

Elle se dirigea vers la station de taxis la plus proche. Durant une journée irréelle, elle avait eu l'impression que la vie d'Adrian pouvait devenir la sienne, mais tout cela n'était qu'un rêve ridicule. L'existence de cet homme était une succession de jets privés, de suites présidentielles, de Maybach ; sa maison passait à la télévision, il côtoyait dragons, démons et autres vampires écumants, volait dans le ciel entouré de ses copains les anges, se faisait servir par des types qui se transformaient en loups et il savait guérir les blessures les plus graves. Pour sa part, elle n'était rien de plus qu'une pauvre mortelle de la classe moyenne, légèrement dérangée et qui trimbalait avec elle une blessure d'enfance et un ineffable désir de mort. Les deux étaient décidément inconciliables.

Un moment de calme pour se remettre la tête à l'endroit et reprendre ses esprits, voilà ce dont elle avait besoin. Alors elle pourrait prévoir ses prochaines actions. Des actions qui l'éloigneraient d'Adrian. Car la tentation qu'il représentait était trop forte. Elle ne se faisait pas confiance, s'il était dans les parages.

Elle se glissa à l'arrière d'un taxi et demanda au chauffeur de la conduire à l'hôtel Belladonna. Raguel Gadara lui avait offert de séjourner dans l'une des suites d'ores et déjà terminées, en attendant qu'il prenne des dispositions pour qu'elle emménage dans l'une de ses résidences. Elle avait été étonnée par sa gentillesse. Pour un personnage public, aussi puissant que célèbre, il lui semblait extrêmement pragmatique et accessible.

Dans la voiture, elle ferma les yeux sur les mauvaises ondes envoyées par la créature maléfique – quelle qu'elle soit – qui se trouvait au volant. En temps normal, il n'en aurait pas fallu plus pour qu'elle l'ajoute à la liste de ses victimes.

— C'est ton jour de chance, marmonna-t-elle entre ses dents lorsqu'elle croisa son regard curieux dans le rétroviseur.

Lindsay tira son portable de sa poche et le ralluma. Elle ne fut pas étonnée de l'entendre pépier pour lui annoncer une kyrielle de messages vocaux et de SMS. Le ventre soudain serré, elle se força tout de même à en prendre connaissance, en commençant par les messages écrits.

`Ne vous créez pas d'ennuis avant que j'arrive svp (c Elijah, au fait).`

— Et merde ! grommela-t-elle.

Ça n'était pas très fair-play de sa part de l'avoir laissé en plan. S'il avait des problèmes à cause d'elle... Bref, mieux valait que non, autrement elle serait furieuse contre Adrian de s'être montré injuste.

Le SMS suivant provenait d'Adrian, justement.

`Appelle-moi.`

Elle composa son numéro.

— Lindsay, entendit-elle. (Au son de sa voix, modérée et douce, elle serra un peu plus fort l'appareil.) Tu es à Anaheim ?

— Pas encore. Je viens juste d'atterrir.

— Tu n'aurais pas dû partir, affirma-t-il, avec cette arrogance qu'elle commençait à adorer. Cela dit, c'est mieux en fait. Quelque chose s'est produit, et il va s'écouler un jour ou deux avant que je puisse venir te rejoindre. J'envoie Elijah en attendant. Ne lui joue pas la fille de l'air encore une fois.

Même à travers les ondes de l'appareil, et malgré le ton neutre qui ne laissait rien transparaître, elle le savait perturbé. Elle le sentait.

— Que se passe-t-il ? Tu vas bien ?

— Je... (Il hésita un instant.) Non, je ne vais pas bien.

Elle se crispa.

— Qu'est-ce qu'il y a ?

— Je ne suis pas dans un endroit où je peux discuter de ça en toute sécurité, répondit-il, avant de

240

soupirer bruyamment. J'aimerais pouvoir parler librement, j'ai des choses sur le cœur dont je ne peux m'ouvrir qu'à toi, car tu serais la seule à les comprendre.

Lindsay se pencha vers l'avant, prête à demander au chauffeur de faire demi-tour.

— Adrian, je reviens si tu as besoin de moi.

— J'ai besoin de toi en permanence, avoua-t-il avec une simplicité incroyable, si l'on songeait au pouvoir dont il jouissait. (Comment pouvait-il être aussi dépendant d'elle ? C'était là un paradoxe désarmant.) Mais pas maintenant. Tu seras plus en sécurité à Angel's Point.

— Euh…

Voilà qu'à présent, elle hésitait à mettre entre eux la distance nécessaire. Ça ne lui semblait plus être le bon moment, s'il avait besoin d'elle. Cependant, elle ne pouvait ni lui mentir ni repousser l'inévitable. Quoi qu'il y ait entre eux, cela reposait sur la mise à nu d'aspects d'eux-mêmes qu'ils n'avaient dévoilés à personne d'autre auparavant.

— En fait, je suis en route pour le Belladonna. Je vais y rester jusqu'à ce que je me trouve un endroit à moi. Tu as dit toi-même que je serai en sécurité avec Gadara.

Un bref silence lui répondit, puis :

— Garde Elijah auprès de toi à tout instant. Reste à l'hôtel autant que possible et surtout ne chasse pas.

— Promis. Je sais que nous devons prévoir toute la logistique avant.

Elle aurait besoin de son aide pour traquer les vampires qui avaient tué sa mère. Si téméraire qu'elle puisse se montrer parfois, elle n'était pas suicidaire et ne voulait surtout pas risquer de mettre

Adrian en danger en franchissant une limite ou en enfreignant une règle par ignorance.

— En quittant Las Vegas, est-ce que tu me quittais aussi ?

La boule se serra de nouveau dans son ventre.

— Je m'y suis sentie obligée. Je... je te veux, Adrian. Si ce n'était que sexuel, ça irait. Mais plus je suis avec toi et plus je t'apprécie. Je ne suis pas aussi douée que toi pour combattre ce genre de sentiments, je ne sais rien te refuser. Or, pour notre bien à tous les deux, il faut que nous renoncions l'un à l'autre.

Le silence se prolongea, cette fois. Assez pour que Lindsay craigne d'avoir perdu la connexion.

— Adrian ?

— Je suis là. Tu... tu m'as surpris, c'est tout. J'avoue que ta décision de partir pour me protéger est pour le moins inattendue.

— Je ne vaux pas la peine que tu sois déchu, marmonna-t-elle. Ça, je te le garantis.

— Je ne suis pas d'accord. (Même si le ton n'avait pas changé, elle sentit une variation.) Je t'apprécie moi aussi, Lindsay. Tu me fascines. Pour quelqu'un de mon expérience, c'est assez rare. J'avais l'intention de te laisser partir si tu acceptais de mettre fin à ta chasse. Mais j'ai changé d'avis. Nous reprendrons tout ceci dès que je serai de retour et déciderons d'un compromis.

Lindsay haussa un sourcil. Adrian ? Un compromis ? Voilà bien une chose qu'elle peinait à s'imaginer. Il semblait plutôt du genre à obtenir toujours ce qu'il voulait, au final. Une sorte de fils prodige que cet ange guerrier, avec ses ailes tachées de sang. Et il la captivait. Complètement.

— Je voulais te remercier d'avoir appelé mon père. Il aurait été fou d'inquiétude sans ça.

— Je l'ai fait avec plaisir.

— Ça signifie beaucoup pour moi que tu y aies pensé.

— Depuis que nous nous sommes rencontrés, je n'arrive pas à te sortir de ma tête, admit-il d'une voix basse, intime.

Dieu du ciel ! Elle aurait pu lui faire exactement le même aveu. Ils étaient vraiment, vraiment dans de sales draps, tous les deux.

— Je t'en prie, quelle que soit ta nouvelle mission, fais attention à toi.

— Ne t'inquiète pas, *neshama*. Rien ne pourra m'empêcher de terminer ce que nous avons commencé aujourd'hui.

— Est-ce qu'un jour tu me diras ce que signifient les noms que tu me donnes ?

— Redemande-le-moi la prochaine fois que je serai à tes côtés, répondit-il d'une voix suave.

Le corps parcouru d'une vague de désir aussi soudain que brûlant, elle préféra le saluer rapidement et raccrocher.

Elle avait fait ce qu'il fallait en partant, pas de doute là-dessus, mais cela ne l'empêchait pas de le regretter. Surtout maintenant, en sachant qu'il avait besoin d'elle près de lui, besoin de son écoute et de son soutien.

Bon sang ! Elle devait vraiment se reprendre et réfléchir, sauf que ses poumons étaient comme enserrés dans un étau : l'envie de partir le rejoindre la tenaillait. Et son esprit avait beau savoir que l'attitude la plus raisonnable et la moins égoïste était de rester loin de lui, un besoin profond lui intimait de retourner là-bas et de le prendre. De réclamer son dû. De le faire sien, irrévocablement. Ce désir digne d'un rapace était si intense qu'il la terrifiait.

Jamais elle n'avait éprouvé la moindre difficulté pour s'en tenir à ses décisions, mais avec Adrian, elle avait l'impression de livrer bataille contre elle-même, avec de fortes probabilités de perdre. C'était un être superbe, fier et dangereusement beau. Son seul but était de chasser les créatures qu'elle-même détestait et voulait voir mortes. Si elle le détruisait, si elle sabotait le travail qu'il accomplissait et qui était si important pour elle, cela reviendrait à s'autodétruire. Et pourtant, elle avait beau être pleinement consciente des conséquences, cela n'apaisait en rien le diablotin qui lui susurrait furieusement à l'oreille.

Se raccrochant à sa décision première avec une force dont elle n'aurait pas cru avoir besoin un jour, elle envoya un SMS à Elijah : `RDV au Belladonna.`

Elle était contente de savoir qu'il serait à ses côtés. C'était un franc-tireur, il l'empêcherait de garder la tête dans les nuages, où volaient les anges mais où les humains n'avaient pas leur place.

— C'est pour le bien de tout le monde, se dit-elle à mi-voix, s'attirant de la part du chauffeur un autre regard circonspect.

Comme s'il suffisait de prendre des bonnes résolutions pour s'en sortir...

— Quelle que soit l'ampleur des dégâts que tu imagines, sache que la réalité est pire.

Ayant glissé un oreiller derrière son dos, Torque s'appuya contre la tête de lit, prenant bien garde à ce que sa jambe n'entre pas en contact avec le mince rayon de soleil qui s'insinuait par un minuscule espace entre les rideaux occultants de sa chambre de motel.

— D'après la rumeur, Phineas est mort... des suites d'une attaque de vampire, une attaque qu'il n'aurait pas provoquée.

Un long silence lui répondit, durant lequel il n'entendit plus que la respiration profonde et régulière de son père.

— Mort ? Tu en es certain ?

— Aussi certain qu'on puisse l'être quand on n'a pas appris la nouvelle de la bouche même d'Adrian. Il n'est pas en ville. Je pense qu'il a dû partir à la chasse aux coupables.

— Ça ne fait pas l'ombre d'un doute.

Torque avait alloué des ressources illimitées à la clique qu'il avait réussi à infiltrer dans la zone. Ce qui lui donnait accès – à lui et à son père – à des rapports assez précis sur les faits et gestes d'Adrian et de ses Sentinelles. Bien sûr, Adrian avait quelque chose en tête, Torque le soupçonnait depuis longtemps de détourner les yeux de la clique en question, ce qui expliquerait que ses membres s'en soient tirés à bon compte. *Même si tu me vois venir, je te prendrai de vitesse.* Tel semblait être son message.

— J'espérais le rencontrer, regretta Torque en jouant avec un shuriken. Pour lui expliquer que nous n'avions rien à voir avec cette histoire.

— Non. Il pourrait considérer ta mort comme une juste vengeance pour celle de Phineas : quelqu'un qu'il aimait et sur lequel il comptait, contre quelqu'un de la même valeur à mes yeux.

— Bien maigre sacrifice, s'il s'agit d'empêcher une guerre d'éclater.

— Ce n'est pas à toi de prendre cette décision.

— Ah non ?

Torque lança le shuriken contre le mur, remarquant distraitement la position de l'étoile sur les motifs du papier peint. Son père était tellement protecteur qu'il avait choisi Vashti pour le seconder, dans l'unique but de l'éloigner lui, Torque, de la ligne de front. Et même s'il comprenait les raisons de son père, et la paranoïa qui était derrière, cela ne rendait pas la pilule plus facile à avaler. Il voulait servir la communauté des vampires au maximum de ses capacités. Il n'était rien qu'il ne soit prêt à entreprendre ou à sacrifier pour voir les siens prospérer enfin et s'épanouir.

— J'ai déjà perdu un enfant, pas question que je vous perde tous les deux. (Torque imaginait son père, lourdement appuyé contre le repose-tête de son fauteuil.) Allons, fils, nous avons les informations que nous voulions. À présent, nous devons réfléchir à la façon de les utiliser.

— On devrait envoyer Vashti en nettoyage. Si on réussit à faire notre propre police nous-mêmes, cela rendra peut-être notre innocence plus crédible.

— Oui, tu as raison. Quant à toi, tu peux te charger de la chasse aux kidnappeurs de Nikki.

— Rien ne me ferait plus plaisir, mais il y a autre chose, objecta Torque en lançant un deuxième shuriken, qui alla s'enfoncer dans le mur juste à côté du premier. On a vu Adrian en compagnie d'une femme, récemment.

De nouveau, un long silence lui répondit.

— Tu penses qu'il s'agit de Shadoe ?

— Je ne l'ai jamais vu accorder le moindre intérêt à une autre femme. Et toi ?

— Phineas est mort. Adrian doit être profondément attristé, peut-être assez pour briser une règle cardinale. Nous devons nous assurer de l'identité de cette femme avant de tenter quoi que ce soit.

Torque se détendit un peu.

— Je vais continuer à creuser jusqu'à ce que j'en sois certain.

— S'il s'avère qu'elle est bien ta sœur, il faudra la ramener à la maison.

— Bien sûr. Je te tiendrai au courant.

Torque écarta l'appareil de son oreille et l'éteignit, avant de le jeter à côté de lui sur le lit. Au moins, la chasse aux informations le distrayait-elle d'un chagrin insupportable. Quand il avait transformé Nikki, c'était dans le but de l'avoir indéfiniment auprès de lui. La mort de sa compagne n'était donc pas un sacrifice auquel il s'était préparé, et vivre sans elle le tuait. À présent, il comprenait le venin qui coulait dans les veines de Vashti depuis qu'elle avait perdu sa compagne. Mais la douleur était aussi un excellent carburant, augmentant sa concentration, avec le désir de revanche qui lui faisait bouillir les sangs.

Encore une heure ou deux avant que le crépuscule ne tombe, et enfin il pourrait sillonner de nouveau les rues. Alors, gare aux Sentinelles qui auraient le malheur de croiser son chemin !

Adrian venait d'arriver à Mesquite quand son portable sonna.

— Mitchell, répondit-il.

— Est-ce que tu sais depuis combien de temps le vampire était infecté quand tu l'as capturé ?

La voix de Raguel était si sombre qu'elle capta immédiatement toute l'attention d'Adrian.

— Non. Pourquoi ?

— Le vampire est mort, et l'échantillon de son sang s'est dégradé pendant l'examen. D'après ce que l'on m'a raconté, il s'est transformé en un instant en une sorte de « boue huileuse pareille à de l'huile de vidange ».

— J'en suis désolé.

Furieux aurait été plus adapté, mais Adrian veilla à n'en rien laisser transparaître.

— Je ne sais pas à quoi tu as affaire là, reprit l'archange, mais c'est apparemment létal et rapide, quoique nous ne soyons pas certain du dernier point, vu que nous ignorons quand le sujet a été infecté.

— Merci, sache que ton aide est très appréciée.

Mettant fin à l'appel, Adrian regarda Jason et Damien, qui attendaient non loin, l'air sinistre et écœuré sous un néon clignotant. Il regrettait de n'avoir pas pu leur éviter de prendre l'une des leurs en chasse, mais il ne pouvait se permettre de perdre Helena ou son lycanthrope s'ils décidaient de se séparer. Le deuxième garde d'Helena voyageait déjà séparément du couple, car il s'arrêtait moins souvent et avançait beaucoup plus vite.

— Il va falloir capturer d'autres mignons, annonça-t-il à ses lieutenants. Des infectés et des sains.

L'inquiétude assombrit les traits réguliers de Jason.

— Qu'est-ce qui se passe ?

— La fin des vampires est peut-être proche, répondit Adrian en rangeant son portable.

« Jéhovah aime ses plaies », avait dit Raguel. Peut-être l'archange était-il sur une piste ?

— Quelle bénédiction ce serait ! commenta Damien, toujours sinistre, en le suivant sur le parking derrière le casino pour le décollage.

Adrian n'exprima pas tout haut le reste de ses pensées.

Mais il se peut aussi que nous soyons bientôt confrontés à une force qui pourrait bien causer notre perte à tous.

15

Les doigts sur le clavier de son téléphone portable, Lindsay hésitait entre l'envie et la sagesse : devait-elle appeler Adrian ? Les premiers jours, elle s'était montrée forte, réussissant à s'empêcher de le contacter, mais la nuit dernière avait été particulièrement difficile. Elle s'était réveillée à 3 heures du matin, la tête pleine d'un rêve si vivace qu'elle s'en souvenait encore huit heures plus tard.

Elle se trouvait avec Adrian au milieu d'une vallée luxuriante, une large rivière coulait près d'eux qui procurait l'eau nécessaire à l'arrosage des hectares de prairies qui s'étalaient de part et d'autre de ses berges. Le soleil était haut et chaud, l'air humide, presque étouffant. Adrian ne portait qu'un pantalon de lin grossier et des sandales en cuir ; ses cheveux étaient suffisamment longs pour descendre jusqu'à ses épaules larges et puissantes. Il avait la tête renversée en arrière, les yeux fermés et sa bouche sensuelle crispée par la frustration ou la contrariété. Il tenait un couteau à la main, une arme épaisse, robuste, qui rappelait une épée ou un glaive médiéval, à l'image de l'Excalibur du roi Arthur. Il faisait habilement tournoyer son arme, sans réfléchir, la maniant malgré son poids et sa taille avec une facilité qui témoignait de son adresse. Il était à la fois majestueux et sauvage. Beau à couper le souffle.

Alors que le vent soufflait amoureusement dans ses cheveux, il posa sur elle un regard plein de souffrance. Un regard qui la transperça aussi vivement que s'il l'avait frappée de cette arme qu'il manipulait avec une agitation évidente.

Ani ohev otach, tzel, lui avait-il dit dans le rêve. *Je t'aime, Shadoe. Mais je ne peux pas t'avoir. Tu le sais. Pourquoi me tentes-tu ? Pourquoi affiches-tu ce dont je meurs d'envie et qu'il m'est interdit de posséder ?*

Le voir si malheureux lui avait serré la poitrine et causé une douleur si écrasante qu'elle l'avait tirée du sommeil. Elle s'était dressée sur son lit, découvrant ses joues et son oreiller baignés de larmes. Le chagrin et la compassion lui nouaient encore le ventre. Il s'était adressé à elle comme s'il l'identifiait à la source de toutes ses souffrances, et pourtant jamais elle n'avait entrepris quoi que ce soit qui puisse dévaster ainsi son regard. Elle mourrait plutôt que de le blesser aussi profondément.

Pendant le reste de la nuit, alors qu'elle se trouvait seule au Belladonna, elle avait éprouvé le même sentiment que quatre jours plus tôt, quand elle avait eu Adrian au téléphone : une immense solitude. Le besoin de le rappeler devenait trop fort pour qu'elle y résiste. Elle s'inquiétait à son sujet et il lui manquait plus que de raison.

Prenant une profonde inspiration, elle repoussa une vague de désir et de possessivité totalement déplacés. Elle avait passé toute sa vie à se débattre pour se trouver une place dans le monde des gens « normaux », et il avait suffi de quelques jours pour qu'elle s'habitue à se sentir à sa place parmi les anges. Irrévocablement. Se débrouiller à nouveau toute seule après une telle expérience, voilà qui était sacrément dur. Et se demander si Adrian éprouvait la même sensation de dérive était encore plus dur.

Elle sélectionna son numéro et porta l'appareil à son oreille.

Il décrocha quasi instantanément.

— Lindsay… Tout va bien ?

Le nœud dans son estomac se détendit au son de la voix chaude et confiante.

— J'appelais justement pour te poser la même question.

— Me poser… (Sa phrase resta en suspens.) Je…

— Adrian ? Ça va ?

— Désolé, je ne suis pas encore tout à fait habitué à ce que l'on me demande ce genre de choses. Les deux derniers jours ont été rudes, mais ce sera bientôt fini.

Son souffle resta bloqué une seconde dans ses poumons. Adrian semblait si calme, si maître de lui et de ses émotions, qu'il était aisé de s'imaginer qu'il allait toujours très bien. Sur qui s'appuyait-il, quand les fardeaux devenaient trop lourds à porter seul ? Maintenant que Phineas n'était plus là, lui restait-il quelqu'un ?

Il lui avait offert un cocon où déposer ses pensées les plus intimes. Si seulement elle pouvait lui rendre la pareille ! S'il lui faisait assez confiance un jour, elle considérerait cela comme un honneur.

— Tu ne parais pas ravi, pourtant.

— Quelqu'un à qui je tiens traverse de grandes souffrances, et je vais devoir lui en infliger encore avant que tout ne soit réglé.

La jalousie enfonça ses griffes. Ce sentiment lui était si étranger et si désagréable qu'elle en fut profondément déstabilisée.

— Je suis désolée pour toi. J'aimerais vraiment pouvoir faire quelque chose pour t'aider.

— Entendre ta voix et savoir que tu penses à moi m'apportent un immense réconfort.

Cette fois, une vague de fierté la submergea. Qu'elle continue à être une source de réconfort pour lui, malgré tout ce qui s'était passé et tout ce qui les séparait, il y avait là de quoi être rassérénée.

— J'ai rêvé de toi, la nuit dernière.

— Ah bon ? Tu veux me raconter ? ajouta-t-il d'une voix soudain enjôleuse.

— En substance, tu me demandais de te laisser tranquille, d'arrêter de te tenter. (Elle soupira bruyamment et s'affala sur la table.) Et une partie de moi, c'est terrible, se fichait bien de te blesser en me faisant désirer de toi. J'étais comme enivrée par ton angoisse. Ça me donnait un sentiment de puissance d'avoir une emprise pareille sur toi. Bref, je te voulais, quel qu'en soit le prix.

Il expira lentement.

— Ce rêve t'a perturbée.

— Ben oui, tu parles ! Je déteste l'idée d'avoir conçu ce genre de pensées sournoises ne serait-ce qu'un instant. Ça ne correspond pas du tout à ma façon d'appréhender les choses. Jamais je ne ferai ça.

— Lindsay…, commença-t-il, avant de marquer une pause. Je le sais bien. Ce n'était qu'un rêve.

— N'empêche, cela signifie quand même que, quelque part dans mon subconscient, cette pensée existe. (Elle se passa une main dans les cheveux.) Je ne veux pas être cette personne-là, Adrian. Je ne veux surtout pas te blesser, et pourtant regarde : je suis incapable de passer quelques jours sans t'appeler, même si je suis parfaitement consciente que nous avons besoin de mettre de la distance entre nous, de nous en tenir à une relation professionnelle.

— Non, tu n'es pas cette personne. (Le ton brusque de sa voix la fit sursauter.) Tout comme je ne suis pas l'Adrian de ton rêve. Et s'il faut en tirer une conclusion, disons plutôt que les rôles y étaient inversés. En réalité, c'est toi qui me demandes de te laisser partir et moi qui refuse. Je sais que tu me veux, et je vais exploiter ce désir au maximum. Car moi aussi, je te veux plus que tout. Chaque jour qui passe, chaque conversation que nous avons ne fait qu'attiser mon désir. Ça me dévore, Lindsay, c'est un tourment quotidien.

Elle ferma les yeux et lâcha un soupir.

— Adrian... Si tu savais comme je regrette que nous nous soyons rencontrés !

— Non, c'est faux. Ce que tu regrettes, c'est que nous courions un risque.

— Je ferais mieux de filer tant que je le peux encore.

C'était pour la même raison qu'elle était allée s'installer si loin de son père. Parce qu'elle lui faisait courir un danger en restant trop près de lui, elle le savait. Jamais elle ne se le pardonnerait, si quoi que ce soit arrivait à Eddy à cause de la chasse qu'elle avait entreprise, tout comme jamais elle ne supporterait qu'Adrian paie le prix de leur relation.

— Je te retrouverai, répliqua-t-il d'une voix sombre. Où que tu ailles, où que tu te caches... je te retrouverai.

Un coup frappé à la porte de communication la ramena brutalement à la réalité.

— Il vaut mieux que je raccroche.

— On se voit bientôt, *neshama*. Tiens-toi d'ici là loin des ennuis.

— Pas de soucis, j'en ai bien assez avec toi.

Elle raccrocha, puis cria :

— Entrez, El.

Le lycanthrope obtempéra. Apparemment, il sortait de la douche, et il avait lissé en arrière ses cheveux encore humides, ce qui dégageait son front. Il portait son habituel ensemble jean large et tee-shirt, et son regard scruta la pièce, comme chaque fois qu'il entrait quelque part. Cet homme était un guerrier, jusqu'à la moelle.

— Vous avez faim ? s'enquit-elle, même si elle connaissait déjà la réponse : ce gars-là mangeait comme... un loup.

— Je suis affamé.

— Si ça ne vous dérange pas trop, on pourrait peut-être éviter le repas en chambre, cette fois ? J'ai besoin de sortir. On ne risque rien sur le trajet entre ici et le *Denny's*, juste au coin de la rue, si ?

Par la fenêtre, il observa le ciel sans nuages.

— Hum... D'accord, mais prenez votre sac à malices.

Elle se leva.

— Je sais que c'est pénible pour vous d'être coincé ici avec moi, mais je suis contente que vous soyez là.

Elle adorait ce type, en fait. Même s'il lui rappelait constamment Adrian et la vie qu'elle aurait pu partager avec un ange, si seulement ils étaient amis et non pas dévorés par un désir réciproque. Elle avait déjà perdu sa mère, elle ne supportait pas l'idée de perdre un autre être aimé. Et puis, avec la chasse, elle menait une vie trop dangereuse pour l'imposer à quiconque. Ça ne serait pas juste. Sauf qu'Adrian était spécial. Il partageait le même style de vie qu'elle, et c'était vraiment rageant de ne pas donner une chance à leur relation. Après avoir si souvent rêvé de rencontrer quelqu'un qui puisse savoir qu'elle chassait, et comprendre pourquoi, voilà qu'elle le trouvait enfin... et découvrait dans la foulée qu'ils ne seraient jamais ensemble. Même le vent, qui sifflait doucement chaque fois qu'elle mettait le pied dehors, semblait pleurer de cette injustice.

— Je ne suis pas si mal ici, répondit Elijah en roulant les épaules comme pour décontracter ses muscles.

— Vous vous ennuyez à mourir, oui.

— C'est vrai, mais j'ai besoin de faire profil bas.

Elle cilla.

— À cause de moi ? Parce que je me suis enfuie ?

— Non, fit-il avec un bruyant soupir. Avant, je faisais partie de la meute du lac Navajo. Et puis, on m'a envoyé chez Adrian pour observation. Alors vous voyez, moins on m'observe, et plus j'ai de chances qu'ils oublient que je leur ai causé des soucis.

— Je ne vous imagine pas en fauteur de troubles, pourtant.

Il était bien trop stoïque, avec un sens de l'honneur chevillé au corps. Il prenait ses engagements au sérieux, qu'il ait sauté dans le premier vol pour la retrouver, malgré sa peur maladive de l'avion, le prouvait.

— Je ne pense pas en être un, en effet.

— Allons manger quelque chose, vous pourrez me raconter tout ça.

— Pour le repas, je suis partant, mais pas pour la discussion.

Elle lui jeta un regard ironique.

— Après presque une semaine en ma compagnie, vous ne me connaissez toujours pas ?

Elijah poussa un long soupir, plein de souffrance cette fois, et désigna la porte.

— Qui ne tente rien n'a rien.

Lindsay s'abstint d'interroger Elijah pendant qu'il engloutissait deux fournées de pancakes et six œufs au plat, puis, n'y tenant plus :

— Alors, pourquoi des gens pensent-ils que vous êtes un fauteur de troubles ?

Il étala un morceau de beurre sur sa tranche de pain bis.

— J'ai dit qu'on me surveillait, pas que j'étais un fauteur de troubles.

— OK, admit-elle en poussant sur le côté les reliefs de son petit déjeuner. Donc pourquoi vous surveille-t-on ?

Il enfourna une énorme bouchée de pommes de terre, qu'il mâcha longuement et avala avant de répondre :

— Certains trouvent que je présente tous les signes d'un Alpha.

— Alpha ? Genre, un chef de meute ? Le roi lion, maître de la jungle ? (Elle hocha la tête.) C'est évident.

Il s'immobilisa, une autre fourchetée de nourriture en suspens entre son assiette et ses lèvres.

— Merci, ça m'aide beaucoup, grommela-t-il.

— Quoi ? s'étonna-t-elle en s'appuyant au dossier de la banquette. Je ne vois pas où est le mal. C'est mieux que d'être pris pour un mâle Beta, non ? Enfin, ils ont sans doute leur charme, mais les femmes préfèrent de loin les Alphas. Rien ne vaut un beau mec sexy. On adore le style costaud, possessif, qui ne s'en laisse pas conter. Le mauvais garçon, quoi. Je peux vous assurer que ça fonctionne sur la plupart d'entre nous, et je suis persuadée que vous vous en êtes rendu compte, au cours de vos soixante-dix et quelques années d'existence.

Elijah soupira d'une façon qui laissait supposer qu'elle mettait sa patience à rude épreuve.

— Si l'on exclut les femmes, dit-il sèchement, il n'est pas bien vu de présenter les caractéristiques d'un Alpha, quand on est lycanthrope.

— Et pourquoi ça ?

Il la dévisagea longuement, comme s'il hésitait à lui expliquer.

— Normalement, les Sentinelles sont censés être les seuls Alphas. Et les lycanthropes sont censés obéir à leurs ordres, pas à ceux d'un autre lycan.

Au ton grave de sa voix, Lindsay comprit qu'il ne fallait pas plaisanter avec le sujet. Elle attendit que la serveuse, ayant rempli à nouveau leurs tasses de café fumant, se soit éloignée vers une autre table.

— Qu'arrivera-t-il si l'on estime que vous êtes un lycan alpha ? demanda-t-elle alors.

— Je serai séparé des autres et… je ne sais pas. On ne rencontre pas souvent des Alphas, j'ignore donc ce qui leur arrive. Selon certaines rumeurs, on les regroupe dans un même lieu et on les utilise à des tâches où ils n'ont pas besoin d'être sur le terrain. Comme les interrogatoires. Mais honnêtement, je ne vois pas comment ça peut fonctionner. On ne peut pas mettre ensemble un groupe d'Alphas et s'attendre à ce qu'ils se comportent comme de gentils petits gars. Enfin, c'est peut-être justement ça le but, que l'on s'entretue afin que les Sentinelles n'aient pas à se salir les mains.

— Je n'arrive pas à croire qu'Adrian cautionne ce genre de pratiques.

— Maintenant que je travaille avec lui, je ne suis pas certain qu'il connaisse très bien la manière de gérer les lycanthropes. (Il ouvrit un scone anglais et observa la quantité de beurre déjà étalée au milieu.) Il est dans le feu de l'action, bien plus qu'aucun autre Sentinelle. Il est toujours en chasse. Il n'était pas rentré chez lui depuis au moins deux semaines, quand vous nous avez vus à Phoenix. À peine quelques heures avant que l'on vous rencontre, on était en train de pourchasser un mignon qui avait mal tourné.

— Et là encore, cela fait des jours qu'il n'est pas rentré à la maison.

Elijah ouvrit deux petits pots de confiture, dont il étala le contenu sur son scone.

— Ouais. La chasse, c'est toute sa vie. Il est comme ça.

Lindsay souffla. Elle aussi était comme ça. Traquer des proies, c'était la seule vie qu'elle connaissait.

— Bon, vous allez trouver ça dingue, commença-t-elle, mais… et si vous vous associiez avec moi ? Comme chasseur de primes, par exemple. Ou détective privé. Vous continueriez à chasser. Et en plus, j'ai tellement de trucs à régler que j'accepterais volontiers un coup de main. Nous savons tous les deux que j'ai besoin d'une personne pour jouer la voix de la raison à mes côtés.

Il s'interrompit en pleine mastication et la dévisagea, avant de faire descendre sa bouchée avec un verre de jus d'orange.

— Parce que vous croyez que je peux démissionner comme ça ?

— Hé, moi aussi, il faudrait que je démissionne de mon boulot !

— La seule façon de quitter son poste auprès des Sentinelles, c'est la mort.

Lindsay sentit son pouls marquer un temps d'arrêt.

— Comment ça ? Vous seriez prisonniers ? Esclaves ?

Il se remit à manger.

— Je crois que je vais appeler un autre lycan en renfort, annonça-t-il après avoir dégluti.

— OK, vous préférez éluder la question ? Pas de problème, je finirai bien par vous tirer les vers du nez. Et pour ce qui est d'un lycan supplémentaire, faites ce qui vous semble le mieux. Vous avez toute ma confiance. Ce ne serait pas une femme, par hasard ? Je me sentirais moins gênée de vous voir obligé de me baby-sitter si au moins vous pouviez prendre un peu de bon temps.

Une lueur amusée passa dans les yeux verts. Et elle se rendit compte de ce qu'elle venait d'insinuer.

— Désolée, je ne voulais pas dire ça.

— Non, ce n'est pas une femme. C'est quelqu'un à qui un peu d'air ne ferait pas de mal non plus.

— C'est un Alpha lui aussi ?

Il secoua la tête.

— Non, Dieu merci.

Plus que ce qu'il avait dit, ce fut le soulagement dans sa voix qui donna le frisson à Lindsay.

Adrian quitta le parc national de Yellowstone à Gardiner, dans le Montana. La nuit venait de tomber. Il avait localisé Helena et Mark en début de matinée, et retenu Damien et Jason jusqu'au crépuscule, afin d'accorder aux deux amants une dernière journée ensemble.

Ses deux Sentinelles avaient obéi sans poser de questions, bien qu'ils n'aient nullement compris pourquoi ils devaient attendre. L'amour au sens humain du terme leur était inconnu. Ils n'avaient pas idée de ce besoin désespéré, de ce désir quasi douloureux, ni de la pure joie que ressentait un mortel lorsqu'il rencontrait l'autre moitié de son âme.

Adrian, au contraire, ne connaissait que trop bien ces sentiments extrêmes. Pourtant, sa relation avec Lindsay était nouvelle, à bien des égards. Il pensait à elle sans cesse, la comparant malgré lui aux incarnations précédentes de Shadoe. Il était habitué à tout recommencer depuis le début, mais il retrouvait toujours certaines constantes sur lesquelles il savait pouvoir s'appuyer. Or, Lindsay était si différente du modèle habituel qu'il avait du mal à déceler les quelques repères qui lui permettaient de dessiner les contours de leur relation. Tout était nouveau, inexploré. Et il était captivé par les émotions mercuriennes qu'elle éveillait en lui.

— Qu'est-ce que tu vas faire, capitaine ? lui demanda Damien alors qu'ils entraient à pied dans la petite ville.

— Des dispositions ont été prises pour que le lycan rejoigne la meute de Hokkaido.

— Je continue à penser que tu devrais l'abattre, déclara Jason. On ne retrouvera pas meilleure occasion de faire un exemple, avec les lycans. Tandis que là, quand ça se saura…

— Ça ne se saura pas, l'interrompit Adrian avec un regard sévère.

Il avait d'abord traqué l'autre lycanthrope d'Helena, qu'il avait attrapée – c'était une femelle – à Cedar City, à mi-chemin du lac Navajo. Le fait qu'elle ait naturellement tenté de rejoindre la meute en disait long sur son instinct de survie. Alors qu'elle avait eu l'occasion de fuir pendant que les Sentinelles étaient distraits par la désertion d'Helena, elle avait préféré se diriger vers la meute la plus proche. Sans hésitation, elle avait accepté de ne plus jamais reparler d'Helena et Mark pour le restant de ses jours. Touché par sa loyauté et son bon sens, Adrian lui avait offert de l'enrôler dans sa meute, promotion qu'elle avait acceptée volontiers. L'expérience avait appris à Adrian que l'adhésion était une bien meilleure source de motivation que la peur ou l'intimidation.

— Une fois que Mark sera au Japon et Helena à Anaheim, poursuivit-il calmement, nous oublierons tout ce qui s'est passé au cours de ces quatre derniers jours. Car personne n'a envie d'être confronté à ce qui risquerait d'arriver autrement.

Une liaison entre Sentinelle et lycan. Les deux amants qui s'enfuient ensemble. Les conséquences de ce choix. Tout. Tout serait une véritable bombe à retardement, des munitions de choix pour les mécontents. Après la vague récente d'attaques de vampires et l'infection dont il avait été témoin en Arizona et dans l'Utah, il ne pouvait risquer la moindre agitation dans les rangs des Sentinelles. L'équilibre qu'il avait réussi à préserver si longtemps s'écroulerait. S'il perdait le contrôle des Sentinelles, plus rien n'empêcherait le monde de sombrer dans le chaos.

Pour garder la chose secrète, il avait conduit jusque-là la chasse sans aucune aide technologique. En utilisant les ressources de Mitchell Aéronautique, il aurait risqué de laisser une piste menant droit à lui. Évidemment, traquer le véhicule de location d'Helena grâce à son GPS aurait permis de la localiser plus vite, mais il n'était pas pressé. Il pouvait bien lui accorder quelques jours de bonheur – à supposer qu'elle puisse en trouver dans pareilles circonstances –, c'était une mince concession. Et la seule qu'il puisse s'autoriser. Plus elle passait de temps en cavale, et plus la situation deviendrait instable.

— Helena et toi, vous ne pouvez pas être les seuls à nouer des liens sentimentaux, remarqua Jason.

— Non.

Tout semblait se compliquer en même temps. À moins qu'il n'ait cette impression parce qu'il était encore sous le coup de la décision prise par Lindsay de le quitter. Elle faisait preuve d'abnégation pour lui, alors il devait au moins essayer d'en faire autant pour elle. Ce qui signifierait peut-être la laisser partir.

— Ça ne te surprend pas, quand même ? reprit Jason. On est sur cette mission depuis des lustres.

— Ce qui me surprend, c'est que ça ait mis aussi longtemps à sortir.

Adrian regarda Damien, qui haussa les épaules dans un geste désinvolte. Autant dire qu'il se refusait à confirmer ou infirmer son opinion.

— Mais bon, quels autres choix avons-nous ? Manquement au devoir ? La perte de nos ailes ? Nous en prendre aux mortels, alors que nous avons justement été créés pour les protéger ? Qui veut vivre ce genre de vie, bordel ?

Damien poussa un soupir bruyant.

— Tu devrais poser la question aux Déchus.

Ils traversèrent Gardiner, poursuivirent en direction des baraques de location où Helena se terrait. Adrian les avait repérés depuis les airs, en les survolant pendant la nuit, elle et son lycanthrope, puis suivis le long des rues sinueuses, à travers les villages, jusqu'à ce qu'ils s'arrêtent à l'approche de l'aube.

Il plongea la main dans sa poche et empoigna son portable. Si seulement il pouvait appeler Lindsay, lui parler. Son cœur de mortelle ne comprendrait peut-être pas pourquoi il devait séparer deux amants, mais ce même cœur comprendrait que ça le tuait de le faire. Elle ne verrait pas sa compassion comme une faiblesse. Et même si elle contestait les décisions qu'il était forcé de prendre, le son de sa voix et ses réactions toujours si vives suffiraient à l'apaiser. Ça lui donnerait la force d'infliger tant de souffrance à une amie qu'il adorait.

Soudain, son téléphone vibra, et il resserra machinalement son étreinte, surpris. Il ralentit le pas. La force de son désir pour elle s'était peut-être transmise à Lindsay, et elle avait fini par succomber à son envie de l'appeler...

Le numéro affiché à l'écran lui indiqua que l'appel provenait d'Angels'Point. Il décrocha.

— Il se peut qu'on ait un problème, annonça Oliver sans préambule.

Adrian s'immobilisa. Si Oliver parlait de « problème », c'est que c'en était vraiment un.

— Qu'est-ce qui se passe ?

— Je viens de parler avec Aaron. Il était en Louisiane, à la poursuite d'un vampire que nous traquions. Ils sont tombés dans une embuscade, tendue par Vashti et deux de ses capitaines. Aaron a été blessé, assez gravement pour qu'il soit hors d'état durant un moment. Il n'a pas la moindre idée de ce qui est arrivé à ses lycans, pendant qu'il se régénérait. Ça fait trois jours qu'il les cherche.

En jetant un coup d'œil vers Jason et Damien qui entendaient parfaitement la conversation, Adrian vit son propre désespoir se refléter sur leur visage. Trop. Trop vite. Comme des dominos, tout s'écroulait en cascade, à une vitesse folle.

— Tu as envoyé quelqu'un pour le récupérer ? s'enquit Adrian.

— Oui, mais après Phineas et l'attaque que tu as subie, j'ai pensé que tu voudrais savoir que Vashti en avait après les lycans, en fait.

— Est-il possible que ce soient eux, les responsables de la mort de Charron ?

— J'y ai pensé. Mais non : ils sont trop jeunes tous les deux.

— Tiens-moi au courant.

Adrian raccrocha et se remit en marche, aiguillonné par un besoin pressant de rentrer chez lui. Là au moins, il pourrait se recentrer et préparer son offensive. Tout ce qu'il espérait, c'était que les informations récoltées ces dernières semaines l'aideraient à comprendre enfin ce qui se passait et pourquoi tout avait tourné au vinaigre en quelques jours.

— Bon, allons-y et qu'on en finisse, lança-t-il à Jason et Damien.

Quand ils approchèrent de la cabane, il libéra ses ailes, reconnaissant immédiatement l'odeur métallique qui lui chatouillait les narines. On ne voyait pas la moindre lumière à l'intérieur, ce qui ne fit qu'augmenter son mauvais pressentiment. Il parcourut la distance qui le séparait de la porte en courant, libérant la serrure avant de tourner la poignée. L'odeur atroce de sang congelé le frappa en plein visage, l'obligeant à reculer d'un pas. Bien qu'il n'en eût pas besoin pour y voir clair, il fit s'allumer les lumières.

Le carnage qui se révéla à ses pieds était plus horrible encore sous l'éclairage cru des néons. Avec un juron, Adrian détourna la tête.

À son tour, Jason pénétra dans la pièce et s'immobilisa.

— Putain ! haleta-t-il, avant de faire demi-tour pour se précipiter dehors.

Damien entra à sa suite. Une brusque inspiration trahit son désarroi et le choc qui venait de le frapper, mais il resta aux côtés d'Adrian, examinant la pièce pour assimiler en détail le sinistre tableau.

Conscient qu'il devait transmettre des forces à ses deux Sentinelles, Adrian passa les mains sur son visage et roula les épaules. Prenant bien soin de n'inspirer que par la bouche, il s'obligea à regarder de nouveau à l'intérieur. Sa vision d'une aile gisant au sol devint floue, avant de se préciser à nouveau alors que les larmes coulaient sur ses joues. Les autres ailes étaient éparpillées à travers la pièce, comme si on les avait jetées là tels de vulgaires détritus. L'une d'elles pendait de la tête du lit, ses douces teintes rose et gris à présent maculées de sang. On les avait arrachées du dos d'Helena, laissant deux rangées de trois moignons qui déformaient son échine gracieuse.

La Sentinelle déchue était allongée sur le lit, ses yeux aveugles tournés vers la porte, ses cheveux dorés lui collant aux joues, agglutinées par la sueur et le sang séchés. Son lycan était affalé par terre au pied du lit, présentant deux traces de morsure encore béantes. À en juger pas la pâleur spectrale de sa peau, il ne restait probablement pas une goutte de sang dans le corps de Mark.

— Quelle horreur ! gronda Adrian, bouleversé par le gâchis, le malheur absolu qui se dégageait de la scène.

Damien se tourna vers lui.

— Pourquoi est-ce que ça n'a pas marché ?

— Pourquoi aurait-ce dû marcher ? Elle n'avait pas été punie. Ses ailes lui ont été arrachées par son amant lycan, pas par un Sentinelle. Et il a été mordu par...

Il s'approcha du cadavre d'Helena, dont il découvrit les dents pour les observer longuement.

— Ses canines ne se sont pas allongées, constata-t-il.

— Peut-être se sont-elles rétractées vu qu'elle n'a pas complètement déchu ?

Adrian leva les yeux vers le ciel. Un chagrin brûlant lui coulait dans les veines. Il passa les doigts dans la chevelure jadis si chatoyante d'Helena. C'était plus qu'une amie, c'était la preuve vivante que l'échec n'était pas inévitable. Qu'il était possible, s'ils se montraient suffisamment forts, d'accomplir leur mission sans pour autant abandonner leur foi. À présent, cet espoir-là était à jamais perdu, abîmé dans une mort douloureuse en même temps qu'une Séraphine dont le cœur avait été si pur que seul l'amour avait pu le détruire.

Pour la première fois, il songea que les Sentinelles n'avaient peut-être pas été mis à l'épreuve, mais plutôt utilisés comme cobayes pour répondre à une question cruciale : la chute des Veilleurs était-elle inévitable ?

— Tu as raison, capitaine, jeta Jason depuis le porche. Il ne faut pas que tout ça se sache. Jamais.

Damien passa une main tremblante dans ses cheveux bruns.

— On doit nettoyer cet endroit.

Les poings serrés sur les hanches, Adrian ne pouvait détacher le regard du carnage. Il ne s'agissait pas uniquement de deux vies perdues. Une Séraphine s'était volontairement mutilée, dans l'espoir de déchoir. Puis elle avait essayé de transformer son lycan. S'ils avaient réussi, ils seraient tous deux des vampires, à présent. Un nouveau type de vampires. Et ils auraient ouvert la voie à d'autres, qui auraient essayé de les imiter. La simple connaissance de leur acte renfermait une puissance incommensurable.

— Quelque chose a déraillé ici, songea-t-il tout haut. Peut-être que l'ingestion du sang de lycan a précipité sa chute. Peut-être que sa transformation à lui aurait réussi si elle lui avait donné son sang plus tôt. Ou bien peut-être que l'opération ne pouvait pas marcher de toute façon. On ne le saura pas tant que quelqu'un d'autre n'aura pas essayé. Peut-être même faudra-t-il plusieurs tentatives. En tout cas, quelles que soient les possibilités que cet acte désespéré puisse inspirer à d'autres, elles doivent mourir ici, avec eux.

Malgré son assurance, et sa détermination à faire le nécessaire, Adrian savait pertinemment qu'en réalité, l'idée resterait en suspens, latente jusqu'à ce qu'un autre esprit fertile la conçoive de nouveau.

Il le savait d'autant mieux que cette idée avait été la sienne, en des temps très lointains.

Et pas si lointains.

16

— Elle est ici, à Anaheim.

Torque se protégea les yeux lorsque les phares d'une voiture se garant sur le parking du motel balayèrent sa chambre au rez-de-chaussée.

— Mais Adrian est parti depuis presque un mois, poursuivit-il. Hormis sa visite d'une nuit, il y a un peu plus d'une semaine, où il a été vu en sa compagnie, rien.

— Alors ça ne peut pas être Shadoe, conclut Syre avec regret.

— Je n'en suis pas si sûr. Elle a quand même un lycan comme garde du corps. Si elle quitte son hôtel, pour quelque raison que ce soit, ce qui est rare, il l'accompagne. Adrian ne veut peut-être pas la mettre en danger pendant qu'il chasse.

— Il la laisse seule avec un garde ? Loin d'Angels'Point ?

— Elle travaille pour Raguel et vit sur l'une de ses propriétés. On n'a pas besoin d'une protection renforcée, quand on se blottit sous l'aile d'un archange.

Torque fronça les sourcils en entendant le bruyant soupir par quoi son père révélait toute son agitation et sa frustration. Il ne se serait pas attendu à ça, à propos de la possible réincarnation de Shadoe.

— Qu'est-ce qui ne va pas ? Tu ne me dis pas tout ?

— Tu te souviens de ce qu'Adrian a dit au sujet de Nikki ? De son apparence et de son attitude ?

— Comme si je pouvais oublier un ramassis de mensonges pareil.

— Torque… (Syre marqua un silence pesant.) J'ai reçu deux rapports mentionnant la même chose. Émanant de nos propres rangs.

— Ils disaient quoi, exactement ?

— Ils parlaient de maladie. D'infection. Tu n'as rien entendu ?

— Non. Mais ici, la cabale est discrète, ce qui garantit son succès. Ils restent entre eux et se concentrent sur la surveillance d'Angels'Point.

La troupe d'espions d'élite de Torque, connue aussi sous le nom de *kage*, comprenait quelques-uns de ses mignons les plus dignes de confiance. De ceux qui exécutaient les ordres sans discuter et le respectaient profondément en tant que fils de Syre.

— De quel genre d'infection s'agit-il ?

— Du genre qui provoque des agressions gratuites et une soif irraisonnée. La description d'Adrian, quand il a parlé de bouche écumante et d'yeux injectés de sang, a été corroborée.

Torque s'affala sur le bord du lit, le cœur battant de plus en plus vite.

— Nikki n'avait disparu que depuis deux jours…

À l'autre bout du fil, il entendit craquer le fauteuil de son père, confortable et usé par les années.

— Si d'ici la fin de la semaine tu n'as pas réussi à établir de façon formelle l'identité de cette femme, je veux que tu rentres à la maison. Car à supposer que cette infection ait tourné à l'épidémie, on est

peut-être face à une guerre imminente avec les Sentinelles. Il faut nous y préparer.

Une jeune famille de touristes passa devant la fenêtre de Torque, riant et discutant bruyamment malgré l'heure avancée. Il détourna la tête pour éviter de
voir ce bonheur simple qu'il ne connaîtrait jamais, et
regarda le réveil sur la table de chevet.

— Je crois qu'il est encore plus important pour
nous que je découvre la véritable identité de cette
femme. Réfléchis, papa. Et si Adrian était derrière
tout ce qui est en train de se passer ? S'il avait délibérément mis en scène ces agressions pour se donner le
prétexte de t'attaquer ? Cela prend tout son sens si la
blonde est Shadoe.

— Blonde ?

La douleur qu'il perçut dans la voix de son père lui
glaça les sangs. Si cette femme était bien sa sœur, ils
étaient des jumeaux aussi dissemblables que
possible.

— Oui. Et dire que moi je me teins les cheveux
pour faire croire qu'ils sont blonds ! Quelle ironie !
Bref, j'ai un entretien d'embauche avec elle demain,
on verra bien ce qui en ressort. C'est pour ça que je
t'ai demandé de m'envoyer du sang déchu, cette nuit.
Je vais avoir besoin de sortir au grand jour.

— Il est arrivé ?

— Oui, je l'ai bien reçu.

— Vashti devrait être de retour sous peu, si tu as
besoin de plus. J'attendrai vos rapports à tous les deux.

Torque était fatigué d'attendre.

— Je te recontacte dès que possible. En attendant,
pense à la possibilité que ce soit Adrian qui orchestre
les attaques et la maladie.

— Il ne serait jamais allé jusqu'à tuer Phineas. Ils
étaient comme des frères, tous les deux.

— Les gens sont prêts à sacrifier beaucoup, papa, quand ils sont vraiment désespérés. Ça ne peut pas être une coïncidence que le kidnappeur de Nikki, que Vashti a suivi, l'ait conduite justement jusqu'à Angels'Point. Pendant que tu examineras les rapports sur le nombre de mignons malades, vois si tu trouves la trace d'enlèvements de vampires. (À la fois très las et irrité par l'odeur chimique de la coloration capillaire, Torque se passa une main sur le visage.) À mon avis, ce que tu entends ne sont que des rumeurs soigneusement propagées, mais s'il y a une once de vérité là-dedans et qu'Adrian est impliqué, il a bien fallu qu'il kidnappe des vampires pour les contaminer. Et dans ce cas, il y a forcément quelqu'un qui pleure la perte d'un parent disparu. Tout comme je pleure celle de Nikki.

Elle lui manquait tant que ça le dévorait tout cru. À l'intérieur, il avait l'impression de hurler à travers une vitre insonorisée.

— Je vais me pencher là-dessus, fils. Comme toujours, j'apprécie tes conseils.

— Merci, mais tu sais, je préférerais que nous ayons d'autres sujets de conversation...

Lindsay leva les yeux vers la pendule murale. Il lui restait quinze minutes avant son prochain entretien. Même si elle savait qu'elle s'en abstiendrait, le besoin la taraudait d'appeler Adrian. Le coup de fil qu'elle venait de passer, au forgeron qui façonnait ses couteaux à lancer, lui donnait une folle envie d'entendre la voix profonde de son ange. Elle resta un instant à faire tournoyer son portable sur le bureau, et soudain il sonna. Quand elle découvrit le nom d'Adrian sur l'écran, elle décrocha à la vitesse de l'éclair.

— Salut ! répondit-elle trop vite. Les grands esprits se rencontrent.

— Lindsay, fit-il dans un souffle. J'avais besoin d'entendre ta voix.

Son sourire disparut immédiatement.

— Qu'est-ce qui ne va pas ?

— Tout. Rien. J'ai... j'ai perdu une Sentinelle la nuit dernière.

— Oh, Adrian !

Elle s'adossa à son siège. Sachant le prix immense qu'il accordait à sa mission et à son engagement auprès de ses Sentinelles, il devait être dévasté.

— Je suis tellement désolée pour toi, reprit-elle. Tu veux en parler ?

— Elle s'est tuée elle-même, mais parce que je l'ai placée dans une situation où elle n'avait pas d'autre choix que de prendre un risque fatal pour être heureuse. Du moins, à ses yeux. Et elle l'a payé de sa vie.

— Elle avait le choix, contra Lindsay. Ce n'est pas ta faute si elle a fait celui-ci.

Il lâcha un léger soupir dans l'appareil.

— Tu crois au commandement par l'exemple ?

— Oui.

— Dans ce cas, ma culpabilité est avérée. Et honnêtement, j'envie sa force mentale. Je me suis trouvé confronté au même choix qu'elle. Je n'ai pas eu, je n'ai toujours pas le courage de faire ce qu'elle a fait.

La neutralité de sa voix était encore plus alarmante que s'il avait eu l'air bouleversé.

— Elle est morte. Ce n'est pas du courage, c'est de la folie. Adrian, tu dois rentrer à la maison. Tu es parti depuis bien trop longtemps et tu es épuisé. Tu as besoin d'une pause.

— J'ai besoin de toi.

De sa main libre, elle s'accrocha à l'accoudoir de son siège. Elle ne pouvait s'empêcher de vouloir devenir l'amie dont il avait besoin. Pas plus qu'elle ne pouvait s'empêcher de vouloir lui parler de son nouveau travail, de ses armes, de sa journée... de tout et de rien. Parce qu'elle l'avait dans la peau. Et elle était certaine que la réciproque était vraie.

— Tu sais où me trouver, répondit-elle.

Il lui dit au revoir et elle raccrocha, le cœur lourd d'inquiétude.

Les rêves de lui qui la hantaient chaque nuit entretenaient la connexion entre eux. Elle avait presque l'impression de le voir tous les jours, comme s'ils n'avaient pas été séparés depuis Las Vegas.

La nuit précédente, elle avait rêvé qu'ils faisaient l'amour dans un carrosse tiré par des chevaux. Ils étaient en costumes, cela ressemblait aux adaptations des romans de Jane Austen qu'elle avait vues au cinéma. Elle était montée sur ses genoux, relevant des mètres de jupes et de jupons pendant qu'il déboutonnait ses hauts-de-chausses. Alors qu'elle engloutissait sa magnifique érection dans son sexe humide de désir, il lui prenait le visage entre les mains et l'embrassait, ébouriffant ses cheveux relevés et libérant quelques longues mèches brunes. Puis il l'agrippait fermement par les hanches pour s'enfoncer plus loin en elle, avec une férocité à peine retenue. Il l'avait conduite à l'orgasme avec une détermination forcenée, les yeux brillants d'une flamme bleue surnaturelle alors qu'il susurrait :

— *Ani ohev otach, tzel.*

« Je t'aime, Shadoe. »

Lindsay était effrayée de comprendre soudain une langue dont elle ne savait rien. Et perturbée à la fois par les grandes différences entre chacun de ses rêves

– des lieux exotiques et un vaste spectre de costumes issus de toutes les époques – et par la similitude indéniable dans leur répétitivité. Adrian était toujours avec elle, toujours amoureux d'elle, et elle était chaque fois insatiable. Le temps qu'ils passaient ensemble était systématiquement assombri par un profond désespoir et par sa féroce détermination à le conquérir coûte que coûte. Toujours, elle se voyait en femme amoureuse d'Adrian, mais ignorant royalement les conséquences de ses actes. Et pourtant, elle n'était jamais la même femme. Son apparence physique, sa culture, sa langue et ses origines, tout cela changeait.

Lindsay se redressa et inspira profondément pour s'éclaircir les idées. Plus les jours passaient et plus elle s'éparpillait. Elle avait beau vaquer à des occupations variées, elle se trouvait incapable de se concentrer. Il fallait qu'elle reprenne la chasse. Tant qu'elle n'aurait pas signé la paix avec son passé, il n'y aurait pas de répit pour elle dans le présent.

Le téléphone du bureau bipa, indiquant que son prochain candidat était arrivé. Un instant plus tard, un beau jeune homme de type asiatique apparut derrière la porte vitrée.

Elle lui fit signe d'entrer en souriant, et il s'exécuta d'un pas rapide et confiant.

— Bonjour, dit-elle en se levant, non sans avoir jeté un rapide coup d'œil à sa lettre de motivation pour repérer son nom.

Kent Magus. Ça sonnait bien. Quand ils se serrèrent la main, elle sentit immédiatement un feeling particulier pour lui, un feeling étonnant. Il n'était pas humain, et pourtant ses cheveux ne se dressaient pas non plus sur sa tête à son contact. Il portait une paire de Dickies kaki et amples, avec une chemisette noire

à manches courtes. Son sourire était large et char-
mant, sa poignée de main sèche et ferme.

Bon ou mauvais, elle n'aurait su le déterminer, tant
elle était frappée par le sentiment envahissant qu'ils
s'étaient déjà rencontrés. Déjà parlé.

— Je vous en prie, monsieur Magus, prenez place.
Il attendit qu'elle s'asseye avant de l'imiter.

— Le Belladonna est vraiment impressionnant.

— N'est-ce pas ?

C'était d'ailleurs un constat qui ne cessait de raviver son mal-être. Elle avait obtenu un poste fabuleux,
de ces opportunités que l'on ne vous offre qu'une fois
dans une vie, et pourtant elle ne l'appréciait pas à sa
juste valeur.

— Vous candidatez pour le poste de réceptionniste
de nuit.

— C'est exact.

— Je vous avoue que vous êtes bien trop qualifié.

— J'espère des possibilités d'avancement…

Lindsay agrippa les accoudoirs de son siège. La
sensation de déjà-vu, particulièrement forte en présence de cet être, faisait bouger la pièce autour d'elle.
L'adresse qu'il avait renseignée sur son formulaire
indiquait la Virginie, un État qu'elle avait souvent
traversé en voiture. Il n'était donc pas impossible
qu'ils se soient croisés à une station-service ou dans
un restaurant d'autoroute. Elle cligna les yeux pour
effacer les taches noires qui dansaient devant elle,
puis obligea son cerveau à fonctionner pleinement,
au prix d'un puissant effort de concentration.

Kent portait ses cheveux courts. Comme les siens,
ils étaient d'une longueur égale partout. Il était aussi
très grand, avec de larges épaules et des biceps
impressionnants, sans être pour autant taillé comme

278

un lycanthrope. Il faudrait qu'elle demande à Elijah de le lui classifier.

— Il y a de la place pour une progression, c'est certain, l'assura-t-elle. J'ai noté que vous veniez d'arriver dans la région. Je vous avoue être un peu inquiète concernant votre acclimatation. La côte Ouest est si différente de la côte Est.

— Vous êtes souvent allée sur la côte Est ?

— Je viens juste de m'installer ici, je suis de Caroline du Nord. (Incapable de se débarrasser de son étourdissement, elle se leva.) Puis-je vous offrir un peu d'eau ?

Il se redressa en même temps qu'elle, montrant la galanterie qu'elle attendait de tout homme mais n'avait malheureusement pas souvent rencontrée chez les candidats qu'elle interviewait depuis deux jours.

— Non, merci, répondit-il. Nous étions presque voisins, alors.

Elle sortit une bouteille d'eau du minibar aménagé dans la bibliothèque derrière son bureau, rassurée de constater qu'elle se sentait un peu moins désorientée debout. Mais alors qu'elle avalait une longue gorgée d'eau, elle remarqua une alliance à son annulaire. Un non-humain marié. Voilà qui était surprenant.

— Les horaires sont 23 heures-7 heures du matin, du mardi au samedi. Cela ne vous pose pas de problème ?

— Pas du tout, je suis un oiseau de nuit.

— Et votre épouse ?

Elle ne voulait pas se montrer indiscrète, mais elle n'allait pas former un réceptionniste de nuit pour le perdre au bout de quelques semaines.

Tout le charme et le sourire disparurent du visage de Kent. Ses beaux yeux d'ambre révélèrent une profonde tristesse.

— Ma femme est décédée il y a peu.

D'après son formulaire, il avait vingt-six ans. C'était bien trop jeune pour subir une telle perte. Enfin, bon, il avait peut-être des milliers d'années en réalité, comme Adrian. Ou au moins quelques dizaines d'années, comme Elijah.

— Je vous présente toutes mes condoléances.

Il hocha brièvement la tête.

— Je souhaite commencer une nouvelle vie, dans une nouvelle ville et avec un nouveau travail qui m'occupe la nuit. Si vous m'embauchez, je vous promets que vous ne le regretterez pas.

Lindsay prit une profonde inspiration. Peu lui importait quelle sorte d'être il était, elle éprouvait de la sympathie pour Kent Magus. Elle savait combien les nuits peuvent être longues lorsqu'on pleure un être cher. La journée, il était facile de s'occuper, mais le soir, on retrouvait en général sa famille, on partageait un peu d'intimité autour du dîner, des programmes préférés à la télévision. Tous les petits rituels avant de se coucher.

La confiance et la dignité qu'il affichait étaient des traits de caractère qu'elle admirait énormément, et sa motivation tendait à montrer qu'il se donnait à fond dans tout ce qu'il entreprenait. Peut-être aussi, elle devait bien le reconnaître, qu'elle l'appréciait parce qu'il était « autre chose » et avait néanmoins aimé, perdu et pleuré un être cher, tout comme elle. Tout comme Adrian. Son ange était la preuve vivante que toutes les créatures surnaturelles n'étaient pas forcément mauvaises.

— Quand pouvez-vous commencer ? s'enquit-elle.

Le sourire réapparut sur le visage de Kent.

— Quand vous voulez, je suis à vos ordres, mademoiselle Gibson.

— Appelez-moi Lindsay.

À l'instant où Lindsay repéra Elijah qui l'attendait dans le vaste hall du Belladonna, elle sut que quelque chose n'allait pas. Ça se voyait à la façon dont il se tenait, les épaules raides, et à ses lèvres serrées. En plus, il faisait les cent pas – ou plutôt, il rôdait telle une panthère nerveuse. Non. Tel un loup.

Son estomac se serra.

— Qu'y a-t-il ? C'est Adrian ?

Il secoua la tête, les mains aux hanches. Un grondement sourd monta de sa poitrine.

— Vous vous rappelez cet ami dont je vous ai parlé ? Celui que je souhaitais faire transférer pour qu'il travaille avec moi ?

— Oui.

— Eh bien, il était parti chasser en Louisiane, juste avant que nous allions dans l'Utah. Je viens d'apprendre qu'il avait disparu et qu'il venait juste de réapparaître, cet après-midi.

— Il va bien ?

Elle serra les bras autour de sa poitrine. Décidément, les coups continuaient à pleuvoir de tous les côtés pour Adrian. Elle en souffrait avec lui.

— Il est à demi mort, à ce qu'on m'a dit. Et il demande à me voir. (Son regard émeraude observait Lindsay, perçant.) J'ai besoin que vous restiez tranquille. Ne quittez pas l'hôtel tant que je ne serai pas revenu ou que je ne vous aurai pas envoyé quelqu'un d'autre pour vous surveiller.

— Je veux venir avec vous, El. Je ne veux pas vous laisser y aller seul, et je sais que vous ne voulez pas que je reste seule ici. Car vous seriez doublement inquiet : pour moi et pour votre ami.

— Je n'osais pas vous le demander, admit-il d'un ton bourru. Micah est à Angels'Point.

Le souffle de Lindsay s'accéléra quand elle se remémora le matin où Adrian l'avait emmenée voler au-dessus des collines qui entouraient sa maison. Son corps réagit malgré elle à ce souvenir, comme si elle le vivait à nouveau. Le vent était heureux, ce jour-là, il sifflait avec une joie qu'elle avait rarement ressentie. À moins que ça n'ait été que le reflet de sa joie à elle.

Soudain, l'odeur dégagée par les énormes bouquets de fleurs qui ornaient le hall devint écœurante. Le haut plafond semblait l'écraser. Tout dans l'hôtel la prenait au piège. Non, elle ne pouvait pas rester ici. Elle avait beau essayer, faire de son mieux, elle resterait toujours inadaptée au monde « normal ».

— Il n'y a pas de problème, affirma-t-elle, autant pour lui que pour s'en convaincre elle-même. Et si vous avez besoin d'une autre bonne excuse pour m'emmener, je vous rappelle que je dois récupérer ma valise, de toute façon. Le moment est venu de le faire.

Elijah opina du chef.

— Vous voulez vous changer ou prendre quelques affaires ?

— Oui aux deux questions, mon capitaine.

Quinze minutes plus tard, ils grimpaient dans la Prius hybride bleu poudré. Sa voiture leur avait été livrée la veille par le service de transport de véhicules. Même avec le siège reculé au maximum, Elijah occupait tout l'espace dans l'habitacle. Lindsay s'en voulait de le faire voyager aussi inconfortablement, mais elle aimait bien sa petite auto. Elle avait dit à Adrian que, si elle n'avait pas l'intention de sauver le monde, elle essayait néanmoins de ne pas le polluer plus que nécessaire ou de le vider de ses ressources naturelles.

Ils prirent la route. Elijah se révéla un parfait copilote, lui indiquant où tourner assez tôt pour qu'elle ait le temps de manœuvrer entre les files.

— Vous êtes nerveuse, remarqua-t-il quand, pour la énième fois, elle s'essuya la paume sur son jean.

— Je pense à toutes les horreurs qui se sont produites depuis que je vous ai rencontrés, Adrian et vous. Ça fait beaucoup, non ?

— On est toujours très occupés, mais c'est vrai que ces temps-ci, c'est particulièrement intense.

— Bon Dieu ! soupira-t-elle. J'en suis malade pour Adrian. Il a perdu trop d'amis récemment, et il n'a même pas le temps de faire son deuil que tout continue à s'écrouler au même moment.

— Les humains ne s'accouplent pas aussi vite.

Elle lui jeta un regard perplexe.

— Je ne suis pas sûre de comprendre où vous voulez en venir, mais je dois m'inscrire en faux. Vous n'avez jamais entendu parler des histoires d'une nuit ? Certains mortels s'accouplent, comme vous dites, après quelques minutes de rencontre.

— Je ne parlais pas de s'accoupler au sens de baiser, la corrigea-t-il sèchement. Plutôt au sens de risquer sa vie pour l'autre.

— Mais je prendrais une balle pour vous sauver, El. Et pourtant, même si vous êtes hyper sexy, je n'ai pas envie de m'accoupler avec vous.

— Vous êtes complètement folle, vous savez ?

Elle haussa les épaules.

— Et puis, vous êtes mon ami. Alors, on est quoi, vous et moi ?

Il observa son profil un long moment, puis finit par tourner la tête vers la fenêtre passager.

Alors qu'ils entamaient la montée vers Angels'Point, le portable de Lindsay sonna. Elle le sortit du porte-gobelet où elle l'avait déposé et finit par trouver comment mettre le haut-parleur en marche.

— Papa, comment va ?

— Tu me manques. Et toi, ça va ?

— Je m'occupe. J'embauche du personnel pour l'ouverture de l'hôtel et j'essaie d'éviter les ennuis.

— Comment va Adrian ?

Au souvenir de la lassitude dans la voix de son ange, quand ils s'étaient parlé un peu plus tôt, elle soupira.

— Il traverse une période difficile.

— Pourtant tu restes avec lui. Voilà qui est de bon augure, ça prouve que c'est du sérieux, entre vous.

Après un coup d'œil en direction d'Elijah, Lindsay décida d'avouer la vérité, sachant que les deux hommes prenaient ses intérêts à cœur.

— Ben, en fait, j'ai un peu mis le holà.

— Pourquoi ?

Contrairement à celle d'Adrian, la voix d'Eddy Gibson exprimait clairement ses sentiments. En l'occurrence, sa déception était évidente.

— Il se trouve que nous sommes… incompatibles.

— C'est lui qui t'a dit ça ?

Là, il était furieux.

— Non, non, se reprit-elle illico. Lui, il veut que l'on se donne une chance. C'est moi qui vois venir les ennuis, alors je préfère ralentir maintenant, avant qu'on soit tous les deux trop investis.

— Tu l'es déjà, ma puce, contra-t-il. Sinon, tu ne te soucierais pas des problèmes à venir.

Elle fit la moue.

— Hum…

— Toute ta vie tu as gardé tes distances avec les hommes, ce qui m'arrangeait bien, d'ailleurs, quand tu étais plus jeune. Ensuite, je me suis dit que si tes petits amis en avaient valu la peine, ça n'aurait pas été aussi facile de les quitter. Sauf que quitter Adrian, c'est loin d'être facile, je me trompe ?

— Papa, tu peux arrêter de me psychanalyser ? Recommence à sortir et à voir des femmes, ensuite on en reparlera, OK ?

— Justement, c'est à ce sujet que je t'appelais. J'emmène quelqu'un dîner au restaurant, ce soir.

Les mains de Lindsay se crispèrent sur le volant. L'espace d'un instant, elle ne sut pas trop quoi en penser. Des émotions contradictoires s'affrontaient en elle, mélange de surprise et de crainte, de désarroi et de peine, de bonheur et d'excitation.

— Lindsay ?

— Oui, papa. (Sa voix était trop rauque, elle s'éclaircit la gorge.) Et qui est la veinarde ?

— Une nouvelle cliente, qui est venue au garage aujourd'hui. Je lui ai fait sa vidange, et elle m'a invité à sortir.

— Je l'aime déjà. C'est visiblement une femme intelligente et qui a très bon goût en matière d'hommes.

Il éclata de rire.

— Tu es sûre que ça ne te pose pas de problème ?

— Certaine, mentit-elle. Je t'en voudrais à mort si tu n'y allais pas. Et tu as plutôt intérêt à passer une bonne soirée, hein ? Tiens, mets la chemise et le pantalon que je t'ai offerts pour ton anniversaire.

— OK, OK, j'ai saisi le message : vas-y, amuse-toi et ne t'habille pas comme un plouc. Mais toi aussi, fais-moi plaisir, veux-tu ? Donne une autre chance à Adrian. Une vraie chance.

Elle poussa un grognement.

— Tu ne comprends pas.

— Écoute, insista son père en prenant sa voix sévère. Adrian Mitchell est un grand garçon. Il est capable de s'occuper de lui. S'il ne voit pas de problèmes à te fréquenter, n'en crée pas pour lui. Tu mérites d'être heureuse, Linds. Et puis, toute relation comporte son lot de risques. Je sais, ça fait longtemps que je n'ai pas mis les pieds dans le grand bain, mais toi, jamais tu ne t'es lancée, alors... Je crois qu'il est temps que tu tentes le grand plongeon.

— Je t'adore, papa, mais tes métaphores, elles sont trop nulles.

— Ah ! Je t'adore aussi, ma puce. Sois sage.

— Je veux un rapport circonstancié dès demain, l'avertit-elle.

— Comme si j'allais te raconter mes histoires de cœur. Allez, à plus tard, ma chérie.

Tout en coupant la communication, Lindsay jeta un œil en direction d'Elijah, qui soutint son regard. Enfin, son père commençait à sortir de sa torpeur. Elle aurait cru que la nouvelle la ravirait, et pourtant... C'était puéril de sa part, mais elle n'y pouvait rien : une partie d'elle avait le sentiment que son père oubliait sa mère. Chose dont Lindsay n'était pas encore capable, elle.

— Vous êtes proche de votre père, remarqua Elijah.

— Je n'ai que lui et il n'a que moi, si ça vous évoque quelque chose.

— Ça explique pourquoi Adrian a envoyé des lycans pour le protéger, fit-il en hochant la tête.

Le pied de Lindsay dérapa sur l'accélérateur.

— Quoi ? Pourquoi ça ?

— Adrian a assigné des lycans à la garde personnelle de votre père. Je ne savais pas pourquoi, mais maintenant je comprends. Il fait ça pour vous, parce que votre père compte beaucoup pour vous.

— Quand est-ce qu'il a commencé à le faire surveiller ?

— Depuis son séjour à Las Vegas.

Elle accentua un peu la pression sur la pédale. Peut-être serait-il plus prudent qu'elle ne soit pas au volant en un moment pareil…

— Mais pourquoi mon père aurait-il besoin de gardes du corps ?

— Toute personne qui compte pour Adrian court le danger d'être utilisée contre lui.

S'en prendre à son père la toucherait elle, et par voie de conséquence, cela toucherait Adrian.

— Si quoi que ce soit devait lui arriver…

— Ne vous inquiétez pas, l'interrompit Elijah avec un sourire rassurant. Adrian m'a demandé de former l'équipe et j'ai réuni les meilleurs de la meute. Il est en sécurité, avec eux.

Si elle n'avait pas été en train de conduire, elle l'aurait volontiers embrassé.

— Merci.

— De rien. Vous devriez plutôt remercier Adrian.

— Oui, répondit-elle d'une toute petite voix.

Elle se radoucit encore un peu plus. La chute d'Adrian n'était pas le souci, en cet instant : c'était la sienne, de chute, qui était imminente.

— Je devrais le remercier, en effet. Je vais le faire. Merde, tout est si compliqué.

— Ouais, vous pouvez le dire.

Ce qui la ramenait justement à la raison pour laquelle ils se rendaient à Angels'Point.

— Vous savez ce qui est arrivé à votre ami ? Où il était passé pendant sa disparition ?

— Il est tombé dans une embuscade après laquelle il a été laissé pour mort. Ça lui a pris deux jours pour rejoindre l'autoroute, et c'est là qu'il a été retrouvé.

— Doux Jésus ! souffla-t-elle. C'était un coup des vampires ?

Elijah hocha brièvement la tête et lui indiqua de tourner à gauche au prochain embranchement.

— Ces enfoirés, je voudrais tous les tuer.

Au moment où elle prononçait ces mots, la profonde haine qu'ils contenaient la surprit elle-même. Sa vie avait tellement changé, ces dernières semaines. À présent, les vampires faisaient du mal à ses amis, et à cause d'eux, elle ne pourrait jamais avoir Adrian. Elle ne voyait pas une seule raison valable pour qu'on leur donne le droit de vivre. Ils étaient de la même espèce que les mouches ou les moustiques : des parasites dégoûtants, inutiles et suceurs de sang, que tout le monde préférerait voir morts.

Elle s'arrêta devant le portail en fer forgé, près de la guérite du gardien d'Angels'Point. Dès qu'il aperçut Elijah, celui-ci leur ouvrit. C'était le milieu de l'après-midi. Le soleil était encore haut dans le ciel, ce qui lui permit de découvrir tout ce qu'elle avait raté la première fois qu'elle avait franchi l'élégant portail. Sur l'autre versant de la colline, les loups restaient hors de vue des étrangers. Quand elle parvint au sommet, elle les vit, éparpillés dans la nature. Il y en avait tellement ! Majestueux et éminemment dangereux.

Elle redescendit l'allée circulaire et se gara, essayant de calmer un peu sa tension en expirant un bon coup.

En un bond puissant et pourtant parfaitement contrôlé, Elijah sortit de la voiture et vint lui ouvrir la portière avant même qu'elle ait eu le temps de détacher sa ceinture de sécurité. Il attendit qu'elle descende, puis lui désigna de la main un gros bâtiment de type hangar, perché sur une colline à environ un kilomètre de là.

— Je serai là-haut, lui expliqua-t-il. Vous pouvez monter me chercher dès que vous aurez récupéré vos affaires, ou m'attendre ici si vous préférez. Au cas où je sentirais que je vais en avoir pour plus d'une heure, j'enverrai quelqu'un vous prévenir.

Elle l'attrapa par le bras avant qu'il ne s'éloigne, mais comprenant la signification du regard qu'il posa sur sa main, elle s'empressa de la retirer.

— Navrée, je ne voulais pas vous marquer de mon odeur. Je voulais juste vous dire... désolée pour votre ami, Elijah.

Il leva les yeux et rencontra les siens, puis son expression s'adoucit.

— Je sais, Lindsay. Merci.

— Si vous avez besoin de quoi que ce soit, je suis là, offrit-elle avec un sourire plein de compassion, avant de se diriger vers la double porte de l'entrée.

À peine avait-elle levé la main pour y frapper que les deux battants s'ouvrirent.

— Mademoiselle Gibson, l'accueillit un grand type roux un peu maigre, dans l'embrasure de la porte.

Malgré des cheveux qui lui descendaient plus bas que les épaules, il n'y avait rien d'efféminé chez lui. Il évoquait plutôt un guerrier viking d'antan, rude et résolu.

— Euh, bonjour, dit-elle après un instant d'hésitation. Je suis juste passée récupérer mes affaires et je débarrasse le plancher.

Il l'observa quelques secondes, d'un air qui trahissait le peu d'estime qu'elle lui inspirait. Mais il lui fit néanmoins signe d'entrer.

Elle savait que c'était un ange, tous les Sentinelles avaient la même flamme bleue dans les yeux, même s'il n'y avait que ceux d'Adrian qui dégageaient la moindre chaleur. Ces Sentinelles étaient vraiment des œuvres d'art. C'était intimidant d'être ainsi entourée de dizaines d'êtres aussi parfaits, aussi superbes.

Le rouquin ne semblant pas enclin à entamer la conversation, Lindsay se dirigea directement vers la chambre où elle avait dormi. La pièce était dans l'état où elle l'avait laissée, sauf que le lit avait été fait et ses affaires de toilette parfaitement rangées sur la tablette de la salle de bains. La dernière fois qu'elle avait vu la chambre, presque deux semaines plus tôt, elle s'attendait à y retourner le soir même. En songeant à ce qu'elle aurait pu avoir en rejoignant le monde d'Adrian, sa gorge se serra si fort qu'elle peinait à déglutir.

Avec le recul, ses projets de vie dans ce lieu somptueux, avec son balcon donnant sur une terrasse d'où elle aurait pu admirer le vol gracieux des anges au lever du soleil, sans parler de son propriétaire, la créature la plus magnifique que la terre ait jamais portée... tout cela lui paraissait aujourd'hui ridicule. Sauf qu'elle s'était accrochée à ce rêve un moment, et qu'il lui manquait terriblement.

Elle passa devant le lit et se remémora comment elle avait fantasmé entre ces draps sur Adrian, sur la façon dont elle pourrait le séduire. En l'occurrence, elle avait fait preuve d'une imagination plus que vivace, et pourtant bien en deçà de la réalité, crue et torride, qu'ils avaient partagée ensuite.

— Il faut que je m'en aille d'ici, marmonna-t-elle.

Elle devait faire un effort, combattre cette envie latente de rester… pour toujours. Combattre aussi le douloureux besoin de côtoyer Adrian, d'embrasser sa vie et peut-être aussi celle de ses amis, comme Elijah, puisqu'ils étaient en mesure de comprendre ce qui la poussait à agir.

Elle boucla ses bagages en un temps record, empoigna sa valise et la traîna jusqu'à l'extérieur. Elle allait devoir passer devant bon nombre de Sentinelles, qui avaient délaissé un temps leur travail pour l'apercevoir. À présent, elle comprenait pourquoi ils la regardaient comme ça, elle, l'intruse humaine qui mettait le bazar dans la tête de leur chef. Malgré leur animosité palpable, elle s'immobilisa sur le pas de la porte et les affronta.

— Bon courage, les gars, leur dit-elle.

Elle aurait voulu leur demander de prendre soin d'Adrian à sa place, mais elle n'en avait pas le droit. Il leur appartenait, à eux, et pas à elle.

La porte d'entrée se referma dans son dos dans un léger cliquetis qui semblait mettre un point final à l'histoire. Elle ne pleurerait pas, non, pas question. Elle n'allait pas s'apitoyer sur son propre sort alors qu'elle faisait justement ce qu'il y avait de mieux pour Adrian. Pour le monde entier, d'ailleurs, qui dépendait de lui sans même le savoir.

Elle ouvrit son coffre, enfonça la poignée télescopique de sa valise et la hissa. Le vent s'éveilla, soulevant un tourbillon qui n'enveloppa qu'elle et l'immobilisa dans sa vibrante étreinte.

« Reste, reste, reste », fredonnait-il.

— J'ai causé assez de problèmes, rétorqua-t-elle.

« Ne pars pas, Lindsay. Lindsay… Lindsay… »

Brusquement, le vent se tut, laissant derrière lui un vide dans lequel son nom claqua comme un coup de fouet.

— Lindsay !

Elle tourna la tête. Adrian était là, près de la portière ouverte de sa Mayback, stationnée au bout de la partie circulaire de l'allée. Le vent l'encerclait comme un amant, soulevant ses cheveux noirs, qui avaient pris un bon centimètre depuis la dernière fois qu'elle l'avait vu. Il était magnifique, avec son air canaille et sa tunisienne noire sur un ample pantalon bleu marine. Comme toujours, il affichait un visage serein et une posture détendue, pourtant elle percevait le trouble qui faisait rage en lui. En le voyant baisser les yeux vers la valise qu'elle n'avait pas lâchée, elle fut submergée par une vague glaciale qui lui tira un frisson. Jamais elle n'avait éprouvé un tel désespoir, une telle douleur, une telle culpabilité. Ceux d'Adrian et les siens. À la fois désespérés et déchirants.

Des larmes lui picotèrent les yeux, tandis qu'elle peinait à respirer.

Bon Dieu ! Pourquoi fallait-il qu'elle renonce justement à lui ? Plutôt arrêter la nourriture, le chocolat, l'eau, l'air… Elle abandonnerait tout cela, si telle était la condition pour profiter d'Adrian sans restriction et jusqu'à la fin des temps.

Il rompit subitement son immobilité en se précipitant vers elle.

La valise s'échappa de sa main molle et heurta le gravier de l'allée.

— Adrian.

Elle eut à peine le temps de faire quelques pas vers lui que déjà il la soulevait dans ses bras, vidant ses poumons du peu d'air qu'ils contenaient encore.

Ses ailes se déployèrent dans une éruption d'albâtre taché de rouge, et ils s'envolèrent.

17

En pénétrant dans le baraquement des lycanthropes, Elijah fut accueilli par un silence glacial,
lourd de l'attente d'une mort imminente. Les rangées
de lits superposés impeccablement en ordre semblaient s'étendre à l'infini, comme si l'autre extrémité
de la salle reculait au fur et à mesure qu'il avançait.

Il suivait le bip d'un moniteur cardiaque, alors qu'il
s'orientait parfaitement sans ce guide. Micah occupait l'une des chambres individuelles, tout au bout,
l'une de celles que l'on réservait aux couples. La
porte était ouverte et une poignée de lycanthropes,
au nombre desquels Esther et Jonas, s'étaient
regroupés sur le seuil.

Incapable de soutenir leur regard hanté et sup-
pliant, Elijah détourna les yeux de l'espoir écrasant
qu'il contenait. Il détestait l'idée que les siens puissent le considérer comme une sorte de messie. Qu'il
soit capable de maîtriser sa bête ne signifiait en
aucun cas qu'il exerçait un contrôle semblable sur le
destin ou la vie des lycans, contrairement à ce que
beaucoup d'entre eux semblaient croire ou espérer.

Il franchit le seuil de la chambre pour découvrir Micah alité, les bras raccordés à une multitude de perfusions. À son chevet se tenait Rachel, qui se leva en voyant arriver Elijah et vint à sa rencontre, l'air aussi pâle et faible que son compagnon.

— Comment va-t-il ? s'enquit Elijah, malgré la boule qui s'était formée dans sa gorge.

Elle passa une main tremblante dans ses cheveux bruns et désigna la porte d'un geste discret du menton, le précédant dans la salle principale du baraquement.

— Il se meurt, El, avoua-t-elle alors. C'est même un miracle qu'il soit encore en vie au moment où nous parlons.

Elijah se frotta les yeux de ses poings serrés, dans une vaine tentative pour effacer les picotements du chagrin.

— Il t'attendait, poursuivit-elle. Honnêtement, je pense que c'est tout ce qu'il attendait.

Elijah lui jeta un regard impuissant.

— Il t'aime vraiment, conclut-elle en essuyant les larmes qui lui baignaient les joues.

N'y tenant plus, Elijah se précipita maladroitement dans la chambre, bousculant presque Rachel sur son passage pour aller occuper le siège qu'elle venait de quitter. Il s'approcha un peu plus du lit, puis tendit la main vers celle de son ami, qu'il serra dans la sienne. Elle était froide.

Les yeux de Micah s'entrouvrirent. Tournant la tête, il rencontra son regard.

— Salut, murmura-t-il. Tu as réussi ton coup !

— C'est ma réplique, ça.

Un faible sourire transforma brièvement les traits du lycan, avant de disparaître aussitôt.

— Il faut que je te dise... Vash...

— C'est Vashti qui t'a fait ça ?

— Elle te cherche.

— Moi ? Pourquoi ?

— Un vampire disparu… à Shreveport. Il y avait ton sang.

— Je n'ai jamais mis les pieds à Shreveport.

Un violent frisson secoua la silhouette émaciée de Micah.

— Ouais, ben… y avait ton sang.

— Ne parle plus, repose-toi. On en discutera plus tard.

Les prunelles jadis vert clair de Micah étaient embuées par la douleur et la lassitude.

— Pas le temps. Je pars, Alpha. C'est fini.

— Non !

— Méfie-toi. Le sang… c'est le tien.

Elijah se tourna vers Rachel, appuyée au chambranle. Elle opina tristement du chef. *Son sang !* Sur une scène d'enlèvement, dans une ville où il n'était jamais allé.

Un sifflement aigu ramena son attention vers Micah.

— Je vais me débrouiller, lui dit-il d'un ton bourru. Ne t'inquiète pas pour moi, soucie-toi plutôt de te remettre sur pied.

La main de Micah s'agrippa à la sienne avec une force surprenante et ses griffes sortirent suffisamment pour traverser la peau de leurs deux paumes. Un filet de sang, chaud et poisseux, apparut entre leurs poignes jointes.

— Écoute. C'est toi le chef, tu m'entends ? C'est toi. Sauve Rachel, sauve-les tous.

Elijah s'écarta violemment.

— Ne me mets pas ce poids sur les épaules, Micah.

— Elle te fait confiance…

Son ami fut interrompu par une brusque quinte de toux, qui tacha de sang ses lèvres et la blancheur immaculée des draps.

— Il n'arrivera rien à Rachel, je te le promets.

— Pas Rach... haleta-t-il. La femme avec Adrian... te fait confiance. Tu peux la kidnapper... monnaie d'échange.

Elijah dégagea sa main de l'étreinte de Micah, furieux et écœuré que son meilleur ami ose lui balancer une connerie pareille à cet instant. Sur son lit de mort, bon Dieu !

— Ne fais pas ça, siffla-t-il entre ses dents. Ne me demande pas une chose pareille. Elle a risqué sa vie pour moi.

Micah souleva la tête de son oreiller, le regard aussi féroce que sa poigne avait été puissante quelques secondes plus tôt.

— Adrian acceptera tout pour elle. Promets-moi. Impose-toi. Change les choses. Tu peux les libérer tous. Tu es le seul.

Bondissant sur ses pieds, Elijah sortit de la pièce en trébuchant.

— Serment de sang, El, chuchota Micah en exhibant sa main ensanglantée.

Puis il s'affala de nouveau sur les draps, la respiration oppressée.

Elijah s'éloigna et son regard se posa sur les lycans qui attendaient devant la chambre. Ils étaient plus nombreux que tout à l'heure. Une dizaine de visages familiers, qui tous l'observaient, les yeux emplis d'une attente indéfectible malgré la peine.

— C'est vous tous qui l'avez convaincu, les accusa-t-il. En lui révélant où je me trouve depuis quelques semaines.

Esther fit un pas en avant.

— Elijah...

— Vous n'êtes qu'une bande de sales égoïstes.

Il baissa les yeux vers sa main et les traces de griffes qui se refermaient déjà. Et il se transforma dans un rugissement. Se libérant de ses vêtements, il bondit en avant avec une puissance qui le projeta presque à l'autre bout du bâtiment.

Enfonçant la porte, il se rua dehors et courut à perdre haleine.

Haletante, Lindsay tentait encore de reprendre son souffle quand Adrian atterrit de l'autre côté de la maison. Elle entendit le glissement d'une baie vitrée dans son dos, et fut transportée à l'intérieur d'une pièce meublée d'un bureau massif trônant devant un mur couvert de bibliothèques bien garnies.

Lovée dans ses bras, elle leva la tête vers son beau visage. Austère, tendu, déterminé à l'extrême. Une autre porte se ferma derrière elle, une porte intérieure cette fois, contre laquelle le corps chaud et dur d'Adrian la plaqua aussitôt. Les rideaux entamèrent leur fermeture automatique en même temps que les portes coulissantes, plongeant la pièce dans une pénombre feutrée.

— Adrian...

D'un baiser vorace, il la fit taire, puis il la saisit par les poignets, qu'il lui éleva au-dessus de la tête, l'un après l'autre. Sa langue lui fouillait la bouche, et la faim qu'elle décela dans cette plongée éperdue lui donna immédiatement envie de lui.

La fragrance chaude et vibrante de sa peau lui emplissait les narines, pour s'insinuer tout au fond d'elle. Dieu qu'il était sexy !

Elle tenta de se dégager et se rendit compte que ses poignets étaient attachés à un portemanteau contre la porte. Sentant qu'il glissait ses mains le long de ses bras, elle tira sur ses liens, en vain, avant de les saisir à tâtons du bout des doigts. De la dentelle. Il avait réitéré son truc du déshabillage par la pensée et l'avait liée au crochet avec sa propre culotte ! Un léger mouvement du bassin lui confirma qu'elle était à présent nue sous son jean.

— Détache-moi.

— Pas question que tu m'échappes à nouveau.

Sa voix était basse et parfaitement calme, mais d'une fermeté aussi tangible que le string qui lui maintenait les poignets.

Elle tira de nouveau. La dentelle se déchira et, immédiatement, quelque chose de plus solide la plaqua à la porte. Quand les mains d'Adrian s'insinuèrent sous son tee-shirt pour envelopper ses seins dénudés, elle comprit ce qui la retenait prisonnière cette fois-ci : son soutien-gorge. Un frisson la parcourut. La seule fois où on l'avait retenue contre son gré, c'était le jour de l'assassinat de sa mère.

— Défais-moi ces liens, Adrian.

Il pinça entre ses lèvres la peau fragile du côté de son cou. Et du bout des doigts, il serra les pointes érectiles de ses tétons.

— Non…

Malgré elle, son corps se tendait sous ses mains, elle sentait ses seins hypersensibles gonfler et s'alourdir.

— Tu es bouleversé. Il f… il faut qu'on parle. Oui, allons discuter.

— Pas maintenant.

Il l'agrippa par les hanches, et elle se rendit compte qu'elle était désormais complètement nue. Et quand une cuisse virile se fraya un chemin entre les siennes, elle comprit qu'Adrian l'était aussi.

Son souffle court emplissait le silence de la pièce. Son cœur battait la chamade, sous l'effet d'un puissant mélange de peur et de désir interdit. Si n'importe qui d'autre l'avait privée de sa liberté de mouvement, elle serait devenue folle. Mais il s'agissait d'Adrian, et le contact de ses mains sur sa peau repoussait la terreur qu'elle aurait pu éprouver.

— Tu ferais bien d'y réfléchir à deux fois, haleta-t-elle, tentant vainement de se soustraire à ses mains brûlantes. Tu n'as pas vraiment envie que tout ça se passe. Car tu sais ce qui t'arrivera, si tu cèdes à la tentation.

Pour toute réponse, il glissa son membre en érection entre les lèvres humides de son sexe. Lindsay s'immobilisa. Il était chaud, il était dur, délicieusement long et épais.

— Tu as vraiment l'impression que je n'en ai pas envie ? ronronna-t-il.

Elle s'arc-bouta quand, du bout des lèvres, il poursuivit sur ses tétons le manège de ses doigts. Le portemanteau protesta, mais tint bon. Adrian n'était pas équipé de ces portes creuses qui auraient donné à Lindsay une chance de lui échapper. Le bois massif était largement assez solide pour supporter son poids et celui de son assaillant.

Et alors qu'Adrian lui titillait les mamelons, son incorrigible bouche léchant et suçant tour à tour, elle sentait toutes ses bonnes résolutions l'abandonner.

— J'ai peur, mentit-elle, dans un dernier espoir de le dissuader.

— Je sais. Et ça te met en feu, dit-il en insérant un doigt entre les replis de son sexe, humides de désir.

Toi qui es toujours si courageuse, tu me fais suffisamment confiance pour avoir peur.

Le gémissement qu'elle lâcha résonna dans la pièce. Lindsay fut soudain frappée par une douloureuse évidence : de l'autre côté de la porte contre laquelle Adrian la plaquait, s'étendait un couloir où déambulaient sans doute une dizaine d'anges qui la détestaient et la redoutaient pour l'unique raison qu'en séduisant leur chef, elle en faisait un homme. Avec toutes les faiblesses, la soif de luxure et l'aspiration au confort qui allaient avec la condition de mortel.

— Arrête ça.

— Je ne peux pas, souffla-t-il en l'embrassant encore. Je ne veux pas.

Le baiser chaud, humide et dévorant qu'il lui donna était celui d'un homme qui avait outrepassé ses propres limites pendant leurs quelques jours de séparation.

— Bon Dieu, Adrian !

Elle ondula sous sa poigne alors qu'entre ses lèvres il capturait l'autre téton, lui infligeant la même délicieuse torture qu'à son semblable.

— Pourquoi m'empêches-tu de te sauver ?

Avec un petit bruit de succion, il relâcha le mamelon, puis releva la tête pour frotter la tempe contre la sienne.

— Il n'y a rien à sauver. Tout est déjà en train de s'écrouler

La sincère émotion, la douleur qu'elle entendait dans ses paroles lui brisa le cœur. Elle aurait voulu l'attirer contre elle, le serrer fort, apaiser son tourment. Mais, incapable de bouger, elle n'avait que sa voix pour le réconforter.

— Raconte-moi ce qui s'est passé.

— Plus tard.

Il se laissa glisser le long de son corps, caressant d'abord sa gorge du bout des lèvres, puis son nombril avec la langue. Lorsque son souffle tiède lui effleura l'intérieur des cuisses, Lindsay se mordit la lèvre pour ne pas crier. Malgré la détresse que provoquait cette immobilisation involontaire dans le noir, malgré l'inquiétude que suscitait l'humeur désabusée d'Adrian, elle était profondément excitée. La situation devenait intenable. Car elle ne pouvait pas non plus oublier où ils se trouvaient, ni que beaucoup de personnes – des anges – les entendaient peut-être.

— Ne fais pas ça, tu vas le regretter.

— Ce que je regrette, c'est de ne pas l'avoir déjà fait.

Du pouce, il écarta ses chairs moites, tout en titillant son clitoris de la pointe de la langue. Dès que le sexe de Lindsay répondit à ses caresses par une série de palpitations affamées, Adrian lâcha une sorte de feulement.

— J'aurais dû terminer ce que nous avions commencé à Las Vegas. J'aurais dû oublier cette fichue porte et te prendre, te prendre encore, jusqu'à ce que jamais plus tu ne songes à me quitter.

Sa voix rauque en disait long sur l'angoisse qui le dévorait, et Lindsay en eut le cœur serré. Elle aurait voulu enfoncer les doigts dans ses cheveux et le serrer plus fort contre elle. L'apaiser par de longues caresses dans le dos. Lui donner la liberté de déposer son fardeau en toute sécurité, loin de ceux pour qui il devait se montrer fort à chaque instant. Sauf qu'en faisant cela, elle l'obligerait à affronter ce qui le rongeait, alors que tout ce dont il avait besoin, en cet instant, c'était de s'oublier au fond de son corps.

Un oubli qu'elle se refusait à lui offrir. En tout cas, pas au prix qu'il faudrait le payer ensuite.

Adrian la saisit par l'arrière du genou et lui souleva la cuisse pour la faire passer par-dessus son épaule, l'ouvrant ainsi complètement aux assauts de sa langue. En arquant le dos, Lindsay heurta la porte de la tête. Le bruit sourd du choc résonna à travers la pièce. Et sans doute aussi dans le couloir. Pourtant, soit qu'il n'ait rien entendu, soit qu'il s'en fichât, Adrian garda la bouche enfouie entre les replis brûlants de son sexe, dont il explorait les profondeurs d'une langue goulue. Il dévorait ses chairs tendres avec une faim de rapace, comme s'il voulait l'avaler tout entière. La consumer. Marquer son corps de son baiser torride et si intime. Elle tremblait, haletait, tendue de la tête jusqu'à la pointe des orteils, si crispée qu'elle en avait des crampes. Elle se raccrocha à cet élancement, à cette douleur qui l'aidait à combattre la montée irrépressible de l'orgasme qu'Adrian était déterminé à lui imposer.

Le soudain grognement qu'il poussa, si éperdu, si désolé, lui fit monter les larmes aux yeux.

— Il n'est pas encore trop... tard, parvint-elle à murmurer entre deux halètements.

Elle sentit ses propres larmes chaudes couler sur ses seins. Le cœur brisé, elle comprit qu'il était trop tard. Tous les deux étaient déjà allés trop loin pour pouvoir faire marche arrière. Ils avaient franchi le point de non-retour au moment même où elle avait tué ce dragon devant lui. Elle aurait pu s'épargner une mise à mort, juste cette fois-là, mais elle ne l'avait pas fait. Au lieu de quoi, elle avait révélé son secret le plus enfoui quelques heures à peine après avoir rencontré Adrian, comme si elle avait éprouvé le besoin de lui montrer qui elle était vraiment.

Et pourtant, elle continuait à combattre l'inévitable, parce qu'il comptait pour elle. Beaucoup. Tellement que l'idée même qu'il puisse souffrir la rendait folle.

— Tu peux encore tout arrêter, Adrian. Avant que ça n'aille trop loin.

Il émit un grondement profond, semblable au tonnerre, à la fois agressif et déterminé, et s'acharna sur son clitoris, ses coups de langue redoublant de force et de vitesse. Ce nouveau rythme, incroyable, déclencha sur-le-champ un orgasme explosif. Le corps trempé de sueur, Lindsay fut secouée de spasmes, dévastée par un plaisir brûlant contre lequel elle ne pouvait rien.

Tournant la tête, Adrian s'essuya la bouche dans l'intérieur de sa cuisse. Puis il se libéra de l'étreinte de sa jambe et se remit debout.

— Qu'est-ce que tu entends par « trop tard » et « trop loin » ? demanda-t-il d'une voix dangereusement douce. J'ai déjà été en toi. Avec mes doigts. Ma langue. Mon sexe.

Elle ferma les yeux de toutes ses forces et laissa mollement retomber la tête sur sa poitrine, tentant sans succès de réguler sa respiration, de retrouver un semblant de contrôle sur son corps. Même protégée par la pénombre, elle se sentait nue et vulnérable, brûlée à vif par le tournoiement d'émotions qui émanait d'Adrian.

— Techniquement, oui, parvint-elle à dire entre deux profondes inspirations. Mais tu t'es arrêté. Tu as réussi à te retenir une fois, tu peux le refaire.

— Techniquement, tu dis ?

Il lui prit les fesses dans ses paumes et les serra sans ménagement. Après quoi, il plongea les dents dans le renflement de ses seins, tout contre son cœur, assez fort pour lui faire mal. La maîtrise dont il avait fait preuve jusque-là avait disparu. Il était impitoyable, prédateur, obsédé par son besoin de la dominer, à l'extérieur comme à l'intérieur.

— Aucun de nous deux n'a joui, donc ça ne compte pas, c'est ça ?

Il la souleva et lui enroula les jambes autour de ses hanches. Un battement de cœur plus tard, il enfonçait en elle son érection brutale, dure. Dans un frisson, elle arqua le dos pour mieux l'accueillir, et il en profita pour plonger un peu plus loin. Tout au fond.

Clouée à la porte, elle gémit. Exquise agonie. Malgré la demi-douzaine de nuits passées à rêver de ce moment, elle avait besoin de temps pour s'ajuster à sa taille.

— S'il te plaît, geignit-elle, sans savoir de quoi exactement elle le suppliait.

Qu'il arrête ? Qu'il commence ? Que jamais il n'abandonne, même si elle l'en implorait ? Elle ne pouvait pas dire « oui », pas en sachant ce qu'il risquait. Pourtant, il lui était tout autant impossible de réprimer son désir égoïste, ce désir qui refusait de voir Adrian écouter sa supplique. Il n'y avait pas d'autre endroit au monde où elle aurait souhaité être en cet instant précis, mais ce n'était pas à elle que bénéficierait son refus, c'était à lui. Oui, refuser était encore ce qu'elle pouvait faire de mieux pour lui.

Les ailes d'Adrian s'agitèrent, créant une légère brise alors qu'elles se déployaient. Mieux que toute autre manifestation, ce baiser de l'air trahissait les émotions qu'il cherchait désespérément à cacher.

— Non, gémit-elle, dans un ultime mais inutile effort pour le sauver.

Il porta une main à ses cheveux et l'obligea à relever la tête afin de lui reprendre la bouche. Il écrasa ses lèvres sous les siennes, inspirant à pleins poumons chacun des soupirs qu'elle poussait. Roulant des hanches, il plongea plus loin en elle, se frottant juste ce qu'il fallait contre son pubis pour stimuler son clitoris encore gonflé et sensible. Le corps de Lindsay se crispa, son sexe avide avalant chaque assaut du membre pulsant d'Adrian.

Elle le vit retenir son souffle, et ses iris devinrent si brillants qu'elle pouvait discerner le blanc de ses yeux et l'épaisseur de ses cils dans l'obscurité.

— On en a fini avec les détails, souffla-t-il contre sa bouche.

Il jouit si fort qu'elle ressentit son orgasme comme un ultime coup de boutoir, profond, puissant. Le jet violent qui gicla de son sexe… un flot de liquide en fusion qui provoqua une coulée de sueur entre ses seins…

Son propre orgasme la prit par surprise.

La montée inattendue du plaisir la fit presque sursauter, et son sang se mit à rugir dans ses oreilles, si bruyamment qu'elle entendit à peine Adrian gémir son nom.

Un irrésistible besoin de pleurer enfla en elle, et Lindsay planta les dents dans le cou de son amant, mordant fort pour étouffer les cris que personne ne devait entendre.

— Oui, siffla-t-il en continuant à plonger en elle comme un furieux. Oh oui !

Soudain, elle avait les bras libres, les muscles fourmillant et tremblant d'avoir tant tiré sur ses liens. Ses bras retombèrent sur les épaules d'Adrian.

Sans la lâcher, toujours liés, toujours jouissant, Adrian pivota et s'éloigna de la porte à travers la pièce sombre. Puis il s'assit et Lindsay sentit des coussins sous ses genoux. Une causeuse, peut-être ? Ou bien un fauteuil sans accoudoirs. Elle desserra les mâchoires, relâchant enfin sa gorge, et releva la tête. Derrière elle, une lumière douce apparut, comme allumée progressivement par un variateur. Elle provenait d'une lampe de bureau qui illumina bientôt la pièce.

Lindsay observa le visage d'Adrian, le cœur battant de joie de le voir enfin. Il avait les joues rougies, les yeux brillants de fièvre, les lèvres gonflées par la férocité de ses baisers. Mais ce qui la bouleversa, ce fut l'humidité qu'elle vit scintiller dans ses cils.

Des larmes coulaient des yeux de son ange indomptable, son ange implacable.

— Il est déjà trop tard, dit-il d'une voix rauque en essuyant d'une caresse apaisante de ses pouces les larmes qu'elle versait elle aussi. Tu comprends ?

Elle hocha la tête.

Il embrassa sur ses poignets les marques laissées par les liens qu'il lui avait passés.

— Je sais que tu voulais me protéger de ça. Et j'ai essayé de te laisser faire, mais c'est impossible.

— Je suis désolée, je m'en veux terriblement, je...

— Non, souffla-t-il en laissant retomber sa tête contre la suédine noire de la causeuse, qui mettait encore un peu plus en valeur sa peau mate et sa sombre splendeur. Ne t'excuse pas de tenir assez à moi pour te montrer forte quand je suis faible. Ne t'excuse pas d'être la seule et unique cause de mon bonheur.

— Mais pour combien de temps ? le défia-t-elle.

— Autant que nous parviendrons à en voler, à coups de prières s'il le faut. Ne me repousse pas. J'ai besoin de toi. J'ai besoin de ça... te toucher, te donner du plaisir, t'aimer et me sentir aimé de toi. Sans toi, je n'arrive plus à penser, je ne ressens rien. Or, j'ai besoin de ces deux choses-là pour me tirer de ma panade. Si tu veux me sauver, tu dois être avec moi.

— Et les autres Sentinelles ?

— Eh bien, quoi ? Il n'y en a pas un seul qui ne soit au courant désormais que je viens de te prendre contre la porte de mon bureau.

— Oh, mon Dieu...

La gêne lui fit monter le rouge aux joues.

— J'ai tout fait pour qu'ils nous entendent, ajouta-t-il avec véhémence. J'aurais pu t'emmener à des kilomètres d'ici, mais toi et moi... Il faut que ça se passe au grand jour. Je n'ai pas honte de ce que je ressens pour toi. Je n'ai pas honte de te désirer jour et nuit. C'est comme ça.

— Déjà qu'ils me détestaient... Alors maintenant...

Elle redoutait le moment où il lui faudrait quitter cette pièce et affronter les regards accusateurs dans leurs yeux bleu ciel.

— Ils t'ont entendue dire « non ». Ils ne peuvent pas te reprocher ce qui vient de se produire.

Elle lui prit le visage entre ses mains.

— Je ne vaux pas tout cela, Adrian. Vraiment pas. Je ne suis qu'une mortelle à moitié folle et sans aucun instinct de survie.

— Et moi, je suis un ange prêt à mourir pour toi. Tu vois ? Le couple parfait.

Elle sentit son cœur et son ventre se serrer.

— Adrian...

Il la saisit par les poignets, et son visage en cet instant exprimait une émotion si puissante qu'elle ne put retenir ses larmes. Il était si beau !

— Reste avec moi, Lindsay. Sois avec moi.

— Comment puis-je dire oui, sachant ce que cela implique pour toi ?

— Dis-le, c'est tout.

Ils faisaient une belle paire d'entêtés, tous les deux. Elle avait obtenu ce qu'elle désirait plus que tout. Et pourtant, elle le regrettait déjà. Elle ne pouvait pas accepter, et il ne supporterait aucun refus.

— Je n'appartiens à aucun monde, Adrian. Je ne me suis jamais sentie chez moi parmi les gens « normaux », je ne me sens pas à l'aise parmi les tiens. Je ne suis bien qu'avec toi. Je le sais. Je le sens. Néanmoins, tout cela n'a pas d'importance, puisque c'est interdit. Que je sois damnée si je suis la cause de ta déchéance et de la perte de tes ailes. Plutôt mourir que de te voir transformé en un vampire suceur de sang privé de son âme.

Il frotta son nez contre le sien.

— *Ani ohev otach*, Lindsay.

Doux Jésus ! Maintenant qu'elle savait ce que signifiaient ces paroles...

— Fais-moi l'amour, murmura-t-il, attirant sa bouche vers la sienne pour agacer le contour de ses lèvres du bout de la langue. Montre-moi que tu me désires autant que moi.

Elle agrippa le dossier de la causeuse et le serra.

— Prends-moi, *neshama sheli*, la cajola-t-il encore.

Toujours fiché en elle, son sexe encore dur pulsa. Étendu sous elle dans toute sa splendeur, ronronnant son invitation érotique, il était l'image même de l'ange déchu. Pêcheur. Décadent. Diabolique et fier de l'être.

— Je suis à toi, susurra-t-il.

Elle parvint à secouer la tête.

— Non.

Les traits d'Adrian s'éclairèrent d'un sourire radieux. Il bougea à peine et, soudain, elle fut allongée sous lui, emplie de lui.

— Maintenant, je sais ce que ça signifie quand tu dis non, chuchota-t-il.

Tout en parlant, il passa un bras dans le creux de son genou et lui souleva la jambe. Bien haut, pour l'ouvrir si complètement qu'il vint buter tout au fond de son ventre. Exquise torture.

— Cela veut dire fuis, parvint-elle à souffler entre deux halètements. Sauve-toi.

— Et tout ça veut dire : « Je suis en train de tomber amoureuse de toi, Adrian. »

Il se passa la langue sur la lèvre inférieure, lentement, dessinant son contour charnu, avant d'y planter les dents. Derrière ses paupières mi-closes, il l'observait, jaugeant sa réaction alors qu'il ondulait des hanches. Au fond d'elle, l'épaisse couronne de son sexe vint frotter contre des zones délicieusement tendres et érogènes. Il la possédait avec une sensualité délibérée.

Elle ne put réprimer un gémissement quand il se retira doucement, pour mieux la pénétrer à nouveau, d'un mouvement fluide. À présent qu'il était débarrassé du besoin urgent qui l'animait plus tôt, elle savait qu'ils étaient partis pour un long moment de plaisir, sans hâte aucune.

Elle enfonça les ongles dans ses hanches fuselées.

— Adrian…

Penchant la tête, il grogna tout contre sa bouche :

— Moi aussi, je suis en train de tomber amoureux de toi, Lindsay.

18

— C'est forcément elle.

Syre repoussa le mince bras de femme posé sur sa poitrine et se glissa hors du lit. Il inspira profondément, dans un effort pour calmer l'espoir fou qui, trop souvent, avait été déçu.

— Tu en es certain ?

— Au début, non, répondit Torque. Même après notre rencontre, je n'aurais pas pu l'affirmer avec certitude. Elle est différente des autres fois.

— De quelle façon ?

— De bien des façons. D'abord, je suis quasi certain d'avoir fait vibrer certaines cordes en elle. À une ou deux reprises, elle m'a regardé d'un drôle d'air, comme si elle avait l'impression de me connaître sans parvenir à me remettre.

— Ça ne constitue pas une preuve pour autant.

— En effet, sauf que deux heures après notre rendez-vous, elle prenait la route d'Angels'Point. Où Adrian est rentré peu après.

Soudain très agité, Syre arpentait sa chambre de long en large.

— Comment comptes-tu l'approcher ?

— Elle doit revenir en ville pour travailler, répondit son fils, un sourire perceptible dans sa voix. Et comme elle m'a embauché, j'ai une excellente excuse pour passer la plupart de mes nuits à l'hôtel. L'occasion propice ne tardera pas à se présenter.

— Ça m'a l'air un peu trop beau pour être vrai.

— C'est en effet la meilleure opportunité que nous ayons jamais eue.

Syre frotta sa poitrine douloureuse.

— Il vaudrait mieux que je vienne te rejoindre.

— Non, répliqua Torque d'un ton vif, implacable. Vashti est là, ainsi que Raze et Salem. J'ai tout le soutien qu'il me faut. Si tu viens, tu ne feras que donner à Adrian une bonne occasion de te débusquer. Pour l'instant, mieux vaut que tu restes à Raceport, à l'abri des regards autant que possible.

— Pas question que je me cache.

— Mais tu aimes Shadoe, et tu as envie de la revoir. Je ne vois pas comment il pourrait s'écouler plus de deux semaines avant vos retrouvailles.

Par la fenêtre, Syre regarda la lune, celle-là même qu'il avait déjà vue un nombre incalculable de fois. Trop souvent sans Shadoe. Les parents en deuil n'avaient pas comme lui la chance de retrouver les enfants qu'ils avaient perdus. Sa malédiction était aussi sa bénédiction. Il avait déchu pour avoir enfanté Torque et Shadoe. Des Néphilim, comme on les appelait. Nés d'un ange et d'une humaine. Et pourtant, c'était cette hybridation particulière qui avait épargné l'âme de Shadoe quand il avait entamé le processus de transformation destiné à lui sauver la vie. Tous les Néphilim vampirisés étaient uniques en leur genre : leur âme survivait à la transformation, car ils étaient aussi forts que des anges, sans subir la vulnérabilité de leurs ailes.

— Prends le temps qu'il te faudra, fils, dit-il tout bas, s'éloignant du lit alors que l'une des deux femmes qui l'occupaient roulait sur le flanc avec un soupir mécontent. Je ne serai pas plus avancé, si je perds un enfant en essayant de récupérer l'autre. J'ai besoin de vous deux.

— Papa, fit Torque en riant doucement, je n'ai pas atteint cet âge canonique en me conduisant comme un imbécile. Ne t'inquiète pas. Contente-toi de tout préparer pour le retour de Shadoe. Avant que tu aies le temps d'y penser, nous serons à nouveau réunis.

— D'après Micah, Vashti a en sa possession un vêtement, un mouchoir… enfin, un morceau de tissu avec mon sang dessus.

Depuis sa position surélevée dans l'escalier qui descendait au séjour en contrebas, Adrian étudiait l'expression d'Elijah. Contrairement à ses habitudes, son garde du corps semblait particulièrement nerveux.

— Et elle prétend l'avoir trouvé sur les lieux d'un kidnapping qui aurait eu lieu à Shreveport ?

Le lycanthrope hocha la tête. Avec ses bras croisés et ses jambes écartées, on aurait dit qu'il s'ancrait au sol en préparation d'un coup.

— À l'aéroport. Sauf qu'à ce moment-là, j'étais avec vous, à Phoenix. Le vampire en question a été enlevé quelques jours avant l'accident d'hélico.

— Comment est-ce possible ? intervint Jason, posté près de la cheminée. Comment ton sang a-t-il pu se retrouver à plusieurs États de distance de là où tu étais ?

— Si seulement je le savais ! Pour qu'ils aient pu l'identifier aussi facilement, le sang ne devait pas avoir plus d'un mois. Or, avant notre intervention contre le nid, dans l'Utah, je n'avais perdu de sang lors d'aucune chasse au cours des trente jours précédents, du moins pas assez pour servir d'échantillon d'analyse.

— Excusez-moi... commença Lindsay, attirant sur elle l'attention d'Adrian.

Assise sur l'un des canapés, elle paraissait petite et fragile dans cette pièce imposante. Elle était restée muette depuis qu'elle était sortie de la chambre d'Adrian, fraîchement douchée et sentant bon le savon et le shampoing. Ce qui ne suffisait toutefois pas à masquer l'odeur de sexe qui avait imprégné sa peau. Pourtant, elle s'était montrée si embarrassée à l'idée que tout le monde sente son désir sur elle, qu'Adrian avait essayé de la réconforter de la seule manière qui lui fût venue à l'esprit : en prétendant que les Sentinelles trouveraient tous normal qu'elle sente comme lui, si elle utilisait ses produits de toilette.

— Oui, *neshama* ? l'encouragea-t-il d'une voix douce.

L'âme régénérée par son attachement grandissant pour elle, il se sentait plus fort que jamais. Sans parler de la béatitude plus primitive qui résultait de lui avoir fait l'amour pendant des heures. Bref, il était prêt à tout supporter. Les Sentinelles croyaient que son amour pour une mortelle le rendait faible, alors qu'en fait c'était tout le contraire. Lindsay lui donnait plus de force qu'il n'aurait pu l'expliquer à quiconque, hormis elle.

— Je suis sûre qu'il est important de découvrir le « comment », poursuivit-elle. Mais pour ma part, je serais curieuse de connaître le « pourquoi ».

Pourquoi voudrait-on piéger Elijah ? Qu'est-ce que ça peut leur apporter ?

Elle se tourna vers le lycan et lui offrit un sourire, bref mais amical. Elle semblait avoir développé une profonde affection pour lui, ce qui confortait Adrian dans son idée première de garder l'animal à proximité et en bonne santé pour la protéger. Toute la stabilité qu'il pourrait lui offrir dans les circonstances particulièrement troublées qu'ils traversaient, il la lui donnerait.

— Peut-être que ce n'est pas Elijah en particulier qui est visé, suggéra Jason. Peut-être que n'importe quel lycan aurait fait l'affaire. Car tous leurs agissements se répercutent sur Adrian.

Les lèvres de Lindsay se retroussèrent en une moue songeuse.

— Quelqu'un aurait donc monté cette histoire pour faire croire que le vampire a été embarqué par Adrian… ? En quoi est-ce que c'est nouveau ? C'est ce qu'il fait tous les jours, non ? C'est ce que vous faites tous, d'ailleurs, les lycans comme les anges.

Adrian s'autorisa un sourire intérieur, ravi de l'intervention et de l'intelligence de Lindsay. Elle le rendait meilleur. Cette femme était une guerrière, comme lui. Comme Shadoe. Sauf que Lindsay était aussi une cérébrale, elle analysait là où Shadoe utilisait plutôt sa sexualité comme arme de prédilection.

— Vashti ne chercherait pas à se venger s'il s'agissait de n'importe qui, remarqua-t-il. Sait-on qui a été kidnappé ?

Une ombre passa sur le visage d'Elijah.

— Je n'ai pas de nom, mais je sais que c'était une femelle vampire. Pilote et amie de Vashti.

— Une femme pilote.

Adrian croisa le regard de Jason. Son second tirait-il la même conclusion que lui ?

Ce dernier siffla longuement.

— Je ne peux pas vous le confirmer de façon certaine, capitaine. Je ne l'ai pas bien vue. Elle était malade et méconnaissable. Contaminée par le même mal que le vampire que nous avons attrapé à Hurricane.

Adrian descendit les rejoindre dans la pièce. Récemment rentré au bercail, son second n'avait pas fait mystère de son désir de vengeance. En plus de Micah, dont l'état se dégradait de jour en jour, il avait perdu son autre lycan dans l'attaque de Vashti.

— Vashti était accompagnée par Raze et Salem. Ils nous ont frappés en plein jour.

Trois Déchus partis à la chasse ensemble. Ce n'était pas inédit, certes, mais tout de même rarissime. Rares étaient les occasions où ils se risquaient à exercer autant de pouvoir en même temps.

Adrian se remémora sa conversation avec Syre. *Nikki était la plus gentille fille que j'aie jamais rencontrée…*

Merde. Il regarda en direction de Damien, debout derrière le canapé qu'occupait Lindsay.

— La femme de Torque ? Nicole, c'est ça ?

Le Sentinelle hocha la tête.

— Ça paraît plausible. D'autant qu'elle était pilote dans l'armée.

— Qui est Torque ? demanda Lindsay, dont les yeux naviguaient avidement de l'un à l'autre.

Ton frère. Ton jumeau.

Le regard toujours rivé sur Jason, Adrian lut dans les yeux de son second la question qu'il ne formula pas : « Qu'est-ce que tu es prêt à lui révéler ? »

Finalement, ce fut Elijah qui répondit :

— Le fils de Syre.

— Et Syre est… ? insista-t-elle.

— Le chef des vampires, précisa Adrian avec un calme qui, espérait-il, ne trahissait rien du nœud qu'il avait dans le ventre.

Elle n'était pas encore prête à tout entendre. D'ailleurs, il préférerait qu'elle n'entende jamais certaines choses. Si le Créateur se montrait clément, Adrian réussirait à tuer Syre. Alors Lindsay serait libérée des dons Néphilim de Shadoe, l'âme de Shadoe serait libérée du purgatoire, et lui-même serait puni pour avoir désobéi à l'ordre irréversible de garder les Déchus en vie. Pourtant, ce serait ce qu'il pouvait faire de mieux pour rectifier son erreur.

— Le veilleur dont la chute t'a valu la pointe pourpre de tes ailes ? demanda Lindsay.

Il hocha brièvement la tête.

— Bien. Avant que nous n'allions plus loin… C'est quoi le problème avec le nom des super-héros, là ? Syre, Torque, Vashti, Raze…

— La plupart des Déchus ont abandonné leur nom d'ange quand ils sont tombés en disgrâce. Syre était jadis connu sous celui de Samyaza. Raze, c'était Ertael. En tant que vampires, ils ont une kyrielle de noms usuels, dont ils changent régulièrement au fur et à mesure que le temps passe. Ils ont fini par se livrer à une compétition féroce pour déterminer celui qui aurait le nom le plus grotesque.

— OK… Donc, si je résume : Vashti, une importante vampire, est impliquée dans cette histoire parce que la fille qui a été kidnappée était elle aussi importante, de par son alliance avec le chef des vampires. Est-ce que j'ai bien suivi, jusque-là ?

— Oui.

— Dans ce cas, pourquoi ne vous appellent-ils pas pour s'enquérir des termes de la rançon ? Ce n'est pas comme s'ils ne pouvaient pas vous joindre.

— Ils l'ont fait.

— Et ils n'ont pas cru en votre innocence ?

— J'ai tué la fille et je l'ai dit à Syre, répondit Adrian en soutenant son regard sans ciller.

Lindsay comprendrait pareil aveu, si brutal soit-il. Pourtant, elle écarquilla les yeux de surprise.

— Quand ?

Il fit quelques pas à l'intérieur de la pièce.

— Quand est-ce que nous avons eu cette conversation ? À l'aéroport de Phoenix, juste après que je t'ai rencontrée.

— Dans ce cas, Vashti n'est pas en mission de secours. Elle est en quête de vengeance pour la mort d'un être cher, et elle veut faire couler le sang. Elle a réussi à piéger Aaron et ses deux lycans, néanmoins au lieu de le retenir pour essayer d'obtenir une rançon ou de s'en prendre à lui au motif qu'il est haut placé parmi les lycans, elle le laisse filer. J'avoue ne pas bien saisir pourquoi une vampire spécialisée dans la chasse aux gros poissons rejetterait en l'occurrence sa plus grosse prise. Sans vouloir offenser votre ami, ajouta-t-elle à l'attention d'Elijah.

Le lycan soutint son regard.

— Pas de problème.

Jason croisa les bras.

— Tuer un Sentinelle dégraderait la situation à un point tel que même Syre ne pourrait l'arranger.

— L'épouse de son fils est morte à cause d'Adrian et il hésiterait à se venger sur l'un des Sentinelles ?

Damien se tourna vers Adrian.

— Continuez, Lindsay. Ça devient intéressant.

Elle pivota sur le canapé, l'incluant à la conversation.

— J'essaie juste de comprendre ce qui est en train de se passer. La belle-fille du grand patron des vampires se fait choper par Elijah. C'est du moins ce qu'ils prétendent, ajouta-t-elle quand ce dernier ouvrit la bouche pour protester. Le mec appelle Adrian pour exiger qu'elle leur soit rendue et Adrian lui répond qu'il l'a tuée. Malgré tout ça, Vashti s'acharne à pourchasser le lycan qu'elle pense impliqué et pas le Sentinelle. Comment ça se fait ?

Les ailes d'Adrian se déplièrent.

— J'ai accusé Syre d'avoir envoyé Nikki pour m'attaquer. Or il n'a pas réagi à mon accusation comme je m'y attendais, pas plus qu'à ma mention de Phineas. Ce qui m'a conduit à me demander s'il n'était pas en train de perdre le contrôle de ses vampires.

— Est-il possible qu'il pense, lui, que tu es en train de perdre le contrôle des lycans ? Je veux dire par là que l'inverse est vrai aussi : tu n'as probablement pas réagi comme il s'y attendait de son côté. Il t'a appelé parce qu'il s'inquiétait pour sa bru, or toi, tu ne savais même pas qui elle était. Tu ne l'as pas reconnue. Sauf que les lycans qui l'ont enlevée connaissaient son identité, eux – en supposant qu'elle n'était pas déjà malade. Syre doit penser que les lycans se sont montrés sacrément audacieux d'avoir kidnappé quelqu'un d'aussi important pour lui sans même que tu sois au courant.

— Qu'est-ce que je t'avais dit ? fit Jason en regardant Adrian.

— Où est-ce que vous voulez en venir, vous deux ? demanda Adrian.

— Il est possible que des lycans agissent en solo, répondit Jason, un sourcil levé.

— Oui, mais dans ce cas, intervint Lindsay après un coup d'œil en direction d'Elijah, dont le visage fermé ne laissait rien transparaître, pourquoi impliquer l'un des leurs en laissant le sang d'Elijah sur la scène du crime ?

Aaron soupira.

— En tout cas, cette histoire a coûté la vie à Luke, mon autre lycan. Ils n'ont même pas essayé de le capturer ou de lui parler. Quant à Micah, il est comme mort.

— Ils l'ont capturé, puis relâché.

— En le laissant pour mort, précisa Aaron. Ça fait une sacrée différence.

— Vraiment ? le défia-t-elle. Ce truc de laisser quelqu'un pour mort, ça me dépasse. Soit on est mort, soit on ne l'est pas. Mais si on ne l'est pas et que vous vouliez qu'on le soit, vous ne laissez pas le sort en décider. Pourquoi Vashti… ?

Un silence pesant tomba sur la pièce alors que Lindsay interrompait brusquement sa phrase. Tous les yeux étaient posés sur elle. Soudain, elle haussa nonchalamment les épaules.

— Peu importe. C'est trop compliqué pour moi, j'en ai la migraine.

Elle se leva et se dirigea vers la fenêtre. L'une des vitres s'ouvrit automatiquement et elle franchit le seuil.

Résistant à grand-peine au besoin d'étirer ses ailes, Adrian congédia Jason et Aaron avec l'ordre de venir faire leur rapport dans son bureau le lendemain matin. Il feignait la désinvolture, mais à l'intérieur les questions se succédaient dans un tourbillon. Pourquoi Elijah, le premier Alpha à se révéler au sein des lycans depuis des années ? Pourquoi essayait-on de le faire accuser du kidnapping de Nikki ? Il savait que Lindsay avait pensé la même chose, et qu'elle avait interrompu ses réflexions au moment où elle avait compris le danger qu'elles représentaient pour Elijah.

Adrian scruta le lycanthrope alors que le salon se vidait, remarquant comment Elijah suivait Lindsay jusqu'à la fenêtre et continuait de la surveiller, tout en faisant un effort notable pour rester dans les limites et ne pas susciter la jalousie de son maître. Le lycan et Lindsay avaient clairement développé une forme d'amitié. Adrian lui faisait entièrement confiance pour la protéger, mais cela ne supprimait en rien le danger qu'Elijah représentait en tant qu'Alpha. Qu'il soit ou non impliqué dans le kidnapping, il apparaissait que quelqu'un s'était donné beaucoup de mal pour le porter à l'attention des vampires. Et les suceurs de sang prenaient leurs dispositions pour que les présentations se fassent en bonne et due forme.

L'ennemi de mes ennemis est mon ami.

Une connivence entre lycans et vampires conduirait à l'annihilation certaine des Sentinelles, car leurs adversaires deviendraient bien trop nombreux pour être maîtrisés.

Bien évaluer la loyauté d'Elijah devenait plus important que jamais. Sans doute sa fidélité irait-elle en priorité aux autres lycans, mais Adrian espérait que son attachement à Lindsay suffirait à le dissuader de la lâcher.

Au moment où il s'apprêtait justement à la rejoindre dehors, il croisa le regard du lycan et s'immobilisa sur le pas de la fenêtre.

— Qu'est-ce que tu penses de tout ça, Elijah ?

— Après avoir interrogé Micah, Vashti était bredouille. Il ne lui restait que deux solutions : interroger un autre lycan avant que mon échantillon sanguin se détériore, ou suivre Micah en espérant qu'il la conduise jusqu'à moi. À mon avis, c'est uniquement pour ça qu'elle lui a laissé la vie sauve.

— Et que feras-tu si elle vient jusqu'ici ?

— J'éviscérerai cette chienne, gronda-t-il, les yeux luisant d'une flamme verte. Micah est mon ami. Il est un frère pour moi, comme Phineas l'était pour vous. Et elle l'a tué. J'aurais pu supporter qu'elle l'abatte au combat, mais mourir comme ça, malade et brisé au fond d'un lit… Aucun lycan ne devrait avoir à subir ça.

Adrian lui posa la main sur l'épaule et en profita pour fouiller brièvement l'esprit de son lycan. Toutes ses pensées étaient noyées dans une brume rouge de fureur et de chagrin, mais il n'y trouva aucune trace de mutinerie ou de trahison. Momentanément rassuré, il murmura :

— Dieu fasse que nous tombions tous au combat.

Lâchant Elijah, il sortit rejoindre Lindsay. À bonne distance de la rampe de sécurité, elle observait la ville au loin. Il vint se placer derrière elle et l'enlaça de ses bras et de ses ailes.

— Tes interventions nous ont beaucoup aidés, dit-il en collant les lèvres à son oreille. Merci.

— Je déteste te voir te débattre avec toute cette merde, répondit-elle en s'appuyant contre lui, les bras sur les siens. Tu n'as même pas eu le temps de faire ton deuil. Et ma présence ici ne fait qu'aggraver les choses.

Il resserra son étreinte autour d'elle.

— Seule ta présence ici rend les choses supportables, Lindsay.

— Tu cherches le bâton pour te faire battre, marmonna-t-elle. Il t'est loyal, tu sais. Elijah. Et c'est un type bien.

— Ça ne le rend pas moins dangereux pour autant.

— Qu'est-ce que ça signifie, être un Alpha ? En quoi cela le rend-il différent ?

— Chez les lycans, la bête est puissante. Ils furent créés avec du sang de démons, du sang de loups-garous, ce qui revient peu ou prou à être possédés. Ils ont deux natures qui se battent à l'intérieur de leur corps.

— Bon Dieu ! souffla-t-elle. J'imagine ce que ça doit être pour eux. Moi aussi j'ai l'impression de me battre avec moi-même, parfois. Surtout en ce qui te concerne. Je sais comment je dois agir, mais c'est difficile de faire taire la petite voix dans ma tête qui dit : « Au diable les conséquences ! »

Il ferma les yeux pour oublier à quel point, sans qu'elle le sache, son aveu était proche de la réalité.

— Parfois, reprit-il, la bête prend le dessus. Le lycan ne parvient plus à contrôler le besoin de se transformer, ni la violence inhérente à cette transformation. Les Alphas sont différents. Ils ont le pouvoir de décider quelle moitié de leur nature va dominer dans une situation donnée, quelles que soient les provocations ou les incitations, et ce pouvoir semble aussi s'étendre au-delà d'eux-mêmes. Ils ont la capacité de calmer, d'apaiser la bête chez les lycans qui les entourent. Les autres sont comme soumis à leur force mentale, et leurs bêtes se laissent volontiers dompter par l'Alpha. Mais leur allégeance doit quand même aller en priorité aux Sentinelles.

Elle renversa la tête dans le creux de son épaule, et les douces boucles dorées lui caressèrent la mâchoire.

— Que faites-vous des Alphas ?

— Nous les séparons des autres et les utilisons à des tâches qui requièrent un chasseur solitaire. Les autres lycans, eux, doivent travailler en équipe.

— Qui gère tout ça ? Est-ce que c'est toi ?

— Je délègue l'affectation des Alphas à Reese. Je te le présenterai, si tu veux. Il pourra répondre plus précisément à tes questions.

Avec un soupir, elle pencha la tête sur le côté.

— Je ne sais pas comment tu fais pour porter tout le poids de tes responsabilités, murmura-t-elle, avant de lui effleurer le menton de ses lèvres si douces. En tout cas, ton travail me fait l'effet d'être le job le plus compliqué au monde, et je te respecte énormément pour cela.

Il avait remarqué, dans l'Utah, que Lindsay s'empêchait de le contredire en public. Ce qui, chez elle, était en effet signe d'un profond et rare respect. Bien qu'elle soit aussi forte et passionnée que Shadoe, elle se montrait beaucoup moins impétueuse quand il s'agissait de peser les conséquences de ses paroles ou de ses actes. Elle était habile dans les relations de groupe, mais d'une façon discrète, minimisant toujours son influence. Là où Shadoe rayonnait systématiquement dans une assemblée quelle qu'elle soit, Lindsay parvenait à échapper aux regards si elle le choisissait. Une tactique de défense qu'elle avait dû développer pour gérer son sentiment d'anormalité. Qui remarquerait son étrangeté, si on ne la remarquait pas du tout ?

Adrian admirait cette circonspection, un talent qui augmentait encore sa détermination à la protéger de toute expérience qui pourrait éroder sa confiance en elle. Lindsay était une femme extraordinaire, à de multiples égards. Jamais, pas un instant il ne voulait qu'elle doute de sa valeur.

Et pourtant il l'avait mise dans une position où elle se retrouvait entourée de gens qui ne lui faisaient pas confiance. Pire, qui lui en voulaient. S'il se retirait de l'équation et ne considérait plus qu'elle, il savait sans l'ombre d'un doute ce qu'il fallait faire. Plus tôt il aurait éliminé Syre, plus tôt elle serait libérée de l'âme de Shadoe et de cette vie de guerrière qui ne lui convenait pas. Mais plus les heures passaient, plus il tombait bas et plus l'idée de la perdre le hantait.

Bien sûr, il avait dû auparavant redouter aussi férocement de la perdre, mais qu'il soit damné s'il se souvenait quand.

Lindsay s'affala dans le fauteuil de la chambre d'Adrian et s'étira. L'espace personnel de son ange était étonnamment spartiate, comparé à la chambre qu'on lui avait octroyée. Pas une œuvre d'art aux murs, et du mobilier de style Shaker.

Pas très étonnant, au fond, cela lui ressemblait. Même s'il semblait tout à fait à l'aise au milieu des signes extérieurs de la richesse, cette pièce lui seyait tout de même bien mieux. Alors qu'elle observait les lieux, elle sentit l'affinité qu'elle éprouvait pour lui se renforcer encore. Elle savait combien il était dur de vivre en portant un déguisement à tout instant. C'était épuisant, ça finissait par vous ronger de l'intérieur.

Observant Adrian en train de vider ses bagages, elle nota qu'il faisait ça à l'ancienne – c'est-à-dire sans aucun recours à ses pouvoirs. S'occuper les mains lui occupait aussi l'esprit. Ce qui signifiait qu'il était préoccupé. Ou bien qu'il cherchait à l'éviter.

Croisant les mains derrière sa tête, elle leva les yeux au plafond. C'était quelque chose qu'ils avaient souvent fait, son père et elle, toutes ces années – allongés sur le dos, les yeux tournés vers le ciel, avec le vent qui les caressait et leur parlait doucement à l'oreille. Eddie Gibson n'avait jamais mis en doute le fait qu'elle entendait la voix de l'air, même si lui-même ne la percevait pas. Une autre preuve de son amour inconditionnel, dont elle lui était infiniment reconnaissante. Car il lui permettait à elle d'aimer d'autres êtres, extraordinaires eux aussi. Comme Adrian.

— Merci, au fait, dit-elle. De t'occuper de mon père. Je sais que tu as bien besoin de tous tes hommes, en ce moment, pourtant je ne vais même pas essayer de te convaincre d'arrêter de le faire surveiller. Il est mon roc. Jamais je ne m'en serais sortie sans lui.

— Je t'en prie.

Machinalement, elle passa la main sur sa poitrine, à l'endroit où ce sentiment de manque la tenaillait.

— Tu es bien calme, à quoi penses-tu ? demanda-t-elle après un moment de silence.

— Je réfléchis à la question que tu as soulevée tout à l'heure, répondit-il, avant de lever les yeux sur elle. Toi aussi, tu es bien calme. À quoi est-ce que tu penses ?

— À mon père. Et ça m'a amenée à songer aux lycans qui le gardent. J'essaie de comprendre cette règle que tu leur imposes, le fameux « tu bosses pour moi ou tu crèves ». Je n'arrive pas à t'imaginer dans ce rôle. Commandant de forces militaires, d'accord. Patron, oui. Même ange, ça ne me pose pas de problème. Mais quelqu'un qui oblige les autres à agir de gré ou de force sous peine de mort... non.

Il soupira bruyamment. Bien que l'expression de son visage n'ait pas changé, elle percevait son inquiétude.

— Sont-ils tes esclaves ? Adrian, réponds-moi, insista-t-elle en reposant les yeux sur lui.

Il s'interrompit, les mains dans son sac de voyage, et fronça les sourcils.

— J'ai toujours utilisé le mot d'« engagés ».

— C'est une forme de servitude, non ?

— Je ne les maltraite pas, et je veille autant que possible à leur confort. En tous points, je m'efforce d'être juste avec eux.

— Mais ils ne peuvent pas démissionner ? Ni partir ?

Un profond soupir souleva à nouveau sa poitrine avant qu'il ne réponde :

— Non.

— Hum… Là, je devine un problème.

— Mais les Sentinelles ne sont pas libres non plus. Ni les vampires. Nous sommes tous enfermés dans notre rôle, qui a été établi il y a des siècles. Ces tensions entre nous, ça nous dépasse complètement. Tous autant que nous sommes. Pour dire la vérité dans toute sa brutalité, si les lycans ne m'aident pas à maintenir un semblant d'équilibre ici-bas, il n'y aura plus de monde libre. Ni pour eux ni pour personne.

Lindsay repoussa une mèche de cheveux de son front.

— Je comprends ce que tu me dis, n'empêche que je n'aime pas ça.

— Tu crois que moi j'aime ça ?

— Non, je ne pense pas, non. Je trouve juste que ça ne correspond pas à ton caractère, et c'est pour cela que je me demande comment tu as réussi à tenir si longtemps.

— Je suis un soldat, Linds. On me donne des ordres et j'y obéis. C'est tout ce que je peux faire.

Quelque chose dans la douceur du ton employé trahissait un terrible sentiment de solitude. Le même qu'elle avait ressenti si souvent au fil des ans. Elle lui tendit la main.

— J'aimerais que tu me racontes ce qui s'est passé cette semaine.

Il traversa la pièce pour la rejoindre, lui répondant sans qu'un seul son ne sorte de sa bouche : « Pas ici. » Puis, prenant ses doigts entre les siens, il l'aida à se mettre debout et l'attira dehors, sur la terrasse qui entourait la maison.

— Attends une minute avant de décoller, demanda-t-elle en se lovant dans ses bras.

— Tu as encore peur ?

— Pas pour l'instant, mais ça ne va pas tarder.

Elle lui sourit, bien consciente que nul endroit ne lui plaisait davantage que les bras d'Adrian. Toute l'agitation de la semaine écoulée, comme de la majeure partie de sa vie, tout le mal-être avait disparu. Au profit d'une langueur qui ne résultait pas uniquement de la plénitude physique. C'était lui, et lui seul, qui provoquait cette sensation en elle. Il la recentrait.

— J'adore sentir bouger ton corps contre le mien quand tu bandes tes muscles. Et comme c'est à peu près le seul moyen pour moi d'en profiter sans culpabilité, je veux m'assurer que je profiterai de chaque seconde.

Les mains posées sur ses hanches, il la serra un peu plus fort contre son corps.

— À toute heure du jour ou de la nuit, si tu as envie que je bande mes muscles pour toi, il te suffit de demander.

Elle s'enveloppa autour de lui des épaules aux chevilles.

— Tu sais bien que je ne peux pas faire ça, le sermonna-t-elle.

Il baissa sur elle des yeux brûlants de désir et d'affection.

— Oui, je sais bien, *neshama*. Prête ?

Elle acquiesça.

Dans un doux bruissement, ses ailes se déployèrent et il plongea par-dessus la rampe. Ils prirent les airs et s'élancèrent au-delà des collines plongées dans la pénombre. Le vent les accompagnait de son chant léger. Non loin d'eux, les lumières de la ville scintillaient comme une tenture d'étoiles multicolores.

Leur vol prit fin trop vite. Adrian atterrit quelques kilomètres plus loin, juste devant un bâtiment plongé dans l'obscurité, sur un plateau désert. L'une de ses façades était entièrement métallique.

— Où sommes-nous ? s'enquit-elle, à bout de souffle, le cœur encore chamboulé par l'euphorie du vol.

— Devant l'un des camps d'entraînement. Si tu es d'accord, tu peux commencer demain.

Il ouvrit la porte et les lumières fluorescentes s'allumèrent automatiquement, révélant une vaste pièce de type atelier comportant une demi-douzaine de lits superposés, deux canapés et des murs couverts d'armes, certaines qu'elle connaissait, d'autres dont elle ignorait jusqu'à l'usage. On aurait dit la salle de jeux idéale d'un homme des cavernes, version gigantesque et criminelle.

— Pourquoi les lycans et les Sentinelles, pourtant dotés d'incroyables défenses naturelles, ont-ils besoin de tout cet attirail ? demanda-t-elle.

— Parce que les vampires utilisent le même. Nous devons donc savoir comment contrer les attaques menées à l'aide de ces armes, et être capables d'improviser si l'une d'elles nous tombe entre les mains.

Tout en étudiant avec intérêt une lame qui ressemblait un peu à une faux, Lindsay s'adressa à Adrian par-dessus son épaule.

— Je m'inquiète un peu de la réaction des autres Sentinelles, s'ils me voient prendre part à leur entraînement.

Posté derrière elle, Adrian la couvait d'un regard fier.

— Laisse-moi m'occuper d'eux.

— Je ne veux pas te causer de problèmes, Adrian. Et pourtant c'est exactement ce que je fais. Je déteste ça.

— En me réveillant, ce matin, je priais pour que la fin arrive rapidement. À présent que je t'ai, la mort est bien la dernière chose que j'espère.

Lindsay ne put retenir la larme qui s'échappa de sa paupière pour couler le long de sa joue. Elle savait se montrer forte quand il le fallait, mais la tendresse d'Adrian la dévastait depuis le début. Il lui donnait l'impression qu'elle était précieuse à ses yeux. Ça la tuait qu'il veuille lui donner son être tout entier, et qu'elle ne puisse en accepter qu'une partie. Pourtant, elle ne pouvait rien y faire, hormis lui offrir tout le réconfort dont elle était capable et s'abstenir de lui demander quoi que ce soit en retour.

— Parle-moi. Dis-moi pourquoi tu étais sur le point de tout abandonner.

Ses ailes s'agitaient sans relâche, offrant un fond nacré à sa beauté sombre. L'effet était à couper le souffle.

Après la mort de sa mère, Lindsay était entrée dans une colère noire. Elle s'était mise à railler l'entité en laquelle les autres croyaient, ce Dieu dont on lui rabâchait qu'il n'était qu'amour et générosité. Elle ne

trouvait pas grand-chose dans sa vie qui soit suscep-
tible de raviver sa foi éteinte en un pouvoir supérieur
bienveillant, mais l'existence d'Adrian adoucissait
quelque peu son scepticisme. Si la même entité qui
avait permis le brutal assassinat de sa mère était
aussi responsable de la création d'Adrian, alors il y
avait bien quelque chose de magique et de digne
d'éloges en ce bas monde. Même si rien de ce qui
était bon ne lui était jamais accordé aisément.

— La Sentinelle que j'ai perdue était une amie,
avoua-t-il doucement, sans savoir à quel point sa
peine la faisait souffrir aussi. Mais surtout, elle était
l'exemple même de ce qu'un Séraphin doit être : la
pureté incarnée. Elle était noble d'esprit et concen-
trée uniquement sur sa mission.

Lindsay s'approcha, lui prit la main et la serra dans
la sienne. Il était environné de tellement de morts. Il
avait trop souffert.

— Encore une attaque de vampires ?

— Ça aurait mieux valu, mais la réalité a été bien
pire.

Elle fit un pas vers lui et il l'enlaça, posant le menton
au sommet de son crâne. L'intime connexion qu'elle
ressentit en cet instant la fit vaciller. Dans un hangar
perdu au beau milieu des collines, entourée d'armes
destructrices et des bras d'un ange, elle se sentait plus
en paix que jamais elle ne l'avait été de sa vie.

— Tu as dit que tu allais devoir faire du mal à
quelqu'un de cher à ton cœur.

— Elle est tombée amoureuse, murmura-t-il. D'un
lycan.

— Et c'est mal ?

— C'est impossible.

— Pourquoi ? Les lycans ne sont pas des mortels.

Il émit un petit rire sans joie.

— Helena a argué la même chose, sauf que les Séraphins ne sont pas autorisés à faire l'expérience de l'amour au sens où les mortels l'entendent. Nous ne sommes pas censés avoir de conjoint. Or elle voulait ma bénédiction, elle espérait que je la lui donnerais, à cause du lien qui m'unit à toi. Mais ce genre de décision n'est pas de mon ressort. Je suis responsable des Sentinelles, je dois les guider sur le droit chemin.

À ces mots, Lindsay sentit le récent réchauffement de sa foi religieuse perdre de nouveau de sa vigueur. Comment l'amour, quelle que soit sa forme, pouvait-il être mauvais ?

— Qu'a-t-elle fait ?

Au fur et à mesure qu'il lui racontait les événements et les choix d'Helena, le sang de Lindsay se glaçait dans ses veines et son corps tout entier se couvrit de chair de poule. Elle revécut la souffrance et l'horreur de cette fameuse nuit avec lui, et le poids de plus en plus lourd du désespoir qu'elle percevait chez lui vint peser sur ses propres épaules. Le suicide d'Helena et de son lycan bien-aimé le lui signifiait mieux que toute autre preuve : elle n'avait pas le droit d'aimer Adrian.

— Doux Jésus ! chuchota-t-elle quand il eut terminé. Je n'arrive même pas à imaginer.

— Moi si, fit-il, alors que son torse puissant se gonflait d'une profonde inspiration. Je me suis même vu faire pareil.

Elle eut l'impression que son cœur s'arrêtait de battre, avant de reprendre sur un rythme deux fois plus rapide. Elle s'écarta et lui jeta un regard noir.

— Je te jure... (Sa voix se brisa, l'obligeant à s'éclaircir la gorge pour pouvoir continuer.) Si jamais tu essaies un truc comme ça, je te le ferai regretter.

Il embrassa son front.

— Tu t'inquiètes trop pour moi.

— Je ne plaisante pas, maugréa-t-elle en lui plantant les doigts dans la taille. Quel que soit le prix que nous ayons à payer pour être ensemble, ce n'est pas de notre ressort. Nous n'avons pas besoin de rajouter des problèmes supplémentaires à ceux que nous avons déjà.

— Et nous ne le ferons pas.

L'espace d'un instant, il sembla si résolu, si sombre qu'elle eut la sensation qu'il voulait lui dire quelque chose d'autre. Au lieu de quoi, il ajouta :

— Nous ferions mieux de rentrer. Tu vas te lever de bonne heure demain, et moi je dois découvrir comment le sang d'Elijah s'est retrouvé en Louisiane.

— Tu as des pistes ?

— Pour chaque lycan, nous faisons une prise de sang que nous gardons en vue de leur identification et dans un but génétique. Si l'un des échantillons d'Elijah a été subtilisé, cela signifie qu'il y a un traître dans mes rangs. L'alternative serait que quelqu'un ait récupéré son sang sur un terrain de chasse quelconque, autrefois, et l'ait conservé, ce qui sous-entendrait une préméditation de longue date. De toute façon, cette affaire est moche. Pour une raison que j'ignore, quelqu'un semble décidé à me causer de gros soucis, conclut-il en suivant le dessin de sa mâchoire avec son pouce. Je sais ce que tu penses des lycans et je ne suis pas totalement en désaccord avec toi, mais cent soixante et un Sentinelles ne peuvent pas contenir à eux seuls les milliers de vampires qui peuplent cette planète. C'est impossible, nous avons besoin de leur soutien.

— Laisse-moi t'aider, réfléchir avec toi. Je veux te soutenir…

— Oui, *neshama*. J'ai hâte que nous fassions équipe, dit-il en la poussant vers la porte. Mais d'abord, tu as besoin de dormir.

— Ça ne devrait pas poser de problème, l'assurat-elle en le précédant dehors. Je n'ai pas dormi depuis que j'ai quitté Las Vegas, autant dire que la journée a été plutôt longue.

La bouche d'Adrian se retroussa en un début de sourire qui la charma.

— Ta définition d'une longue journée changera peut-être après ton entraînement de demain.

Elle le dévisagea à travers la mèche de cheveux que le vent du soir agitait devant son visage.

— Tu ne me fais pas peur.

Il éteignit les lumières et sortit la rejoindre. Le vent l'embrassa, lui aussi, en murmurant entre ses ailes.

— Tu ne connais pas la peur, c'est l'une des nombreuses raisons pour lesquelles tu me plais.

Un frisson de désir la parcourut qui lui échauffa les sangs.

Quand ils arrivèrent à la maison, elle n'entra pas directement, sachant qu'il valait mieux ne pas se soumettre tout de suite à la tentation.

— Je vais retourner à l'hôtel. Mes affaires sont-elles toujours devant ?

Adrian s'immobilisa sur le seuil des portes vitrées coulissantes qui conduisaient à sa chambre.

— Je veux que tu restes.

— Ce n'est pas une bonne idée. De plus, se hâtat-elle d'ajouter en percevant dans ses yeux brillants une lueur déterminée, je dois poser mes deux semaines de préavis. Plus tôt je le ferai, mieux ce sera.

Il parut considérer la chose un moment.

— Une fois que tu auras démissionné, tu resteras ici, trancha-t-il enfin.

— Adrian...

Il fit un pas vers elle.

Elle savait d'avance ce qui arriverait s'il la touchait.

— Est-ce qu'on peut en discuter plus tard ? Je suis épuisée.

Après une brève hésitation, il hocha la tête.

— Demain. Laisse ta valise ici.

— Je n'ai...

— ... pas la moindre idée de ce que j'ai ressenti en te voyant mettre ce sac dans ton coffre. (Il l'attrapa par la main et, du pouce, lui effleura la paume.) Laisse-le là.

— D'accord.

Elle lui serra les doigts – une pression qui, accentuée au centuple, aurait pu représenter celle qui lui serrait le cœur.

Si elle ne pouvait pas prononcer les mots, elle pouvait au moins les lui faire deviner. Ils devraient se contenter de cela. Tous les deux.

19

— Je savais qu'ils n'apprécieraient pas, marmonna Lindsay à l'intention d'Elijah alors que les Sentinelles, de plus en plus nombreux, atterrissaient dans le pré devant le bâtiment d'entraînement.

Le soleil venait de se lever.

Adrian avait insisté pour qu'Elijah raccompagne Lindsay à son hôtel en voiture la veille au soir, arguant qu'elle était bien trop fatiguée pour conduire. Sa Prius étant un peu trop juste pour un lycan, ils avaient pris l'une des jeeps d'Angels'Point. En plus de l'aspect pratique, Lindsay soupçonnait Adrian d'avoir gardé sa voiture pour être sûr qu'elle reviendrait, ne serait-ce que pour la récupérer. Elle s'était donc abstenue d'objecter quoi que ce soit.

— Les choses n'ont pas changé pour les Sentinelles depuis bien longtemps, répliqua Elijah. Et ça doit faire un moment que personne ne les a pris de court.

Elle pivota pour lui faire face.

— Et pour vous, El, ça va aller ? Avec cette histoire d'Alpha, et maintenant votre sang qu'on a découvert hier… Y a-t-il quoi que ce soit que je puisse faire ?

Il baissa les yeux vers elle. Derrière les lunettes noires qui cachaient ses prunelles vertes, elle ne parvenait pas à lire dans ses pensées.

— Contentez-vous de rester près de moi. Je suis censé vous protéger, si je merde dans cette mission, je suis mort.

— Je ne vous imagine pas merder dans quoi que ce soit.

Il ricana.

— Vous voulez en discuter ? proposa-t-elle.

— Je ne veux même pas y penser.

— OK, mais je suis là si besoin.

Damien s'approchait d'eux. Malgré la fraîcheur du petit matin et le brouillard qui enveloppait la terre, il ne portait rien de plus qu'un pantalon large et des sandales en cuir, comme tous les autres Sentinelles. Les femmes avaient aussi une brassière de sport, mais ce détail mis à part, tous les torses étaient nus. Les regarder suffisait à donner le frisson. Lindsay était pourtant vêtue d'un survêtement, ce qui ne l'empêchait pas d'avoir du mal à se retenir de claquer des dents.

— Je vous ai vue manier le couteau et le fusil, lança le Sentinelle en la toisant d'un regard quasi clinique. Et vous étiez plutôt douée avec les deux. Qu'en est-il du combat à mains nues ?

Elle haussa un sourcil.

— Vous plaisantez ? Je suis humaine, je vous rappelle. C'est à ça que servent les armes, justement, à empêcher si possible les non-humains de me réduire en miettes. De plus, le lancer de couteau et le tir sont des activités solitaires, j'ai donc tout appris par moi-même. Ouh là !

Elle se cambra en arrière pour éviter le poing que Damien avait lancé directement vers son visage. Le bruit de la chair heurtant la chair déchira le silence. Elle se retrouva au sol, sur les fesses, et leva des yeux écarquillés.

De la paume de sa main, Elijah avait bloqué le coup porté par Damien. Les deux hommes s'affrontaient à présent en une joute brutale, leurs bras tremblant sous la poussée exercée par chacun dans une sorte de bras de fer incroyablement puissant.

— C'est quoi, ce bordel ? jeta-t-elle.

Les deux hommes s'écartèrent en même temps, et reculèrent. Ils se tournèrent vers elle d'un même mouvement et tendirent la main ensemble pour l'aider à se relever. Elle saisit les deux et se laissa hisser sur ses pieds.

— Adrian m'avait dit que vous étiez rapide, remarqua Damien. (À voir son calme, on n'aurait jamais deviné qu'il venait de lui envoyer un coup capable de lui briser les os.) N'ayant pas eu l'occasion de vous voir à l'œuvre à Hurricane, j'avais besoin de juger de votre vitesse par moi-même.

Elle le regarda un instant, bouche bée, avant de se tourner vers Elijah. La mâchoire du lycan était crispée. Peut-être ce test n'était-il pas exclusivement destiné à elle, peut-être servait-il aussi à mettre Elijah à l'épreuve.

Les autres Sentinelles, une dizaine équitablement réparties entre hommes et femmes, étaient éparpillés dans le pré autour d'eux, et tous avaient les yeux rivés sur elle. De quoi vous donner l'impression de n'être qu'un morceau de viande crue jetée à une bande de rapaces affamés.

Elle redressa les épaules.

— Si vous m'arrangez le coup avec vos anges, lança-t-elle à Damien, Adrian se préoccupera moins de moi et plus du pétrin dans lequel vous vous trouvez. Or, c'est notre but à tous, je pense.

Le Sentinelle resta immobile et silencieux un moment, à la dévisager des pieds à la tête. Elle ne cilla pas.

Enfin, il hocha la tête. Ils rêvaient tous de la réduire en miettes, aucun doute là-dessus, mais Damien ferait en sorte qu'ils se concentrent sur leur problème commun. Du moins l'espérait-elle.

Elijah s'approcha un peu plus d'elle.

— Je reste là, promit-il sur un ton qui relevait plus de la menace, du gant jeté à la face des autres.

Damien fit signe à Lindsay de rejoindre les Sentinelles dans le champ.

— Allons-y.

Ainsi donc Adrian ne plaisantait pas, quand il lui avait promis qu'elle risquait de réviser à la hausse sa conception d'une longue journée. Celle-ci s'annonçait interminable, elle le savait déjà. Alors qu'elle n'avait même pas commencé.

— Le sang d'Elijah a disparu au lac Navajo.

Adrian détourna les yeux du paysage qui défilait à vive allure par la vitre arrière de la Mayback pour se concentrer sur son lieutenant.

— Merde.

Jason rangea son téléphone portable dans sa poche.

— Pas l'échantillon entier, juste une partie. Ils ont dû peser le sachet pour s'en rendre compte.

Par le toit ouvrant panoramique, le soleil illuminait la chevelure dorée du Sentinelle comme un halo. L'espace d'un instant, une nostalgie poignante vrilla la poitrine d'Adrian.

La durée maximale de stockage de sang avant que la cryoconservation n'affecte la qualité de l'échantillon était de dix ans. Quelqu'un avait eu accès au sang, avait prélevé ce dont il avait besoin et replacé l'échantillon.

— Dès qu'on arrive sur l'aire de décollage, je veux que tu files immédiatement au lac Navajo pour découvrir l'auteur de ce vol. Seuls les Sentinelles sont autorisés à accéder au centre de stockage cryogénique.

— Tu crois que c'est l'un de nous qui a fait le coup ?

— Après Helena… je n'ai plus aucune certitude. Or, j'ai besoin d'être sûr.

Jason soupira.

— Jamais je n'aurais cru un jour éprouver de la compassion pour ce que Syre et les Veilleurs ont commis. Mais il semble que plus on passe de temps sur cette terre et plus on devient humains. On se met à désirer des choses… à ressentir des choses… Enfin, tu vois ce que je veux dire.

Adrian étudia son second un long moment, avec une minutie dont il n'avait pas fait preuve depuis longtemps. Il avait cessé de prêter attention à pas mal de choses, apparemment. La faute au chagrin et au sentiment de culpabilité dans lesquels il s'était complu ces derniers temps.

— Est-ce que tu éprouves des désirs, Jason ?

— Pas au sens où tu l'entends, pas d'un point de vue sexuel. L'agitation que je ressens tient plutôt de la frustration. J'en ai assez de porter un fardeau dont je ne peux jamais me débarrasser.

— Je te soulagerais, si j'en avais le pouvoir.

— Ça va, je survivrai, conclut Jason en haussant les épaules. Et puis, j'ai bon espoir que cette maladie qui touche les vampires annonce la fin de notre mission. Si Dieu le veut, ça va les éradiquer et on pourra enfin rentrer à la maison.

Adrian détourna de nouveau la tête vers la vitre.

La maison. Pour lui, désormais, ça pouvait être n'importe où du moment que Lindsay y était aussi.

Ils arrivèrent dans l'Ontario, plus précisément dans le hangar que Mitchell Aéronautique y possédait. Ils attendirent quelques secondes que les immenses portes métalliques s'ouvrent, puis ils entrèrent la Mayback à l'intérieur. Immédiatement, Jason fila organiser son voyage dans l'Utah. Adrian s'enfonça dans le bâtiment, vers la partie souterraine où ils entreposaient le matériel. Plus il descendait, mieux il entendait les grognements et les feulements. Des sons inintelligibles mêlés aux menaces et autres insanités criées par les prisonniers qui n'avaient pas encore été infectés.

Il avait vraiment l'impression de pénétrer dans les entrailles de l'enfer.

— Capitaine !

Une petite brune se dirigeait vers lui d'un pas mesuré et précis. En tenue de camouflage et avec ses cheveux coupés court à la mode militaire, Siobhán semblait trop fragile pour être impressionnante, ce qui constituait en fait un atout exceptionnel lors des batailles. Ses assaillants la sous-estimaient systématiquement. C'était l'une des raisons pour lesquelles il l'avait chargée de surveiller les vampires infectés. L'autre raison étant sa fascination pour la science. Cette chasse-là requérait quelqu'un qui voie dans la capture des vampires un début, et surtout pas une fin en soi.

De ses mains gantées, elle ôta le masque chirurgical qui lui recouvrait le visage.

— Nous en avons déjà perdu deux, sur les six que j'ai attrapés. Il en reste donc quatre, ce qui fait trop peu de sujets pour l'étude. Je vais devoir repartir en chasse bientôt.

— Est-ce que l'un des prisonniers sains a pu vous fournir des informations utiles sur la première apparition de la maladie ? Ou la façon dont elle se propage ?

— L'un d'eux paraît prêt à parler, dit-elle en tirant des poches de son pantalon un masque et une paire de gants qu'elle lui tendit.

— C'est vraiment nécessaire ?

Les Sentinelles étaient insensibles aux maladies.

— Je n'en sais rien. (Elle lui fit signe de la suivre dans une salle remplie d'une dizaine de cages en argent.) Mais ça vous protégera toujours de leurs postillons dégoûtants, non ?

Il enfila les protections sans plus de questions.

— Que savons-nous ?

— La maladie est apparue pour la première fois il y a une semaine environ. Elle se propage à une vitesse variable. Certains y succombent rapidement et meurent en quelques jours. Pour d'autres, les symptômes mettent plus longtemps à se déclarer et ils survivent jusqu'à deux semaines. Ce groupe-là ignorait que d'autres cas d'infection avaient été observés dans d'autres États, ce qui me pousse à me demander ce que sait vraiment Syre.

Adrian passa devant les cages, examinant les vampires infectés avec une fascination morbide. Yeux rougis et bouche écumante, ils semblaient avoir perdu l'esprit. Ils se jetaient contre les barreaux de métal et tendaient leurs mains aux griffes acérées, tentant d'attraper Adrian et Siobhán avec l'énergie d'un désespoir maléfique. Leur regard était sauvage et pourtant sans vie.

— Montrent-ils des signes d'intelligence ?

— Aucun. On dirait de méchants zombies tout droit sortis d'un film de série B. Hormis une soif féroce de sang, ils n'ont pas l'air d'avoir la lumière allumée à tous les étages.

Adrian soupira.

— On a analysé leur sang ?

— J'ai prélevé des échantillons sur des infectés et des sains, quand ils étaient sous tranquillisants dans l'avion. Néanmoins...

Son soudain silence détourna l'attention d'Adrian du spectacle horrifique et macabre, et il se tourna vers elle.

— Continue.

Elle croisa les bras.

— Leur métabolisme est considérablement accéléré. Sur les vampires sains, l'anesthésie a fonctionné pendant toute la durée du vol, alors que les malades se sont réveillés peu après le décollage. Malachai a même été mordu par l'un d'eux en lui faisant sa prise de sang.

— Il va bien ?

— Jusqu'à maintenant, ça va, mais je l'ai mis en quarantaine tant qu'on n'est pas sûrs. Le vampire qui l'a mordu a été le premier des deux décès. J'ai dû l'abattre pour qu'il lâche Malachai.

Siobhán se remit en marche, pour s'arrêter devant une autre cage. À l'intérieur, un vampire mâle était assis dans un coin, les bras serrés autour de ses genoux repliés.

— Voici notre bavard.

— Alors c'est vous, le célèbre Adrian, fit le vampire d'une voix tremblotante. Vous n'êtes pas aussi effrayant, avec ce masque. En fait, c'est vous qui avez l'air apeuré.

— Quel est ton nom ? demanda Adrian en s'accroupissant.

— Quelle importance ?

— Ça en a pour moi.

Le vampire leva une main hésitante pour repousser une mèche de cheveux sales qui lui était tombée sur le front.

— Flamme.

— Hmm… Et qu'est-ce que tu aimes brûler, Flamme ? s'enquit Adrian, reconnaissant les signes du manque et sachant que les vampires ne choisissaient pas leurs surnoms au hasard.

— Le rêve de cristal.

— Y a-t-il une possibilité que l'anesthésiant y soit pour quelque chose ? demanda Adrian en se tournant vers Siobhán. Il procure peut-être une certaine immunité, non ?

— Tout est possible, à ce stade.

— Merci de ton aide, Flamme, dit-il en se relevant. Siobhán, conduis-moi à Malachai.

Ils quittèrent la pièce pour emprunter un long couloir.

— J'ai une question à te poser, demanda calmement Adrian alors qu'ils cheminaient côte à côte.

— Oui, capitaine ?

— Lindsay Gibson m'a raconté que son sang avait un effet négatif sur certaines des créatures qu'elle chasse. Comme elle s'est attaquée à des vampires et à des démons, je suppose qu'il s'agit plutôt des seconds. (Il songea à la vampire qu'il avait interrogée à Hurricane. Il avait du sang de Lindsay sur les mains, à ce moment-là, et cela n'avait suscité aucune réaction de la part de la créature, négative ou autre.)

Saurais-tu m'expliquer comment son sang permettrait à une de ses lames de trancher la peau normalement impénétrable d'un dragon ?

Elle fronça les sourcils.

— Intéressant… Il faut que j'y réfléchisse. En tout cas, j'aimerais beaucoup analyser un échantillon.

— Est-il envisageable que le fait d'avoir deux âmes dans un même corps soit l'explication ?

Siobhán ralentit devant une porte de métal percée d'une fenêtre.

— Oui, c'est possible. Vous savez combien les âmes sont puissantes. Deux sur un même vaisseau, voilà qui crée une force unique que nous n'appréhenderons sans doute jamais complètement.

À travers la vitre, Adrian vit Malachai s'affaler sur une paillasse, son téléphone portable à la main. Il frappa. Malachai leva aussitôt les yeux et son visage s'illumina d'un sourire dès qu'il reconnut son visiteur.

— Je me sens bien, capitaine, lui cria-t-il à travers la porte.

— Je suis heureux de l'entendre.

Adrian s'apprêtait à ajouter quelques mots, quand un bruit violent retentit à l'autre bout du couloir. Des coups.

— Qu'est-ce que c'est ? demanda-t-il par-dessus son épaule.

Siobhán fronça les sourcils.

— Aucune idée, mais je n'aime pas ça.

Quelques Sentinelles apparurent dans le couloir, alors que les chocs bruyants continuaient. Tous les regards se tournèrent vers Adrian quand il passa rapidement devant eux pour se diriger vers la source du vacarme.

— Ça vient de la morgue improvisée, lança Siobhán, alors que la provenance du bruit se précisait.

— Qu'y a-t-il là-dedans ?

— Hormis les cadavres des deux vampires infectés, personne.

Un bruit de verre brisé fut suivi d'un hurlement.

— Laissez-moi sortir de là !

Ils bifurquèrent à angle droit dans un petit couloir qui se terminait sur une porte close. Par la vitre cassée, un visage masculin posait sur eux des yeux ambrés brillants de rage.

— Enfoirés de Sentinelles ! gronda-t-il. Soit vous me tuez, soit vous me libérez, mais ne me laissez pas ici avec ce putain de cadavre en décomposition !

— Celui-là, c'était aussi un cadavre, chuchota Siobhán. Je l'ai tué moi-même après qu'il a mordu Malachai.

— Eh bien, voilà une guérison que je qualifierai de miraculeuse, commenta Adrian sans quitter le vampire des yeux.

— Mais l'autre est encore mort… ?

— Celui que j'ai attrapé aussi. Il s'est même changé en flaque d'huile, d'après ce qu'on m'a dit.

Il observait le vampire apparemment guéri, les yeux plissés, le rythme de son cœur s'accélérant au fur et à mesure qu'il passait toutes les explications possibles en revue.

— L'une de ces créatures est donc différente des autres, murmura-t-il. Mais en quoi ? Il a ingéré du sang de Sentinelle ?

Siobhán lâcha un petit cri étouffé.

— Merde !

Oui, sacré merdier, en effet.

— Vous vous sentez mieux ? s'enquit Elijah en voyant Lindsay sortir de la chambre contiguë.

Assis au petit bureau de sa suite, il travaillait sur son ordinateur portable, tâchant de se concentrer sur quelque chose pour oublier le piège qui se refermait sur lui. Ce qui était plus facile à dire qu'à faire, vu la méfiance avec laquelle les Sentinelles l'observaient et l'espoir qu'il lisait dans chaque regard qu'un lycanthrope posait sur lui. Tout le monde s'attendait à ce qu'il fasse un geste, un mouvement qui détruirait le système bien huilé dont le but était la préservation de l'ignorance bienheureuse dans laquelle vivaient les humains. Un camp souhaitait désamorcer le pouvoir que l'on percevait en lui, alors que l'autre espérait le voir exploser comme un baril de poudre. Quoi qu'il fasse, il était foutu.

— El, l'interpella Lindsay en ébouriffant ses boucles humides, est-ce que vous êtes allé me chercher l'eau vitaminée que je vous ai demandée ?

— Elle est dans le frigo, votre altesse.

— Ça alors ! commenta-t-elle avec un regard exagérément choqué. Vous venez de faire une blague, ou j'ai rêvé ?

Il réprima un sourire.

— Pas du tout.

— Je crois bien que si.

Il baissa les yeux vers l'écran de son portable. Il aimait bien cette fille. Et après les nombreuses occasions où elle avait pris des risques pour sauver sa pauvre couenne, il en était venu à la considérer comme une amie. Il n'en avait pas des masses, et il n'en revenait toujours pas qu'elle les ait présentés comme tels, elle et lui. Ça l'avait laissé sans voix. À un moment donné, depuis qu'il avait commencé à la protéger, il avait cessé de la considérer comme un objectif et s'était mis à l'envisager en tant que Lindsay, tout simplement. Il se sentait plus détendu en sa compagnie qu'il ne l'avait été depuis belle lurette, car son amitié ne s'accompagnait d'aucune exigence, d'aucune attente. Elle était à la fois folle et drôle, très directe – parfois trop. Du genre à oser révéler qu'elle n'avait pas beaucoup de camarades, petite. Comme pour lui, les gens à qui elle faisait confiance devaient se compter sur les doigts d'une main. Il se demandait si elle s'était jamais épanchée sur ses talents si spéciaux auprès de qui que ce soit. D'ailleurs, pourquoi et comment était-elle dotée de ces aptitudes ? Il aurait donné cher pour le savoir. Cette fille était un gros point d'interrogation, et tout le monde semblait vouloir une part du gâteau. Or c'était son travail à lui, Elijah, de s'assurer que personne, à l'exception d'Adrian, n'en obtienne une.

Elle reparut un instant plus tard, tenant à la main une bouteille remplie d'un liquide fluorescent dont l'étiquette tout aussi voyante annonçait fièrement ses qualités nutritionnelles.

— J'en avais besoin, expliqua-t-elle. J'ai l'impression de m'être fait rouler dessus par un train de marchandises alors que je n'étais pas encore remise d'une terrible gueule de bois.

Les Sentinelles ne l'avaient pas ménagée, au cours de sa matinée d'entraînement, à tel point qu'il avait dû s'interposer une fois ou deux. Les anges n'avaient pas apprécié, bien sûr, mais ils savaient qu'Adrian le soutiendrait. Lindsay, de son côté, avait encaissé leur rythme brutal sans broncher, même lorsqu'elle avait essuyé un coup vicieux en pleine face.

Visiblement, les Sentinelles ne comprenaient pas la signification de l'attitude d'Adrian, la façon dont il avait affiché devant eux sa possessivité sexuelle, la veille. Sinon, ils se seraient montrés plus attentifs avec elle. Peut-être au fond qu'Adrian lui-même ne percevait pas complètement le besoin irrépressible qu'il avait eu d'afficher leur étreinte, de marquer Lindsay, de la posséder. Un désir encore accentué par sa tentative de fuite. Les femelles lycans savaient depuis toujours que partir ne faisait pas partie des options valables. Éveiller la bête en se refusant à son partenaire n'était pas vraiment une bonne idée. Elijah avait jadis pensé que c'était à cause du sang de démon qui coulait dans leurs veines qu'ils étaient aussi primitifs dans leur attitude vis-à-vis de leur partenaire sexuelle. Aussi, depuis le début, s'était-il montré prudent avec Lindsay, au cas où. Et il avait eu bien raison, il s'en félicitait tous les jours. Car aujourd'hui, il avait la preuve que les anges pouvaient se montrer tout aussi possessifs et sauvagement charnels. Peut-être, tout bien réfléchi, que c'était la part des anges à la constitution génétique des lycans qui les rendait si ardents, passionnés jusqu'à la violence parfois.

N'empêche, les lycanthropes, eux, avaient reçu le message d'Adrian cinq sur cinq. Malheureusement, Elijah redoutait que l'importance prise par Lindsay aux yeux de leur chef Sentinelle ne la transforme en une proie de choix. Ceux qui parlaient de rébellion attendaient depuis longtemps une faille dans l'armure jusque-là inviolable d'Adrian. Lindsay était cette faille, Elijah s'en rendait clairement compte aujourd'hui.

Merde ! Il se frotta le visage à deux mains. Comment avait-il pu ne pas voir quels fanatiques ses pairs étaient devenus ? Depuis combien de temps Micah leur bourrait-il le crâne avec son projet chimérique de liberté ?

— J'entends tourner les rouages de votre cerveau, El, lança soudain Lindsay, interrompant ses réflexions.

Elle reposa la bouteille vide sur la coiffeuse pour le recyclage. C'était une amie de la nature, il l'avait remarqué en plusieurs occasions.

Il lui fallait absolument traquer celui ou celle qui l'avait piégé, mais en même temps il ne pouvait pas quitter Lindsay d'une semelle, car il n'avait personne à qui la confier sans crainte.

Elle se dirigea vers le placard et en tira son sac à bandoulière, qu'elle transportait en toute tranquillité alors qu'il recelait tout de même un véritable arsenal.

— Je dois sortir.

Il se leva.

— Pour quoi faire ?

— Acheter des souvenirs de Californie : chapeaux, sweat-shirts, lunettes de soleil, etc., les trucs ringards par excellence.

Le manque d'enthousiasme d'Elijah devait se lire sur son visage, car elle éclata de rire.

— J'adore acheter à mon père des trucs qui lui font lever les yeux au ciel, expliqua-t-elle. Mais vous avez de la chance, on n'en aura pas pour très longtemps, je dois être rentrée à 15 heures pour un entretien.

Un coup d'œil à la pendule lui apprit qu'il était déjà 13 heures. Il devait ajouter encore un point dans l'escarcelle de Lindsay : après s'être fait rouer de coups toute la matinée, elle tenait encore debout.

— Vous avez des projets pour la soirée ? s'enquit-il.

— Je dois récupérer ma voiture à Angels'Point, mais à part ça, vous êtes libre de vaquer à vos occupations.

Il hocha la tête.

— OK, merci.

Une fois qu'elle serait rentrée à l'hôtel pour la nuit, il pourrait passer un coup de fil à Rachel. Il devait savoir à quel point les projets de rébellion de Micah avaient fait leur chemin parmi les siens. Elijah en était conscient, il lui fallait étouffer le monstre dans l'œuf, dès que possible. Mais comment y parvenir alors qu'il était tenu à l'écart du reste de sa meute, la plupart du temps ?

— Pourquoi n'avez-vous pas de petite amie ? lui demanda Lindsay quand ils sortirent de l'ascenseur au rez-de-chaussée.

D'habitude, ils prenaient l'escalier sur dix-sept étages, mais elle était trop épuisée aujourd'hui pour avoir encore besoin d'exercice.

— Trop compliqué, trop chronophage, trop de travail.

— Mais vous aimez les filles, non ? À moins que...

Il se tourna vivement vers elle, et rencontra ses yeux bruns et rieurs.

— Je vous taquinais, plaisanta-t-elle.

Il renifla en guise de rire, pour cacher qu'en fait, il balançait entre rire et larmes.

Lindsay s'immobilisa brusquement à la sortie des portes tambour, sous la marquise qui abritait les porteurs et les voituriers. On formait encore des bagagistes, pendant que des jardiniers mettaient la dernière touche aux parterres de fleurs qui entouraient l'allée sinueuse. La vie telle que les mortels la connaissaient continuait normalement, et pourtant une soudaine raideur dans la posture de Lindsay, une intense concentration, comme un chien de chasse à l'arrêt, signalaient à coup sûr la présence dans les parages d'une proie potentielle.

Les sens d'Elijah se mirent aussitôt en alerte. Il scruta la zone à nouveau, de même qu'il l'avait fait machinalement avant de sortir de l'hôtel. L'étrange brise qui semblait suivre Lindsay partout le balaya lui aussi, apportant avec elle l'odeur sanguine des vampires. La bête qui sommeillait en lui se prépara à bondir, grondant doucement dans l'attente de l'ordre qui l'autoriserait à attaquer.

La vampire qui avait éveillé leur méfiance instinctive à tous deux apparut un instant plus tard. Elle traversa le parking depuis la rue, tranquille car inconsciente du danger et de la présence des deux prédateurs qui l'observaient.

Son allure frappa Elijah comme un coup en plein plexus. Elle était grande, solide, avec des hanches rondes, des seins pleins et fermes. Ses cheveux lui descendaient jusqu'à la taille, très raides et rouge sang. Et pour couronner le tout, elle portait un costume digne d'une dominatrice – bottes à talons aiguilles, pantalon noir moulant, et un haut en cuir dont le décolleté en V dévoilait la vallée profonde nichée entre ses seins.

Elijah fut soudain aveuglé par le besoin fou de la culbuter sur le capot de la Mercedes qu'elle contournait, de la maintenir par sa chevelure enroulée autour de son avant-bras pour pilonner son corps superbe jusqu'à jouir dans un rugissement.

Dieu sait pourtant à quel point il haïssait les vampires, surtout les femelles, encore plus vicieuses que les mâles. Mais alors qu'il ne pouvait détacher son regard de la créature, il sentit son sexe enfler d'un désir sauvage.

Elle sursauta violemment, ce qui permit à Elijah de revenir à la réalité. Elle bondit comme une bête féroce qui aurait été frappée et se retourna vers eux, les babines retroussées sur ses crocs.

Il aperçut alors le scintillement du soleil sur un morceau de métal planté dans son épaule et comprit ce qui venait de se passer.

— Merde, marmonna-t-il, rattrapant Lindsay *in extremis* avant qu'elle se précipite sur la vampire.

— Laissez-moi y aller, El ! aboya-t-elle en secouant le bras pour se libérer de son emprise.

Mais il ne lâcha pas.

— Bon sang, Lindsay, qu'est-ce que vous faites ? gronda-t-il. On est en plein jour, nom de Dieu ! C'est une Déchue.

Lindsay lui déchira le bras de sa lame, provoquant un hurlement de douleur et la libération escomptée.

Elle allait bientôt atteindre la créature quand elle lui répondit :

— Cette garce a tué ma mère.

20

Incrédule, Vashti baissa les yeux sur son épaule et comprit d'où provenait la douleur cuisante qui l'irradiait : un couteau à lame d'argent. Elle l'arracha, releva la tête juste à temps pour apercevoir un nouveau projectile, une fraction de seconde avant qu'il l'atteigne au biceps.

— Fait chier ! siffla-t-elle, prise de court par cette attaque en règle au beau milieu de la journée.

Une blonde courait vers elle, qui venait de lâcher une autre salve. Vashti plongea pour l'éviter, juste à temps cette fois. Déjà, le fumet de son propre sang aiguisait sa faim.

Une humaine ! Mais qu'est-ce… ?

Sans réfléchir plus avant, Vashti chargea, prête à mettre cette chienne en pièces, quand l'odeur du lycan lui parvint. Il sortit en trombe de sous la marquise de l'hôtel, à la poursuite de la blonde suicidaire.

Et soudain une idée la frappa : *Shadoe*. Tout de suite après, elle identifia l'odeur de son chien de garde…

L'enfoiré qui avait kidnappé Nikki.

Bouleversée au point de rester clouée sur place, Vashti s'immobilisa, ce qui lui valut de recevoir une autre lame, dans la cuisse cette fois.

Les deux personnes qu'elle était venue pourchasser jusqu'en ville étaient justement en train de se ruer sur elle, et il n'y avait rien qu'elle puisse faire contre ça. Pas tant qu'elle serait seule. Pas sans ses armes. Pas devant témoins.

Une autre lame lui effleura l'épaule, à quelques millimètres de l'endroit où l'avait touchée la première.

C'était elle qui avait appris à Shadoe à lancer avec cette précision. Elle lui avait enseigné comment chasser, comment tuer. Alors Vashti comprit : Shadoe évitait délibérément de frapper un organe vital ou une artère. Cette folle de blonde avait l'intention de capturer un vampire.

Vashti saisit un couteau fiché dans son épaule et le lança très haut en direction du lycan, puis elle arracha celui de sa jambe, avant de plonger. Elle heurta Shadoe en pleine poitrine, paumes en avant, et l'envoya valser plusieurs mètres en arrière, contre son garde lycan. Tous deux s'écroulèrent et Vashti en profita pour s'enfuir, bondissant sur le capot d'une Jaguar et courant sur les toits des voitures. Elle s'élança par-dessus le mur de pierre qui séparait le parking du Belladonna de celui du restaurant voisin, aveuglée par la fureur.

Jamais elle ne fuyait. Jamais elle ne prenait plusieurs coups d'affilée. Jamais elle ne laissait en vie quiconque avait fait couler son sang. Mais elle ne pouvait pas abattre la fille de Syre, non, elle ne pouvait pas tuer Shadoe.

— Putain ! Merde ! Fait chier ! hurla-t-elle en chapelet.

Ses bottes atterrirent sur le toit d'un Suburban de l'autre côté du mur, déclenchant le hurlement de la sirène d'alarme. En se brisant, son talon droit lui fit perdre l'équilibre et elle dégringola sur le pare-brise, puis le capot, pour finir sur le bitume.

Elle avait à peine recouvré ses esprits qu'elle entendit un autre corps atterrir sur la voiture derrière elle. D'un coup d'œil par-dessus son épaule, elle découvrit que la blonde la talonnait. Immédiatement, Vashti encaissa un nouveau coup derrière l'épaule, dont la douleur se répandit à travers ses veines. Incapable de retirer la dague fichée trop loin dans son dos, elle n'avait plus qu'une seule issue : courir, en espérant qu'une échappatoire s'ouvre miraculeusement devant elle. La rue était passante, ce qui ne semblait pas arrêter Shadoe. Vashti ignorait quelle mouche avait piqué les fesses de la fille de Syre, mais cette dingue lui collait au train comme une sangsue.

Un énorme pick-up blanc fit irruption sur le parking, bien trop vite et fonçant droit sur elle. Vashti était en train de calculer la trajectoire à prendre pour sauter par-dessus le bolide, quand il freina d'un coup et finit en tête-à-queue. La tête de Salem apparut à la vitre du conducteur.

— Monte !

Elle ne se fit pas prier et bondit à l'arrière. Immédiatement, Salem remit les gaz, soulevant les gravillons et laissant derrière eux un nuage qui empestait le caoutchouc brûlé. Un couteau heurta l'arrière de la cabine avec un bruit métallique et Vashti s'affaissa, un juron aux lèvres.

Le pick-up se faufila dans la circulation, suscitant un chœur de klaxons furieux, en même temps qu'une série de chocs entre métal et fibre de verre. Il parcourut trois bons kilomètres avant que Vashti se sente suffisamment en sécurité pour relever la tête.

— Vous avez demandé des rapports sur les kidnappings ?

Syre leva les yeux du tableur qu'affichait l'écran face à lui et croisa le regard de la vampire dans l'encadrement de sa porte.

— En effet, Raven.

La beauté aux cheveux de jais entra dans la pièce en balançant naturellement ses hanches sensuelles. Avec ses talons aiguilles interminables, sa jupe crayon jusqu'au genou et un chemisier à boutons qui renfermait une poitrine bien ronde, elle avait visiblement choisi de jouer la secrétaire coquine, aujourd'hui. L'un des nombreux rôles de composition qu'elle s'amusait à endosser pour pimenter un peu le quotidien.

— Il y a eu un raid la nuit dernière dans l'Oregon, annonça-t-elle. Un groupe de Sentinelles a envahi un nid et enlevé plusieurs mignons.

S'adossant au dossier de sa chaise, Syre s'interrogea sur l'audace grandissante d'Adrian. Infecter des mignons, voilà qui ne lui ressemblait pas. C'était un guerrier, né et fait pour le combat physique, dans lequel il excellait. La guerre biologique ne faisait pas partie des tactiques que Syre aurait naturellement attribuées au chef des Sentinelles. Quelque chose avait changé, ou était en train de changer.

Pour la première fois depuis bien des années, Syre sentit le poids des ans. L'horloge égrenait les heures avec une impatience brutale. Depuis de nombreuses années, Torque l'incitait à agir, plutôt que de se contenter de réagir. Peut-être au fond que le moment était venu.

— Merci, murmura-t-il. Envoie une équipe dans l'Oregon. Je veux connaître les moindres détails de l'attaque. Et tiens-moi au courant dès que tu reçois une information, si ténue soit-elle.

— Bien, Syre.

Raven quitta la pièce. Syre essaya de reporter son attention sur l'écran. En vain. Quand le téléphone sonna, il décrocha avec soulagement, car ses pensées n'avaient cessé de tourner autour de la stratégie offensive d'Adrian.

« Tu n'as pas idée de ce que je suis autorisé à faire ou pas », lui avait dit le chef des Sentinelles à peine quelques semaines plus tôt. Ces mots contenaient-ils une menace que Syre n'avait pas su entendre ?

La voix de son interlocuteur était si forte qu'il l'entendit avant même de porter l'appareil à son oreille.

— Calme-toi, Vashti. Doucement, je ne comprends…

Au fur et à mesure qu'elle racontait son histoire embrouillée, Syre se raidissait. Et toutes ses autres réflexions disparurent instantanément de son esprit. Toutes sauf une.

Agis au lieu de réagir.

Oui, le temps était venu.

— Bon sang, mais qu'est-ce qui t'a pris ? demanda Adrian, sur ce ton froid et neutre qui faisait grincer des dents à Lindsay.

Énervée comme elle l'était, elle aurait préféré qu'il élève la voix, qu'il hurle même, qu'il fasse les cent pas, qu'il s'emporte… n'importe quoi. Mais au lieu de cela, il restait planté devant son bureau et parlait d'une voix aussi calme que s'il était en train de commenter la météo. Seul le lointain grondement du tonnerre lui disait qu'il ne prenait pas la nouvelle de son téméraire assaut sur l'une des Déchues avec la désinvolture affichée.

— Toute ma maudite vie j'ai cherché cette chienne, siffla-t-elle. Et elle était là, à se promener tranquillement sous mon nez. Je ne pouvais pas ne pas agir.

— C'était le milieu de la journée. Tu étais entourée de dizaines de touristes.

Elle croisa les bras.

— Je n'ai pas l'éternité pour la coincer. Si je dois attendre encore vingt ans avant de la retrouver, je ne serai peut-être plus physiquement apte à lui faire quoi que ce soit. Je ne serai peut-être même plus en vie. C'était aujourd'hui ou jamais.

Le regard bleu de flamme d'Adrian la transperçait, la brûlait.

— À présent, tu t'es exposée à la colère des Déchus. Ils vont te chercher.

— Tant mieux, et j'espère même qu'ils l'enverront *elle*, rétorqua Lindsay d'un air de défi. Car la prochaine fois, je ne m'amuserai plus, je l'abattrai sans hésiter.

Damien émit un bruit qui attira son attention.

— Si vous étiez en mesure de la tuer, pourquoi ne pas l'avoir fait ?

— Parce que j'ai besoin de savoir où se trouvent les deux autres enfoirés. Elle était seule, d'abord. Je n'ai vu personne avec elle jusqu'à ce qu'ils arrivent pour la secourir. Et entre parenthèses, le type au volant du véhicule qui l'a emmenée avait les mêmes cheveux rouges en épis que l'un des salopards qui ont attaqué ma mère, je m'en souviens très bien. Si la vampire traîne encore avec celui-là, je suppose que le troisième larron n'est pas loin.

— Les implications de ton acte n'ont pas fini de se répercuter sur nous. On ne chasse pas les Déchus, Lindsay. On ne le peut pas. Leur châtiment consiste à vivre avec ce qu'ils sont devenus.

— Elle n'avait pas l'air de souffrir, quand elle terrorisait ma mère, elle semblait même s'éclater comme une folle. Cette garce de suceuse de sang ne mérite pas de vivre.

Lindsay fusillait Adrian du regard, mais son expression impassible demeurait indéchiffrable. Un nœud se forma dans son estomac. Bon sang, elle ne voulait pas lui causer plus d'ennuis qu'il n'en avait déjà, mais qu'aurait-elle pu faire d'autre ? Toute sa vie, elle l'avait dédiée à venger sa mère.

— Elle m'a laissée en vie, alors c'est sa faute, à cette imbécile, si je la pourchasse à présent. Je suppose qu'elle s'imaginait qu'en tant qu'humaine, je ne deviendrais pas une menace en grandissant. Mais voilà qui devrait t'absoudre de tout reproche : je ne suis pas l'une des vôtres. Je n'opère pas selon vos règles. Donc, ce que je fais ne vous affectera pas.

— Sauf que tu étais accompagnée par un lycan, lui rappela Adrian. Donc nous sommes impliqués.

— Dans ce cas, libère-moi, lâcha-t-elle, sur un ton vaguement implorant qu'elle détestait. Je ne peux t'apporter que des problèmes. Ça me tue, Adrian, ça me brise le cœur.

Avec un profond soupir, il s'appuya contre son bureau et en agrippa d'une main le plateau.

— Quand Vashti t'a poussée contre Elijah, elle aurait pu tout aussi bien transpercer ta cage thoracique de son poing pour en extraire ton cœur. La seule raison pour laquelle tu respires encore, c'est parce qu'elle t'a laissée t'en tirer.

— Ah oui ? Et pourquoi est-ce qu'elle aurait fait ça ? Encore ! J'ai pris l'avantage sur elle une fois, je peux le refaire.

— C'était Vashti ? (La voix d'Elijah gronda à travers la pièce.) Je veux participer à cette chasse.

Lindsay se tourna vers lui et hocha la tête. Vashti leur avait à tous deux pris des êtres qu'ils aimaient, il était temps qu'elle paie pour ses méfaits.

— Tu m'as promis que tu m'aiderais à la chasser, dit-elle à l'intention d'Adrian. Tu as fouillé dans mon cerveau, tu savais qui elle était. M'aurais-tu menti ?

— Non, mais nous devons les provoquer pour qu'ils nous attaquent, pas entamer nous-mêmes la guerre. Nous pouvons nous défendre, mais pas lancer l'offensive. Il y a des règles et des façons de contourner ces règles...

La sonnerie de son téléphone portable l'interrompit, il se détourna et prit l'appareil sur son bureau.

— Excusez-moi, fit-il, les sourcils froncés, avant de répondre d'un sec : Mitchell.

Lindsay vit son beau visage devenir aussi dur que la pierre. À l'autre bout du fil, elle entendait quelqu'un parler très vite, mais ne parvenait pas à distinguer les mots. Elijah poussa un soupir et s'approcha d'elle, comme pour la soutenir. Se mettre de son côté. Un frisson glacial la parcourut en même temps qu'un mauvais pressentiment l'envahissait.

Après un moment qui lui parut interminable, Adrian hocha la tête.

— Oui, restez sur place, je vais prendre des dispositions.

Il reposa son BlackBerry bien trop délicatement, puis regarda tour à tour Damien et Elijah. Un message muet passa entre eux, et les deux hommes se dirigèrent vers la sortie. La brève pression dont

Elijah la gratifia sur l'épaule et le regard compatissant de Damien resserrèrent un peu plus le nœud glacial qui tordait le ventre de Lindsay.

— Qu'est-ce qu'il y a ? demanda-t-elle dès que la porte fut refermée et qu'elle se retrouva en tête à tête avec Adrian.

Il se dirigea vers elle et vint la prendre délicatement par les avant-bras.

— C'est ton père, Lindsay. Il...

— Non !

Le sol se déroba sous ses pieds et elle vacilla. Elle avait l'impression que sa poitrine venait d'exploser, tant la douleur était atroce. Sans le soutien d'Adrian, elle se serait effondrée.

— Il était au volant, il a fait une embardée et quitté la route. Il est rentré dans un arbre.

— N'importe quoi ! lâcha-t-elle, les joues baignées de larmes. Je n'en crois pas un mot. Mon père conduit comme un pro. Tout ça, c'est la faute de Vashti. C'est la seconde de Syre, elle a très bien pu organiser ça.

Ce qui signifiait qu'elle-même était en partie responsable.

Les ailes d'Adrian se déplièrent et l'enveloppèrent de leur protection. Il la prit tout contre lui, l'agrippant par la nuque et la taille pour la serrer plus fort encore.

— Je ne peux pas totalement l'exclure. Je vais lancer une enquête afin d'en être certain.

Un son brisé, erratique, emplit la pièce et Lindsay se rendit compte qu'elle sanglotait, le corps secoué de violents soubresauts.

Adrian ne la lâcha pas, et sa chaleur la pénétra peu à peu, se coulant jusqu'au tréfonds de son être. Non... il était en elle ! Dans son esprit, comme il l'avait déjà fait, à s'enrouler autour de tout, comme d'insidieuses volutes de fumée. Son chagrin commença à disparaître, les douleurs les plus vives s'adoucirent, remplacées par une étrange sensation de réconfort.

Dans un effort surhumain, Lindsay s'arracha à son étreinte, si vivement qu'elle trébucha et s'écroula par terre.

— P... Putain, mais qu'est-ce que tu fais ?

Il s'accroupit près d'elle et tendit la main pour écarter quelques mèches de cheveux de son front. Ses yeux scintillaient de leur flamme surnaturelle, et ils brillaient aussi de larmes.

— Je t'enlève ton chagrin. Je ne peux pas le supporter.

— Qu... Quoi ? Comment ?

— Je peux retirer de ton esprit les souvenirs douloureux, *neshama*. Je peux aussi rehausser ta mémoire des jours heureux.

— Je te l'interdis ! jeta-t-elle en se hissant sur ses pieds, repoussant la main qu'il lui offrait pour l'aider. Si tu t'avises de me voler un seul souvenir, douloureux ou autre, jamais je ne te le pardonnerai.

— Tu ne pourras pas m'en vouloir de la perte de quelque chose dont tu ne te souviendras pas.

Comment elle parvint à rester debout alors qu'elle avait l'impression qu'un fer rouge lui transperçait la poitrine, voilà qui tenait du miracle.

— Si tu tiens un minimum à moi, tu ne me retireras pas les événements qui m'ont façonnée, qui ont fait de moi celle que je suis aujourd'hui... Bon Dieu !

Elle se prit la tête entre les mains, avec la sensation que les pensées qui s'y bousculaient comme un tourbillon allaient la faire exploser. Sa poitrine se soulevait à grand-peine, elle respirait avec difficulté, ses sanglots affolés résonnaient à ses propres oreilles et tout semblait lui échapper.

— Il faut que je m'en aille, je ne peux pas rester ici.

— Reste au moins cette nuit. Est-ce que tu peux faire ça pour moi ? Tu n'es pas en état de te retrouver seule.

— Adrian...

Elle ne le voyait même pas à travers le voile de larmes qui lui brûlaient les yeux et la gorge. Ils avaient fait l'amour dans cette pièce, y étaient restés enlacés pendant des heures. Ce n'était pas un hasard si elle recevait en ce lieu précis le châtiment de cette transgression.

— Nous sommes en train de nous tuer l'un l'autre. Chaque instant que nous passons ensemble nous revient en pleine face sous la forme d'un tourment infligé à ceux que nous aimons. Il faut que nous restions éloignés l'un de l'autre.

— Oui, admit-il, toujours aussi calme. Je te laisserai partir. Mais pas ce soir, pas comme ça. Passe une nuit sous mon toit, là où je te sais en sécurité. Je ne te dérangerai pas. Peux-tu m'accorder cela ?

— Tu promets que tu me laisseras partir ?

— Oui, *neshama sheli*. Je te le promets.

Elle n'avait plus envie de savoir ce que signifiaient ces paroles. Car c'était une véritable torture, cette intimité douce et torride qu'ils partageaient. Elle acquiesça, acceptant sa requête sans un mot, la bouche trop sèche pour pouvoir seulement parler.

Il inclina légèrement la tête.

— Merci.

Quelque chose dans l'austérité, la sévérité des traits d'Adrian la déstabilisa. Comme une lueur de farouche détermination. Mais elle n'en pouvait plus. Elle partait en lambeaux, brisée par un coup dont jamais elle ne se remettrait.

Papa…

Sans un mot de plus, Lindsay quitta le bureau en refermant la porte derrière elle. Quel gâchis ! Son existence n'avait plus aucun sens, plus aucun cadre. Pire encore, elle détruisait la vie de tous les gens qui l'entouraient.

Elle se retira dans sa chambre et s'écroula sur le lit. À force de larmes, elle finit par sombrer dans un sommeil noir et agité.

Pendant la nuit, Adrian remplit un sac de voyage, avec calme et détermination. Il mit de côté des vêtements pour une semaine, même s'il pensait qu'une bonne partie serait superflue. Si Dieu le voulait, Syre serait mort dans les quarante-huit heures.

Il avait très peu de temps. Vashti avait reconnu Shadoe en Lindsay, forcément, sinon pourquoi l'aurait-elle laissée en vie ? Par conséquent, en ce moment même, Syre savait que sa fille était de retour. Le chef des Déchus devait évaluer les possibilités, consulter ceux en qui il avait confiance, rassembler les informations, décider de ce qu'il en ferait. Il fallait donc l'attraper avant qu'il ne prenne cette décision.

Ensuite il s'occuperait de Vashti. L'attaque sur la mère de Lindsay lui ressemblait si peu qu'elle ne pouvait avoir été conçue que comme un message lancé à son adresse à lui, Adrian. Vashti avait dû deviner que Lindsay était en fait Shadoe, et anticipé qu'Adrian aurait connaissance du meurtre lorsqu'ils se rencontreraient. Ce qui était inévitable. Les quelques décennies qui s'étaient écoulées entre-temps ne représentaient rien pour un immortel, l'attente non plus.

La question qui restait sans réponse était : pourquoi ? Si Vashti savait qui était Lindsay depuis si longtemps, pourquoi ne pas en avoir parlé à Syre ? Adrian avait bien l'intention d'obtenir la réponse à la source.

Bon sang ! Il détestait par-dessus tout partir en chasse dans ces conditions-là, précipitamment, insuffisamment préparé. C'était d'ailleurs pour cela, dans chaque réincarnation de Shadoe, qu'il avait attendu que Syre vienne à lui. Mieux valait affronter son adversaire sur son propre terrain, là où il n'avait qu'à lever le doigt pour bénéficier de toutes ses armes. Mais parfois un assaut rapide et imprudent convenait mieux pour pénétrer les lignes de défense ennemies. Adrian priait pour que ce soit le cas cette fois, car tel était précisément son plan. Parce que cette fois était différente. Lindsay était différente. Il était différent, lui aussi, avec elle. Et cela valait bien le prix qu'il aurait à payer, quel qu'il soit.

Son regard se posa sur le réveil posé sur la table de nuit. Il était presque minuit. Heureusement, Lindsay avait cessé de pleurer vers 22 heures, juste avant de s'endormir. Chaque sanglot qui lui était parvenu de sa chambre l'avait transpercé, de plus en plus profondément. À présent, son cœur saignait sans discontinuer. Jamais il n'en avait été ainsi entre eux. Par le passé, Shadoe n'avait jamais tardé à se frayer un chemin jusqu'à son lit et elle y était restée. Dans n'importe laquelle de ses incarnations, il la serrerait contre lui, à cet instant, lui ferait l'amour, repousserait l'inévitable confrontation avec Syre afin de voler encore un jour auprès de la femme qu'il aimait.

Là, au contraire, il avait en poche un billet d'avion qui l'emmènerait à Raceport dans quelques heures. Il voyagerait seul, sur un vol régulier, et atterrirait juste après le lever du soleil. L'heure ne changerait rien pour Syre, mais cela limiterait le nombre de mignons qu'Adrian aurait à affronter.

Il fourrait une autre tunisienne dans son sac quand il l'entendit geindre. Il s'immobilisa, tous ses sens concentrés sur la femme qui dormait dans la chambre voisine. Le matelas soupira quand elle se retourna, puis un gémissement doux mais étouffant lui parvint. Et soudain, plus rien d'autre ne comptait.

Son corps tout entier se couvrit de chair de poule. S'écartant de son lit, il se rapprocha du mur, même s'il n'avait pas besoin de cette proximité pour l'entendre. Il aurait pu se trouver dans le baraquement des lycans, il aurait perçu le moindre de ses soupirs, aussi précisément que s'il avait l'oreille collée à sa poitrine.

Elle se mit à haleter, à s'agiter. Un autre de ses gémissements le secoua.

Incapable de résister à cet appel muet alors qu'il leur restait si peu de temps, Adrian quitta sa chambre et parcourut la courte distance jusqu'à la porte de celle de Lindsay. Impatient, il fit tourner le verrou et entra.

La chambre était plongée dans l'obscurité, avec ses rideaux tirés pour cacher la vue sur la ville, au loin. Il referma la porte derrière lui et s'approcha du lit en silence. Il la voyait aussi bien que si toutes les lumières avaient été allumées.

Lindsay avait repoussé les couvertures. Elle ondulait sur le lit dans un abandon sensuel, et l'odeur âcre de son désir monta immédiatement à la tête d'Adrian, l'enivrant. Elle avait les mains posées sur ses seins, qu'elle pressait à travers le satin du petit haut assorti à son string.

Elle arqua le dos, comme pour lui offrir en cadeau sa magnifique poitrine.

— *Adrian*...

Il inspira brusquement, tous les sens éveillés par l'érotisme de cette voix. Il porta la main à son entre-jambe et frotta sa douloureuse érection à travers le pantalon. Épais et chaud, le sang affluait en torrents dans ses veines. L'abandon qu'elle affichait pendant son sommeil l'excitait plus que tout, par le désir évident qui s'en dégageait et qu'elle refusait de satisfaire lorsqu'elle était éveillée. Parce qu'elle tenait à lui. Il comprenait l'affection qui motivait son choix. Si elle ne l'aimait pas, elle ne refoulerait pas les besoins qui la hantaient jusque dans ses rêves.

En dépit de tout, sachant pertinemment qu'il ne fallait pas, il fit disparaître ses vêtements, qui s'entassèrent à ses pieds. L'air frais de la nuit caressa sa peau surchauffée, presque aussi agréablement que s'il s'agissait des mains de Lindsay. Celle-ci exhala encore un gémissement. Il s'agenouilla sur le lit.

Dès que le matelas s'enfonça sous son poids, elle ouvrit les yeux.

— *Adrian*, chuchota-t-elle en se pelotonnant aussitôt dans ses bras.

Il laissa échapper un grognement quand elle pressa la bouche sur la sienne pour y insinuer sa langue ardente, avec une faim qui décupla son désir. Il la voulait. Elle le repoussa et enroula une jambe soyeuse autour de sa hanche pour empoigner son érection de sa main fine. Il renversa la tête en arrière. Le plaisir de son contact, son désir évident, accordé sans réserve pour la toute première fois...

Elle se colla un peu plus à lui, et déjà l'humidité de son sexe baignait le satin de son string, brûlant la peau sensible de l'érection qu'elle lui procurait. Incapable de résister au besoin de sentir sa peau nue contre lui, il agrippa son sous-vêtement et le lui arracha. Un frisson le parcourut lorsqu'il sentit en la pénétrant à quel point elle mouillait pour lui. Le contact doux comme un pétale de fleur de ses lèvres glabres qui glissaient sur son membre faillit bien avoir raison de lui. Il était au bord de jouir.

— *Ani rotza otha, Adrian,* ronronna-t-elle en chevauchant son érection.

Je te veux.

Il se crispa, son cœur s'immobilisa dans sa poitrine. Il reconnaissait cette voix de séductrice, il ne la connaissait que trop bien.

— Shadoe ?

Elle se cabra, glissa ses mains dans les boucles sexy de Lindsay, fit onduler le corps de Lindsay alors qu'elle enveloppait Adrian de sa magie sensuelle.

Mais ce n'était plus seulement du désir qu'il ressentait, alors que l'âme de Shadoe le regardait à travers le beau visage de Lindsay.

Sa respiration devint saccadée.

Elle l'avait séduit de la même façon, la première fois. Tout avait commencé par un baiser volé. Puis le goût de ses seins, qu'elle lui avait offerts à deux mains, leurs tétons sombres pointant vers lui. Il l'avait suppliée de le laisser en paix, de respecter la loi qu'il avait lui-même appliquée à son père. Il l'avait suppliée de se montrer forte à sa place, parce qu'elle le rendait faible.

En vain. Au contraire, elle s'était montrée de plus en plus hardie au fil des mois. Elle jouait de son corps devant lui, hantait délibérément les endroits qu'il fréquentait, l'excitait en lui montrant ses doigts luisants du désir qu'elle recueillait à même son sexe offert jusqu'à ce qu'elle jouisse en criant le nom d'Adrian. Il lui avait résisté, jusqu'au moment où elle l'avait menacé de prendre un amant et de s'arranger pour qu'Adrian les surprenne au lit, qu'il la voie caresser le sexe d'un autre à travers son pantalon. Furieux, possessif, tenté au-delà de toute raison, il avait fini par lui donner ce qu'elle lui demandait depuis si longtemps. Il l'avait prise à même le sol, comme un animal en rut. Et une fois qu'il avait déchu, il n'y avait plus moyen de revenir en arrière.

— *Ani rotza otha*, susurra-t-elle encore, balançant les hanches presque violemment sur lui, alors qu'elle cavalait vers l'orgasme.

— Non, *tzel*.

Il l'agrippa par les hanches et la souleva, la repoussa avant de s'éloigner lui-même. Il se leva, le membre douloureux à force de désir pour Lindsay. Son contact, son odeur, le son de sa voix…

Sauf que ce n'était pas Lindsay qui l'appelait à elle depuis ce lit.

— *Ani ohevet otcha*, murmura Shadoe, ondulant sensuellement sur les draps.

Je t'aime.

Adrian ferma les yeux. Ses ailes se libérèrent et battirent furieusement. Il aurait dû s'en douter. Lindsay n'aurait jamais tenté de le séduire. Au contraire, elle l'aurait repoussé, comme elle le faisait depuis le début. Pour son bien. Parce qu'elle l'aimait.

Il rappela ses vêtements à lui, passa une main dans ses cheveux. Quand celle de Shadoe toucha son épaule nue, il la saisit et se retourna pour lui faire face.

— Prends-moi, susurrait-elle, debout devant lui dans toute sa nudité.

Son corps... Ce corps qui s'emboîtait si parfaitement au sien, qui le serrait avec une telle douceur, lui donnait tant de plaisir. Il en aurait pleuré, tant ce corps avait de pouvoir sur lui.

Mais ce n'était qu'une coquille vide de la femme qu'il aimait.

Adrian prit le visage de Lindsay entre ses mains et plongea les yeux dans les siens, fenêtres d'une âme qui n'était pas la sienne. Penchant la tête, il posa les lèvres sur sa bouche, délicatement, chastement, le cœur lourd pour la femme qu'il avait aimée jadis. Une femme si belle, forte et séductrice qu'elle avait convaincu un ange de déchoir. Il l'avait aimée d'une passion torride et accablante.

Mais l'ère de Shadoe était terminée, et depuis, il était tombé amoureux d'une autre. Une mortelle qui lui accordait son amour avec abnégation. Une femme qui l'acceptait comme il était, sans renier la loi et les règles qui l'avaient construit, même si elles les empêchaient aussi d'être ensemble.

Il lui effleura le menton et posa son front contre le sien.

— Je vais te libérer, Shadoe. Je vais te laisser partir.

— *Je te veux*, répéta-t-elle en passant la main entre eux, en quête de son érection déclinante.

Adrian recula pour éviter son contact, et le corps de Lindsay s'affala, alangui. Il la rattrapa à temps et la souleva, inconsciente, pour la porter jusqu'au lit. Ne pouvant rien faire pour réparer le string qu'il avait déchiré dans un élan de désir fou, il la recouvrit des draps. Écartant quelques mèches de cheveux, il déposa un baiser sur son front.

— Lindsay, chuchota-t-il en effleurant du bout des lèvres sa peau humide de sueur. Bientôt tout sera fini.

Se redressant, il quitta la chambre d'un pas décidé. Son cœur battait vite et fort, mais pour la première fois depuis une éternité, son esprit était tout à fait clair.

Le poids du passé se retira en même temps que ses ailes.

Alors qu'il se déshabillait de nouveau et entrait sous une douche froide, tout disparut enfin : la culpabilité et la douleur, le chagrin et les remords.

« Pourquoi ne me laisses-tu pas te sauver ? » lui avait un jour demandé Lindsay, sans savoir qu'elle l'avait déjà sauvé de la manière la plus fondamentale possible. En lui donnant la force qu'il n'avait pas, ainsi que son amour, si doux et si précieux. Elle avait tant à lui apprendre sur la façon d'aimer de tout son être. Son plus grand regret, c'était que jamais il n'aurait la chance de suivre son exemple.

Au moins pouvait-il la libérer de son passé. Toute la peur, toute l'indécision qui le tourmentaient depuis des siècles s'étaient envolées. Il ne se demandait plus s'il était sage de frapper le premier en territoire ennemi. Lindsay était malheureuse et il ne le supportait pas. Et surtout, il ne supportait pas d'être la cause de sa souffrance. S'il était en son pouvoir d'y mettre un terme, il devait essayer.

Toutes ces années, il avait cherché à s'épargner. Et au lieu d'octroyer à Shadoe la paix d'une mort honorable sur le champ de bataille, il avait égoïstement tenté de l'attacher à lui en la rendant immortelle. Qui était-il pour prendre la place du Créateur et décider s'il était temps ou non pour quelqu'un de mourir ? Le châtiment qu'il avait reçu pour cette intercession avait été long et pénible. Et s'il avait essayé de briser le cercle, c'était autant pour lui que pour Shadoe.

Désormais, il n'agirait plus qu'avec le bien-être de Lindsay en ligne de mire. Il lui rendrait la vie qui aurait dû être la sienne. Une vie normale, une chance d'être heureuse, avec l'opportunité de trouver un homme qui l'aimerait sans le poids des chaînes qui le liaient, lui, à son devoir.

Et ce cadeau, Adrian le lui donnerait sans rien attendre en retour. Son offrande était loin d'égaler celle de Lindsay, mais il la lui donnerait avec générosité et par amour. Car jamais il n'avait connu un tel amour auparavant.

21

À la seconde où Lindsay s'éveilla, elle sut qu'Adrian était parti. Le vide qu'elle ressentait au tréfonds d'elle-même était si pénétrant qu'il la rongeait. En quittant le lit, elle se rendit compte qu'elle était nue. L'espace d'un instant, elle se demanda pourquoi, puis les souvenirs la frappèrent d'un coup.

Je vais te laisser partir.

Bientôt tout sera fini.

Haletante, elle se plia en deux, brisée par l'impression que sa cage thoracique allait éclater, son cœur exploser de chagrin. Son père était mort. *Papa.*

Et elle savait, comme seule une femme amoureuse sent ce genre de choses, qu'Adrian n'avait pas l'intention de la revoir.

Elle ferma les yeux, sans parvenir à retenir les larmes qui ruisselèrent sur ses joues. Elle venait de perdre en même temps les deux êtres les plus importants de sa vie. Alors qu'elle se balançait de droite à gauche sous l'effet de la douleur, les échos de son rêve revenaient la hanter. Elle sentit le désir torride la parcourir de nouveau, si brûlant et si puissant qu'elle n'avait pu y résister. Au contraire, elle l'avait embrassé, amplifié, prenant un plaisir féroce à faire plier la volonté d'Adrian, tel un roseau. Le sentiment de puissance qui l'avait submergée lorsqu'il avait cédé, contre sa propre volonté, était impérieux, addictif. Et écœurant. Elle avait eu l'étrange sensation de s'observer de l'extérieur, incapable qu'elle était de contrôler ses pulsions sauvages. Et quand Adrian s'était détourné d'elle, le soulagement avait été intense. Pour eux deux. Puis la reconnaissance l'avait envahie à son tour, pour cet être qui avait manifesté la force dont elle avait manqué.

Sauf qu'il ne s'était pas détourné pour un moment. Il l'avait quittée pour toujours. La voix qu'elle entendait dans son rêve était dépourvue de la douloureuse tendresse à laquelle Lindsay s'était habituée quand Adrian s'adressait à elle.

Un rire mi-délirant, mi-sanglotant lui échappa.

Elle se mit sur pied et s'étira. Il fallait qu'elle se vide la tête de tout cela. Il fallait qu'elle retourne à Raleigh, où elle resterait quelque temps. Elle devait donc reprendre ses esprits et réfléchir à ce qu'elle allait faire ensuite. Se regrouper, voilà quelle devait être sa priorité, et puis planifier la façon dont elle allait pourchasser Vashti. Son désir de vengeance était si envahissant qu'elle parvenait tout juste à penser à autre chose. Ce qui n'était pas plus mal, au fond. Sa revanche lui donnait un objectif sur lequel se concentrer, autre que ce chagrin débilitant.

Elle prit une douche et s'habilla. En faisant son lit, elle retrouva ses sous-vêtements déchirés. Que ce soit son œuvre à elle, dans l'extase de son rêve érotique, ou qu'Adrian ait effectivement partagé ces instants avec elle, cela ne changeait pas grand-chose à l'affaire : tout était fini entre eux.

— Méfie-toi de ce que tu souhaites, marmonna-t-elle, tout en se demandant pourquoi elle n'arrêtait pas tout bêtement de faire des souhaits.

Elle sortit sur la terrasse, remarquant d'après la position du soleil que la matinée était déjà bien avancée. Aucun ange ne volait dans le ciel, aucun nuage non plus. C'était une magnifique journée, typique du sud de la Californie la plus grande partie de l'année.

Perdue dans ses tristes pensées, elle descendit une volée de marches qui conduisait par le flanc de la colline à la terrasse inférieure, plus petite, quelques centaines de mètres en dessous. De là, on n'apercevait plus la ville, et l'on pouvait se croire seul au milieu de la nature sauvage.

S'accoudant à la rampe, elle entreprit de passer en revue la liste de ses contacts dans son téléphone portable. Elle avait tant de coups de fil à passer, tant de choses à organiser. Telle une automate, elle s'obligea à accomplir les gestes appropriés, malgré le vide et le froid glacés qui l'avaient envahie. Elle se sentait comme morte.

Une immense ombre ailée la survola.

L'ombre d'un ange, suivie par un bruissement d'ailes quand le Sentinelle atterrit derrière elle. L'espoir fou et ridicule que c'était peut-être Adrian la fit hésiter – tant qu'elle n'était pas sûre, elle pouvait continuer à y croire. Une seconde. Et elle se retourna.

Une main se posa sur son épaule.

— Bonj... commença-t-elle.

Et elle s'évanouit sans pouvoir terminer sa phrase.

Adrian se rendait à Raceport sur une Harley qu'il avait achetée moins d'une heure plus tôt. C'était le début de l'après-midi. La plupart des mignons se cachaient dans la pénombre, avec une lumière pareille, paisiblement endormis. Malheureusement, Raceport comptait l'une des populations déchues les plus importantes du pays. Après tout ce temps, ils continuaient à s'agglutiner autour de Syre, comme des mites autour d'une flamme, même s'ils s'y étaient déjà brûlés et défigurés.

S'il avait eu avec lui un contingent de Sentinelles ou une meute de lycanthropes, la situation aurait évidemment été plus confortable. Pourtant, et même s'il devait absolument réussir, Adrian se refusait à impliquer quiconque dans sa petite vendetta personnelle. C'était sa bataille. Pas question de risquer que les conséquences de ce qu'il projetait retombent sur les épaules de quelqu'un d'autre que lui.

Il mit sa moto sur béquille devant l'épicerie générale. Le bureau de Syre se trouvait juste au-dessus, Adrian le savait grâce à une surveillance constante et approfondie de la zone – tout comme, il le savait, Angels'Point était observé. Cela faisait partie de cette valse qu'ils dansaient ensemble, Syre et lui, ce besoin de maintenir un équilibre alors même que tout bougeait et changeait autour d'eux.

Ayant mis pied à terre, il sortit un fusil de chasse de l'une de ses sacoches. Il portait en plus, attachés à chaque cuisse, un pistolet et un couteau, et déjà à travers son échine le picotait l'envie d'utiliser ses armes les plus puissantes. Chez les anges, la rage pompait dur et fort dans les veines.

Avant d'atteindre la première marche de l'escalier extérieur menant directement au bureau du chef des Déchus, Adrian sut que quelque chose clochait.

Raceport était bondé, comme d'habitude, fidèle à sa réputation de Mecque des fans de moto dans le pays tout entier, pourtant très peu de gens s'intéressaient à lui. Même quand un groupe de filles vêtues de jambières de cuir le hélèrent et le sifflèrent depuis l'autre côté de la rue, les autres passants ne lui accordèrent pas plus d'attention. Si Syre était dans les parages, la sécurité serait tout aussi resserrée que celle dont Adrian usait à Angels'Point.

Sombre et déterminé, il grimpa néanmoins les marches sans incident et entra dans le couloir à l'étage.

Deux silhouettes furtives se précipitèrent sur lui, telles des ombres. Il les abattit de deux balles, ne pouvant déployer ses ailes dans un espace aussi réduit. Deux autres arrivèrent par l'arrière juste avant qu'il n'atteigne le bureau de Syre. Il ouvrit la porte en grand et se rua à l'intérieur, puis entendit le hurlement de l'un de ses poursuivants au moment où le soleil envahissait le couloir.

Refermant la porte d'un coup de pied, Adrian coinça une chaise sous la poignée, sans quitter des yeux ou de la pointe de son arme la vampire assise au bureau de Syre.

— Bonjour, Adrian, grommela-t-elle, les lèvres retroussées en un sourire faux.

Car ses yeux ne souriaient pas du tout. Un rayon de soleil tombait sur ses bras nus et illuminait ses cheveux chocolat. Ses yeux ambrés scintillaient, tels ceux d'un tigre ; pourtant, Adrian se souvenait du temps où ils étaient bleus, à l'instar des siens.

— Raven…

— Il n'est pas là.

— Je vois.

— Il n'est même pas en Virginie.

Adrian s'approcha de la porte du placard, l'ouvrit et jeta un rapide coup d'œil à l'intérieur.

— Il n'y a que toi et moi, lui assura-t-elle. Et j'ai pour ordre de ne pas te tuer.

— Ah ? Nous jouons donc selon les mêmes règles.

Elle se leva d'un mouvement singulièrement gracieux, révélant une jupe en jean si courte qu'elle ne lui permettrait pas de se pencher sans s'offrir en spectacle. Son haut à motifs vichy était retenu par un nœud serré entre ses seins généreux, le tout lui donnant un look de cow-girl qui, il l'aurait parié, devait beaucoup plaire aux visiteurs de la ville.

Elle contourna le bureau en se caressant un bras du bout des doigts, et l'observa derrière des cils longs et épais.

— Tu as l'air en forme, Adrian, tu es très beau. Faire l'amour te va bien.

Rompu à son petit jeu, il lui répondit par un sourire. Les Déchus aimaient railler les Sentinelles sur leur sexualité. Comme si, d'une certaine façon, ils voulaient faire étalage de la raison de leur déchéance, tout en titillant des êtres connus pour leur abstinence.

— Où est-il ?

— On n'est pas pressés, si ? susurra-t-elle en s'approchant, la lèvre inférieure pincée entre ses dents blanches.

Il battit des ailes, l'obligeant à reculer vivement pour éviter d'être décapitée. Elle finit à plat ventre sur le bureau, et il lui avait collé les mains derrière le dos avant qu'elle ait le temps de riposter.

Penché sur elle, il lui siffla à l'oreille :

— Où est-il ?

— Tu n'as pas besoin de me maltraiter, rétorqua-t-elle en se débattant. Il veut que je te le dise, de toute façon.

Adrian savait pertinemment pourquoi, et son estomac se noua.

— Il est en route pour la Californie ?

— En fait, ronronna-t-elle avec un sourire malveillant, il est déjà là-bas.

Syre se détourna du lit sur lequel dormait sa fille et se dirigea vers le séjour de la suite qu'il avait réservée à Irvine. Assis sur le canapé, Torque avait les coudes sur ses genoux et le menton sur ses doigts croisés. Quant à Vashti, elle faisait les cent pas dans la pièce.

— Il lui a lavé le cerveau, siffla-t-elle. Je ne sais pas combien de temps Adrian l'a eue, mais il l'a bien entraînée. Elle a essayé de me tuer !

Torque haussa les épaules.

— Je ne l'ai pas vue en action, fit-il en croisant le regard de son père, mais j'ai pansé les plaies de Vashti. Shadoe lui a dessiné un chiffre sur la jambe. Avec les couteaux qu'elle lui a lancés.

Sous l'effet de l'agitation, les longs cheveux de Vashti se balançaient de part et d'autre de ses hanches.

— Je ne pense pas que tu aies le temps d'en discuter avec elle. Ça va prendre des années, avant de la déprogrammer, surtout si l'on songe que le lycan qui l'accompagnait est celui qui a enlevé Nikki.

Torque lâcha un grognement.

Syre se passa une main dans les cheveux. Son téléphone avait sonné une heure plus tôt, pour lui signifier l'arrivée d'un SMS : Adrian avait fait une apparition à Raceport. Le Sentinelle était donc au courant que Lindsay Gibson avait échappé à sa protection, et il avait donc sans doute déjà lancé une recherche. Il ne leur restait pas longtemps avant qu'il devienne impossible de quitter l'État sans qu'Adrian ne soit au courant. Si Syre n'avait pas transformé Shadoe d'ici là, rien ne pourrait les sauver.

— Tu vas peut-être devoir la transformer d'abord, suggéra Torque, et lui expliquer ensuite. Une fois qu'elle sera redevenue Shadoe, elle n'aura plus aucune raison de nous haïr. Et elle se rappellera qui nous sommes pour elle.

Syre se dirigea vers la pièce voisine et leur fit signe de sortir.

— Allez, allez, partez tous les deux. Laissez-moi seul avec elle.

— Ce n'est pas raisonnable, remarqua Vashti. Elle pourrait essayer de te tuer.

— Sans son lycan pour lui dire qui je suis, comment le saurait-elle ?

— Tu pars du principe qu'elle est incapable de s'en rendre compte toute seule. Mais je l'ai vue courir, je l'ai vue sauter par-dessus un mur de près de trois mètres. Elle n'est pas complètement mortelle, quelle que soit son odeur.

Elle portait celle d'Adrian, ce qui retournait le ventre de Syre. Il était prêt à lui apprendre pourquoi elle avait souffert, toutes ces années ; il était prêt à lui rappeler combien le désir d'Adrian lui avait coûté.

— Alors Shadoe est toute proche de la surface, en Lindsay Gibson, dit-il. Et je suis plus en sécurité auprès d'elle que tu le crois. Allez, vas-y toi aussi, Vashti. Aide Torque à traquer le lycan. Tâchons de résoudre ce qui peut l'être tant que nous sommes ici.

Avec un regard noir par-dessus son épaule, Vashti suivit Torque dans le couloir. Syre verrouilla la porte en souriant. Vashti détestait quiconque la surpassait, alors se faire damer le pion par une élève à elle, voilà qui avait de quoi l'irriter au plus haut point. Si Lind-say Gibson n'avait pas été le vaisseau porteur de sa fille, elle serait morte, à l'heure qu'il est.

Dans la chambre, le léger grincement du matelas ramena son attention sur celle qui y reposait. Il fit face à la porte, le cœur battant violemment dans sa poitrine. Il n'avait jamais été aussi près de la récupé-rer. Adrian avait toujours réussi à la garder près de lui, attendant que ce soit lui, Syre, qui enfreigne les règles pour aller la chercher. Le Sentinelle n'avait pas idée du nombre de tentatives qu'il avait faites, toutes ces années. Adrian était trop précis, trop méthodique. Une vraie machine. Son code était quasi inviolable. Mais cette fois, c'était différent. Quelque chose l'avait poussé à agir de façon radi-cale, à autoriser qu'elle sorte, à la laisser seule... Ce quelque chose, c'était forcément Lindsay Gibson elle-même, et la proximité de Shadoe avec la sur-face. Peut-être que c'était au fond ce qu'Adrian atten-dait, tout ce temps.

Alors qu'il se faisait ces réflexions, elle apparut dans l'encadrement de la porte, le regard aussi vif qu'un aigle. Un regard de chasseresse qui se posa d'abord sur lui, avant de balayer l'espace réduit de la pièce.

— Qu'est-ce que vous êtes ?

— Quel degré de précision attendez-vous de ma réponse ?

Il devina à son expression qu'elle était déroutée par sa réplique. Elle ne lui ressemblait pas du tout, pas plus qu'à sa mère ou à son frère, d'ailleurs, dont l'héritage asiatique ressortait de façon évidente dans la couleur de la peau et la forme des yeux. Pourtant, quelque chose en elle le reconnut, ce qui la rendit perplexe.

— Le degré maximal, fit-elle enfin.

— Je m'appelle Syre, je suis un vampire. (Il esquissa un sourire empli d'affection sincère.) Et je suis ton père.

Lindsay dévisagea le très bel homme planté à quelques mètres d'elle... et éclata d'un rire incontrôlable, nourri par l'afflux d'émotions contradictoires qui l'agitaient. Elle rit jusqu'à ce que des larmes lui montent aux yeux et coulent le long de ses joues. Elle rit tant que sa poitrine fut bientôt secouée par de gros sanglots.

Parvenant à afficher un air inquiet, Syre fit un pas prudent dans sa direction. Mais elle leva la main pour l'empêcher d'approcher davantage.

Il s'immobilisa. Le chef des vampires, celui-là même qui avait réussi l'exploit de la faire kidnapper à Angels'Point, s'immobilisa devant sa main levée.

Il la respectait. Et elle le connaissait.

C'était une certitude, calme et profondément ancrée en elle. Elle connaissait l'ange déchu qui se tenait devant elle mais semblait bien trop jeune pour être son père. Il était superbe. Grand et élégant, comme un Sentinelle, mais beaucoup plus sombre. Dangereux, sans l'ombre d'un doute. Et il ne s'agissait pas seulement de son aspect physique, bien que celui-ci effectivement fût sombre et dangereux. Ses yeux noirs et sa peau caramel, ainsi que ses yeux ambrés, tout en lui était sublime, dans un genre très exotique.

Bon Dieu ! L'idée que cet être était destiné à se battre contre Adrian l'affola. Ils étaient de force égale. Trop semblables.

— Où sommes-nous ? demanda-t-elle.

Elle reconnaissait la signature de l'hôtel à son logo, mais ignorait la localisation exacte du complexe.

— À Irvine.

— Pourquoi ?

Il lui fit signe de prendre un siège. En présence du doucereux chef des vampires, elle ressentait la même attraction inexplicable que face à Adrian. Mais elle n'avait pas confiance, ni en cette attraction ni en cet homme. Les vampires savaient tromper leurs victimes en les séduisant, en leur donnant une fausse impression de sécurité qui endormait leurs défenses.

Lindsay ne s'assit donc pas, elle s'approcha au contraire du bar et sortit un tire-bouchon du tiroir. Comme arme, c'était pathétique, mais elle ne pouvait se permettre de faire la fine bouche.

— Tu n'as pas besoin de te défendre de moi, *tzel*, murmura-t-il en s'asseyant à la petite table, aussi tranquillement que s'ils n'étaient rien d'autre que deux amis en train de discuter.

— Ne m'appelez pas comme ça, jeta-t-elle.

Elle détestait entendre les mots tendres d'Adrian dans la bouche d'un autre homme.

— Pourquoi ? C'est ton nom.

Elle déglutit avec peine et rejeta le nouvel accès de nausée que lui donnait cette fichue sensation de déjà-vu, familière depuis ces dernières semaines, mais non moins déconcertante.

— Mon nom est Lindsay Gibson. Mon père s'appelle... s'appelait Eddie Gibson.

— Ces choses-là sont vraies... pour ce qui est de ton corps de mortelle, répliqua-t-il. (Ses yeux d'ambre communiquaient une indéniable intensité.) Mais tu portes à l'intérieur de toi l'âme de ma fille, Shadoe.

Lindsay sentit le sang se retirer de son visage.

— Tu pensais que c'était juste un petit nom qu'Adrian te donnait ? (La voix légèrement rauque de Syre était envoûtante.) Un mot doux, peut-être ?

Le coup l'atteignit en plein ventre.

— Ah, je vois que oui, poursuivit-il, un sourire entendu aux lèvres. Je parie qu'il lui a suffi de poser un seul regard sur toi pour ne plus vouloir te laisser en paix. Il s'est concentré sur toi avec une intensité dévorante, c'est ça ? Il t'a poursuivie de ses assiduités, avec une détermination indéniable. Il t'a traitée comme si tu étais la chose la plus précieuse au monde. Et quand un Séraphin comme Adrian a une idée en tête, il n'échoue jamais.

Lourdement appuyée contre le bar, Lindsay porta une main à son estomac chamboulé, dans un vain effort pour réguler sa respiration.

— Tu es très belle, Lindsay. Je suis certain qu'il a été sincèrement attiré par l'emballage. Mais la femme qu'il convoite est en toi, c'est ma fille, et il nous garde séparés depuis la nuit des temps.

— C'est impossible, chuchota-t-elle entre ses lèvres serrées. Je ne suis pas possédée par l'esprit de quelqu'un d'autre.

Il releva le menton.

— Dans ce cas, comment expliques-tu ta vitesse surhumaine ? Comment expliques-tu que ta première question en entrant dans cette pièce ait été « Qu'est-ce que vous êtes ? » et non « Qui êtes-vous ? » Tu as perçu mon pouvoir, grâce à des sens qui vont bien au-delà de ceux normalement accordés à ton enveloppe mortelle ; ceux-là sont beaucoup plus restreints.

Alors qu'elle l'observait, elle sentait sa jambe droite se contracter et trembler sous l'effet d'une agitation grandissante.

— Tu te demandes comment cela est possible, reprit-il sur le même ton, grave et fascinant. Eh bien, voilà : Shadoe a été mortellement blessée. Tu étais déjà une chasseresse, à l'époque. Adrian t'aimait tant qu'il ne supportait pas l'idée de te perdre. De mon côté, j'avais découvert que je pouvais partager mon immortalité avec les autres, alors il t'a amenée à moi, tu étais mourante et il m'a supplié de te sauver.

Lindsay ne s'était pas rendu compte qu'elle pleurait avant de sentir les larmes tomber sur sa poitrine.

— Je n'ai pas hésité, poursuivait Syre. J'ai entamé sur toi le processus de transformation.

— En vampire ?

Ça la rendait malade.

Syre émit un petit rire sans joie.

— Adrian a eu la même réaction. Il croyait que je pourrais te soigner sans te transformer. Tu étais déjà trop loin pour que son sang à lui fasse l'affaire, mais il avait entendu dire que la transformation conduisait les individus au bord de la mort, et il pensait que je parviendrais à te ramener à la vie. Ce qui était effectivement le cas, mais en tant que vampire. Quand il a compris ce qu'il adviendrait de toi s'il laissait le processus aller à son terme, il t'a achevée lui-même en t'enfonçant une lame en plein cœur.

Elle cilla à l'idée de ce que ce geste avait dû coûter à Adrian. Tuer la femme qu'il aimait pour la sauver. Mais elle le comprenait aussi. Car pour Adrian comme pour elle, chaque coup reçu au long de sa vie avait été l'œuvre d'un vampire. Pas étonnant qu'il préfère perdre son grand amour plutôt que de la voir devenir une misérable créature suceuse de sang et dépossédée de son âme.

— Mais il était trop tard. Tu étais une Néphel, l'enfant née d'une mortelle et d'un ange. Ton âme était donc plus forte que celle d'un simple humain. Elle avait la force de celle d'un ange, mais sans la faiblesse de ses ailes. Je t'avais donné juste assez de mon sang pour immortaliser cette part non humaine de toi avant qu'Adrian ne tue ton enveloppe corporelle. Alors tu es revenue, encore et encore, toujours dans un vaisseau différent mais toujours ma fille.

Et toujours la femme qu'aimait Adrian. Une femme qui n'était pas elle.

Son dos se crispa.

— Voilà une bien belle histoire, seulement je ne vous crois pas.

— Pourquoi mentirais-je ?

— Pour me retourner contre Adrian.

Il secoua lentement la tête.

— Au contraire, je peux te rendre à lui. Entièrement, complètement. Je sais que c'est ce que tu veux. Je vois à quel point tu l'aimes.

— De quoi parlez-vous ?

Il se remit debout et s'approcha.

— Je peux terminer la transformation, Lindsay. Je peux te donner l'immortalité et réveiller en toi l'âme dont Adrian est épris. Je peux te retirer cette mortalité qui interdit votre amour. Les choses peuvent devenir ce qu'elles auraient dû être.

Lindsay éclata d'un rire qui ressemblait plutôt à un cri brisé par la douleur.

— Bien sûr ! Prendre la femme d'Adrian et en faire une vampire. Autrement dit, le moyen ultime de vous venger de la perte de vos ailes. Ça doit vous tuer de voir les pointes écarlates de ses magnifiques plumes, une humiliation bien pénible, qui vous rappelle le jour atroce où il vous a mutilé.

Imperturbable, Syre affronta sans ciller sa saillie vénéneuse.

— Je ne m'attendais pas à ce que tu me croies. Mais lui, le croiras-tu ?

Son cœur s'arrêta de battre.

— Que voulez-vous dire ?

Ses yeux brillaient comme des pierres précieuses.

— Appelle-le. Demande-lui toi-même.

22

Par la vitre arrière du Suburban noir, Elijah regarda passer le portail d'entrée du site où l'on détenait la meute du lac Navajo. Il ne parvenait à se défaire de la poisseuse appréhension qui l'avait envahi. Même si Damien lui avait assuré qu'il n'était pas tenu pour responsable de l'enlèvement de Lindsay – qui, techniquement, s'était produit sous la garde des Sentinelles –, on l'avait immédiatement renvoyé au lac Navajo, au lieu de lui permettre de participer aux recherches. Toute la meute d'Adrian avait d'ailleurs été envoyée au même endroit, et l'on formait un nouveau groupe pour le chef des Sentinelles.

L'impact et l'ampleur de cette décision en disaient long sur la suspicion que le kidnapping avait jetée sur les lycanthropes. Car Lindsay avait été enlevée à Angels'Point, ce qui impliquait forcément des complicités sur place. Mettre les lycans en quarantaine semblait la première étape d'une longue série de mesures destinées à découvrir les coupables.

Même s'il était bien conscient de la précarité de sa propre situation, Elijah s'inquiétait avant tout pour

Lindsay. Depuis qu'il avait découvert l'identité de la vampire à qui elle s'était attaquée, la peur ne l'avait plus quitté. Vashti le pourchassait déjà à cause de son sang, qu'ils avaient trouvé à Shreveport ; et voilà que l'on apercevait Lindsay en sa compagnie, juste au moment où celle-ci lançait sa propre attaque. Quel que soit l'angle sous lequel il examinait les choses, ça sentait mauvais pour son amie. Très, très mauvais. Il en venait à douter que Lindsay survive à cette journée, à supposer qu'elle ne soit pas déjà morte.

Et lui se trouvait à des centaines de kilomètres, incapable de l'aider. La bête en lui s'agitait furieusement, grondant son désir d'être libérée. S'il n'était pas un Alpha, il aurait perdu tout contrôle depuis des heures. En l'occurrence, il envisageait la mutinerie pour la première fois de sa vie. Il n'avait pas tant d'amis qu'il puisse se permettre d'en perdre une sans réagir, d'autant que Lindsay occupait vraiment une place spéciale dans son cœur – elle avait déjà prouvé qu'elle mourrait pour lui sauver la vie. Et il ne lui avait pas encore rendu la pareille.

Le Suburban s'arrêta devant l'avant-poste. Elijah en sortit au moment où une demi-douzaine de fourgons s'immobilisait à la queue leu leu derrière le SUV. Le reste de la meute d'Adrian se déversa dans la cour.

Jason s'approcha de lui.

— Vous n'avez pas traîné, constata-t-il. Tant mieux. J'ai réduit le spectre des suspects à six individus. Parmi eux, il y a celui qui a volé ton sang. Je me disais que tu aimerais les interroger.

Instantanément sur ses gardes devant cet accès de camaraderie, Elijah dévisagea le Sentinelle à travers ses lunettes de soleil. Jason n'appréciait pas les lycans. Il les jugeait parfois utiles, mais jamais indispensables, il lui arrivait même de les traiter pire que des chiens.

Le Sentinelle lui donna une petite tape dans le dos en affichant un sourire à la sincérité douteuse.

— Et moi qui pensais te voir content. Au contraire, tu me regardes de travers.

Comprenant soudain où le Sentinelle voulait en venir, Elijah s'écarta de lui. Jason tenait à l'afficher comme plus proche des anges que de ceux de son sang. Voilà donc pourquoi ils lui avaient réservé un traitement de faveur en le conduisant seul dans le Suburban. C'était aussi la raison pour laquelle Jason le prenait à part. Et lui qui avait cru qu'ils le séparaient des autres en préparation de son châtiment…

Il avait raison, au fond, mais pas dans le sens où il l'avait d'abord entendu.

Retournant vers les autres membres de la meute d'Adrian, Elijah constata le mélange de défiance et de détermination avec lequel ses frères l'observaient.

Rachel fit un pas en avant.

— Tu te crois l'un d'entre eux ? siffla-t-elle.

— Tu es une fille intelligente, Rachel. Tu sais bien qu'ils se jouent de moi comme de vous. Ils nous manipulent, tous autant que nous sommes.

Jonas s'approcha à son tour et désigna le grillage de neuf mètres de haut qui les entourait.

— Tu es un Alpha, Elijah. Comment tu vas gérer ça ? Si j'étais un Alpha, ajouta le jeune lycanthrope plein de fougue, je détruirais cet endroit.

— Pour aller où ? le défia Elijah.

Les yeux de Rachel scintillaient.

— Je ne sais pas de quoi tu as peur, El, mais tu vas devoir te décider ; choisir dans quel camp tu es. Fais en sorte que Micah ne soit pas mort en vain.

— Tu ne peux pas me mettre ça sur le dos.

— Tout est sur ton dos, rétorqua-t-elle froidement. Encore plus que tu ne l'imagines, en fait.

Il ouvrit la bouche pour se défendre, mais elle se transforma subitement et poussa un hurlement. Le reste de la meute changea de forme au même moment, l'encerclant dans une démonstration flagrante de soumission. Les Sentinelles présents déployèrent leurs ailes, leurs yeux bleus enflammés.

Jason s'approcha, ses ailes regroupées vers l'avant dans la posture habituelle de préparation au combat.

— Elijah…

La meute réagit à la menace dirigée vers son Alpha – une menace qu'ils avaient eux-mêmes provoquée – en bondissant telle une mer grouillante de fourrures multicolores.

Des cris brisèrent la tranquillité de la montagne. Les anges prirent leur envol, tandis que dans une vague interminable, les lycans transformés en loups se déversaient par les portes défoncées et les vitres brisées. Des coups de feu retentirent et des hurlements déchirèrent le ciel.

Elijah était debout au milieu de ce chaos, à regarder tout ce qu'il connaissait s'abîmer dans des mares de sang, de fourrure et de plumes. Les grondements le pénétraient, se réverbéraient dans son esprit horrifié.

Une balle lui traversa l'épaule, la pointe d'argent qu'elle contenait brûlant sa chair comme de l'acide. L'odeur de son sang ne fit que décupler la fureur et la férocité des autres lycans. Elijah n'avait plus le choix : il laissa la bête l'envahir et plongea dans la mêlée, caressant l'espoir insensé de sauver autant de vies que possible.

Par la fenêtre du bureau de Syre, Adrian observait la ville en contrebas. Son sang était glacé par l'anxiété. Chaque seconde qui passait l'engloutissait un peu plus profondément dans un état de rage primaire.

Son téléphone vibra sur le bureau. Il décrocha sous le regard méfiant de Raven.

— Mitchell.

— Adrian.

Un souffle puissant ranima sa poitrine.

— Lindsay ! Où es-tu ? Es-tu blessée ?

— Tu ne préfères pas m'appeler *tzel* ? répliqua-t-elle d'une voix douce.

Il s'affaissa dans le siège de Syre.

— Qu'est-ce qu'il t'a raconté ?

— Une longue histoire, mais pour te la faire courte, je porte en moi la femme que tu aimes. C'est vrai ?

Il hésita un instant, brisé par la douleur qu'il entendait dans sa voix.

— Tu portes l'âme de Shadoe en toi, oui.

Depuis l'angle de la pièce où elle était assise, Raven l'observait avec curiosité, ses yeux pleins d'une lueur mauvaise.

— C'est pour ça que tu es venu vers moi à l'aéroport.

— Au départ, c'était pour elle, oui, admit-il. Mais tout ça a changé. Ce qui a grandi entre nous depuis, c'est à cause de toi, Lindsay.

— Il t'a suffi de quelques petites semaines pour oublier la femme que tu aimes depuis une éternité et tomber amoureux de moi ? (Elle lâcha un ricanement étranglé, un son tellement empli de douleur que le cœur d'Adrian se brisa.) Pardonne-moi si je ne te crois pas.

— Je peux te le prouver. Dis-moi où tu es, comment te trouver. Si j'abats Syre, l'âme de Shadoe sera libérée. Il ne restera plus que toi et moi.

— Pourtant, hier, tu m'as dit au revoir, Adrian. Pas exactement en ces termes-là, mais ça signifiait la même chose. C'est pour ça ?

— Non, bon sang ! (Il serra dans son poing un stylo trouvé sur le bureau.) C'est parce qu'une fois que j'aurai tué Syre, ton corps et ton âme t'appartiendront. Tu ne sentiras plus le mal autour de toi. Tu ne percevras plus les créatures non humaines. Tu n'auras plus d'attributs physiques à cacher. Tu pourras être normale, vivre une vie normale, profiter de toutes ces choses précieuses et mortelles pour lesquelles tu n'as pas encore eu de temps.

Un long silence lui répondit, uniquement habité par le bruit de leurs respirations saccadées. À l'autre bout du fil, Adrian entendit une porte se fermer.

— Syre dit qu'il peut régler tout ça. Qu'il peut tout arranger.

Adrian se pencha en avant.

— Ne l'écoute pas. Il te dira tout ce qu'il faut pour obtenir ce qu'il veut.

— Il dit que s'il termine la transformation, tu pourras récupérer Shadoe. Pour toujours, cette fois. Éternellement.

— Non, putain ! (La pièce se mit à tournoyer autour de lui.) Ce n'est pas ce que je veux.

— Vraiment ? Pourtant, tous ces siècles... toutes ces incarnations... Chaque fois, tu l'as retrouvée, tu l'as aimée. Et tu l'as perdue, encore et encore. À présent, une chance t'est offerte d'interrompre tout ça.

— Il a tort, Lindsay.

Lui-même percevait la raucité de sa voix, le désespoir brutal qu'elle trahissait. Pourquoi ne l'entendait-elle pas ?

— Il pense que l'âme néphel de Shadoe, qui est en partie angélique, est plus forte que la tienne, reprit-il. Quand elle était en vie, peut-être était-ce le cas. Mais elle ne l'est plus. Elle n'est qu'un passager clandestin dans ton corps à toi. Ton âme a plus d'emprise que la sienne sur ton enveloppe physique. Tu n'es pas comme ses autres incarnations. Tu ressens ses impulsions, mais tu es en mesure de les repousser. Depuis l'instant où nous nous sommes rencontrés, tu as toujours été toi. Si tu laisses Syre terminer la transformation, l'âme de Shadoe sera libérée, la tienne mourra, et tout ce qu'il restera, ce sera un vulgaire suceur de sang. Tu ne veux pas ça, n'est-ce pas, Lindsay ? En tout cas, moi, je ne veux pas de ça pour toi.

Il entendit un léger sanglot.

Ses yeux le brûlaient, ses poumons étaient en feu.

— Lindsay, s'il te plaît. Je t'en prie, ne fais pas ça. Laisse-moi venir à toi, te parler. Tu as traversé beaucoup de choses, ces vingt-quatre dernières heures. Tu pleures encore la mort de ton père, c'est bien normal. Tu as besoin de temps pour réfléchir. De temps pour panser tes plaies. Laisse-moi être là pour toi, comme tu l'as été pour moi.

— Je n'ai pas besoin de réfléchir à tout ça. Peu importe comment tournera la transformation, ce que je vois, moi, c'est que tu seras libre. Que ce soit avec ou sans elle, tu seras libre et ce cercle vicieux dans lequel tu es embarqué sera enfin rompu.

Le stylo se brisa dans sa main et l'encre noire se répandit sur le bureau.

— Je peux faire la même chose en tuant Syre. C'est lui qui a initié la transformation, il est le seul à pouvoir la mener à son terme. Laisse-moi régler ça à ma façon, Lindsay. Laisse-moi m'en charger.

— Adrian...

— Je t'aime, Lindsay. Je t'aime, toi. Pas elle. Je l'ai aimée, jadis, mais je ne l'aime plus. Plus comme avant, depuis longtemps. Je l'ai compris hier soir. Et jamais je ne l'ai aimée de la façon dont je t'aime. Je t'en supplie... de tout mon être, de toute mon âme qui t'appartient... ne fais pas ça.

— Je te crois, je crois que tu m'aimes, chuchota-t-elle, si bas qu'il l'entendit à peine. Autant que tu es capable d'aimer. Mais c'est justement une raison de plus d'en finir. Aussi longtemps que je serai là, quelque part, tu ne pourras jamais me laisser partir. Je l'entends dans ta voix. Tu te jetteras contre les rochers jusqu'à te détruire complètement. Je ne peux pas te laisser faire ça. Au moins, une fois que je serai transformée, tu me laisseras partir. Tu ne voudras pas de moi si je suis vampire.

Adrian bondit sur ses pieds, son BlackBerry craqua sous la force de sa poigne.

— Lindsay !

— Je t'aime, Adrian. Au revoir.

Lindsay sortit de la chambre. Douchée de frais, elle se sentait enfin propre. Assis à table, Syre l'attendait patiemment. Elle avait la sensation que c'était là le genre d'homme capable de rester assis dans une immobilité parfaite pendant des heures, à attendre. Sa patience semblait infinie et inflexible. Une telle maîtrise, une telle puissance. Elles irradiaient de lui comme d'Adrian.

Adrian... Sa belle voix émue avait agi sur elle comme un fouet. De jour en jour, elle le rendait plus humain, l'affaiblissait alors qu'il avait besoin d'être le plus fort. Son face-à-face avec Syre le lui prouvait sans l'ombre d'un doute. Le chef des vampires était un formidable adversaire ; quant à sa seconde, c'était une véritable tueuse maniaque. Dans les jours à venir, Adrian devrait être au meilleur de sa forme s'il espérait survivre.

— Tu es prête ?

Syre se mit debout avec une grâce et une fluidité de mouvement déconcertantes.

Elle hocha la tête.

— Oui. Je suis prête.

Il lui fit signe de retourner dans sa chambre.

— Pouvez-vous me dire ce qui va se passer ? demanda-t-elle en s'allongeant sur le lit comme il le lui indiquait.

Son cœur battait si violemment qu'elle craignait de faire une attaque cardiaque.

Le chef des vampires s'assit près d'elle, sur le bord du lit, et lui prit la main. Il plongea son regard dans le sien sans détour, et l'affection adoucit ses traits parfaits. Rien qu'en le regardant, elle devinait la beauté que devait être Shadoe. Une beauté exotique dont l'amour avait fait d'Adrian son esclave. Pour toujours.

— Je vais boire ton sang. (Sa voix était aussi chaude et enivrante qu'un verre d'alcool fort.) Je vais te vider, jusqu'à la limite de la mort. Ensuite je te remplirai avec le sang de mes veines et c'est ainsi que tu te transformeras.

— Mon âme mourra.

L'espace d'un instant, il eut l'air sur le point de lui mentir. Puis il opina du chef.

— L'âme des mortels ne survit pas à la transformation. Mais si ça doit te consoler, je pense que Shadoe aura absorbé un peu de toi pendant le temps que vous avez passé ensemble, toutes les deux. Il se peut que tu continues à exister de cette façon. Je ne crois pas que tu seras totalement perdue.

— Mais vous n'en êtes pas sûr.

— Non, avoua-t-il. Tu es unique.

Elle expulsa un soupir tremblotant.

— OK, je suis prête.

Syre écarta les cheveux collés à son front.

— Tu l'aimes vraiment, et j'aimerais beaucoup comprendre pourquoi. Chaque fois que tu reviens, tu l'aimes à nouveau comme la fois précédente.

Elle ferma les yeux.

— S'il vous plaît. Finissons-en.

Elle sentit l'humidité de son haleine épicée contre son poignet, puis le pincement vif de la morsure.

Lindsay flottait dans une sorte de miasme tiède. Telle une nageuse sur le dos, elle dérivait lentement. Toute notion de temps ou d'urgence avait disparu.

Autour d'elle, les souvenirs affluaient par vagues, qui enflaient et grossissaient. Certains étaient les siens, d'autres non. Elle glissait au milieu, fascinée, observant les événements, des bobines de film que l'on déroulerait sous ses yeux. Toutes ces versions d'elle-même, comme si elle était l'unique interprète d'une pièce sans fin aux multiples personnages, décors et époques.

Au fond de son esprit, elle distinguait un feu, très loin. Tout autour, la fumée et les flammes venaient lécher les rivages de ses souvenirs, portant l'eau à un degré d'ébullition tel que son contact sur sa peau nue devenait pénible. Elle essaya de se dégager, puis de plonger sous l'eau, mais sous la surface, il n'y avait pas de fond. Juste un immense vide et le chatouillement de cet abysse sur ses orteils, qui l'attirait toujours plus bas.

Elle refit surface et retrouva sa position horizontale, prenant soin de préserver ses jambes de la tentation d'au-dessous.

Pas moyen d'échapper à la chaleur grandissante.

— *Ça va bientôt disparaître.*

Lindsay tourna la tête, cherchant qui parlait. Elle découvrit une femme, qui flottait non loin d'elle. Une femme sublime et exotique. Une femme dont la beauté à couper le souffle s'unirait parfaitement à Adrian et sa sombre magnificence.

— Shadoe.

— Bonjour, Lindsay, répondit l'intéressée en souriant.

Elle tendit la main et leurs doigts se nouèrent. Immédiatement, une onde de fraîcheur apaisante, de soulagement, remonta le long du bras de Lindsay. Son esprit se peupla des images de Syre et d'une superbe femme asiatique. Ils riaient. Ils jouaient. Ils poursuivaient deux jeunes enfants hilares dans un champ d'herbes hautes. Syre avait des ailes. Grandes, magnifiques, d'un bleu azur parfaitement accordé à la couleur de ses iris. Elles s'étiraient, s'étalaient pour manifester sa joie. Il soulevait la petite fille jusqu'au ciel et l'embrassait sur le front. Lindsay sentit le contact de ces lèvres sur sa propre peau, éprouva l'élan d'amour paternel qui accompagnait le geste, comme s'il s'adressait à elle.

Puis Syre reposa Shadoe et courut après son fils, un adorable chérubin aux joues rebondies et aux membres potelés. Shadoe s'approcha de sa mère, qui préparait un pique-nique. La fillette s'était assise sur un coin du plaid et jetait de petits morceaux de ce qui ressemblait à des légumes en direction de la clairière, à un endroit où les herbes envahissaient le paysage.

Une petite créature apparut, une sorte de lapereau blanc tout doux. Il suivit la traînée de nourriture jusqu'à Shadoe, qui lui caressa la tête du bout des doigts. Quand l'animal, prenant confiance, s'assit sur ses fesses et posa les pattes avant sur la cuisse de Shadoe, celle-ci rit de plaisir et le souleva, exactement comme Syre l'avait fait avec elle un moment plus tôt. Elle frotta son petit nez criblé de taches de rousseur contre celui de l'animal, puis enfouit le visage dans son cou duveteux.

Le cri du lapereau fit sursauter Lindsay, si violemment qu'elle s'enfonça entre les vagues. Le souvenir lui échappa, emporté par le ressac, près de la rive brûlante, mais Lindsay eut le temps de percevoir l'odeur âcre du sang et la beauté de l'écarlate qui trempait le blanc immaculé. Comme les ailes d'Adrian.

D'un coup de pied, elle remonta à la surface, haletante. Mélange de peur, de fascination et d'une colère grandissante. Le parfum du sang de la créature la rendait folle. Elle avait l'eau à la bouche, l'envie inextinguible de le boire avidement, comme Shadoe l'avait fait.

Shadoe sourit de la voir haleter. La Néphel flottait gracieusement sur le dos, les mains croisées derrière la tête. Sa chevelure sombre l'enveloppait, comme la gaze transparente de sa jupe. Elle ressemblait à une nymphe, belle et séductrice.

— Tu étais déjà vampire, l'accusa Lindsay.

— Non. Les Néphilim étaient avides de sang avant même la chute des Veilleurs. Notre part angélique avait besoin de l'énergie qu'elle trouvait dans la force de vie des autres.

Il n'y avait pas trace d'horreur ni de remords dans sa voix. Ni honte ni gêne.

Lindsay avait du mal à rassembler les pièces du puzzle. La chaleur torride diminuait peu à peu, et son corps replongea dans une agréable langueur. Elle eut soudain envie de dormir, de se laisser engloutir par les bras soyeux des souvenirs qui la cernaient.

— Il m'aime depuis toujours, lança Shadoe d'un air désinvolte. De façon obsessionnelle.

— Je sais.

Une nouvelle vague de souvenirs déferla sur elle. Dont certains qu'elle reconnut pour les avoir vus dans ses rêves. Tout s'emboîtait parfaitement, à présent. Chaque image montrait Adrian dans des scènes d'amour passionnées. Lindsay les regardait, mordue par une féroce jalousie. Elle ferma les yeux, sans trouver aucun répit. Les réminiscences étaient ancrées dans sa tête, dans son esprit. Elles chuchotaient à son oreille. Fredonnaient. Suppliaient. Elle s'apprêtait à plonger sous les vagues, juste pour leur échapper, quand elle fit une découverte. Elle parvint à immobiliser ses membres pour tout absorber, revivre les instants de tendresse qu'elle avait partagés avec Adrian.

J'ai besoin de toi, tzel.

Une vive douleur la transperça lorsqu'elle comprit la signification profonde de ces paroles : en faisant l'amour avec elle, c'était à une autre qu'il pensait.

Les souvenirs continuaient à affluer, sans relâche.

Prends-moi, neshama sheli.

L'émotion torride qui émanait d'Adrian, alors qu'il la suppliait de prendre tout ce qu'il offrait, lui tira des larmes.

— Qu'est-ce que ça veut dire ? demanda-t-elle à Shadoe d'une voix rendue rauque par la tristesse et le désir. *Neshama sheli* ?

— Ça veut dire « mon âme ». C'est un mot doux.

Lindsay absorba la nouvelle. Alors que les réminiscences tourbillonnaient autour d'elle, de plus en plus vite, jusqu'à former la spirale descendante d'un vortex, elle remarqua l'évolution des mots d'amour d'Adrian à mesure que se développait leur relation. Vers la fin, il ne l'appelait plus que son âme. Pas celle de Shadoe. La sienne, à lui.

Non, tzel. Je vais te libérer. Je vais te laisser partir…

C'est à Shadoe qu'il disait au revoir. Pas à elle.

Lindsay donna un coup de pied dans l'eau, repoussant l'attraction vorace du tourbillon. Elle hurlait, elle appelait à l'aide, noyée sous le contresens qu'elle avait fait la veille en interprétant son rêve.

Adrian l'aimait. Et Dieu savait qu'elle était suffisamment folle de lui pour mourir si ça pouvait le rendre heureux. Car c'était bel et bien ce qu'elle semblait représenter pour lui : la femme qui le rendait heureux.

Elle ne l'abandonnerait pas. Elle s'y refusait. Il la connaissait mieux que quiconque. Depuis le début, il l'avait laissée choisir dans quelle direction elle voulait avancer, et peu importait la route qu'elle avait prise – l'hôtel ou la chasse, avec ou sans lui –, il s'était ingénié à lui octroyer cette liberté tout en la protégeant. Avec lui, elle pouvait être elle-même et il l'aimerait ainsi. Il la chérirait.

De toutes ses forces, Lindsay combattit l'attraction impitoyable de l'abysse qui brillait désormais sous elle, tandis que les souvenirs cycloniques s'élevaient de plus en plus haut, que la bobine d'images projetées dans le ciel au-dessus de sa tête semblait s'éloigner de seconde en seconde.

— Shadoe ! hurla-t-elle. Tu ne l'auras plus tout entier à toi. Plus jamais.

Un bras jaillit qui l'agrippa par le poignet. Shadoe se pencha au sommet du vortex, ses longs cheveux noirs retombant tel un voile satiné autour de son magnifique visage.

— Une partie de lui m'appartient, désormais, geignit Lindsay. (Tiraillée dans deux directions opposées, elle eut la sensation que son épaule se disloquait.) Or, tu ne me sembles pas être du genre à partager.

— Parce que toi, oui ?

La mâchoire de Lindsay se crispa sous l'effet de la douleur.

— Je prendrai de lui tout ce que je pourrai avoir, aboya-t-elle. Si parfois il pense à toi, je peux vivre avec. Mais toi, pourras-tu supporter qu'il fasse l'amour avec mon corps, quand il sera avec toi ?

Les yeux de Shadoe s'étrécirent. Puis ses lèvres rouges et pleines se retroussèrent en un sourire. Elle relâcha le bras de Lindsay, et celle-ci tomba vers la lumière qui rayonnait au-dessous.

Shadoe.

Sa rivale plongea à l'intérieur du vortex, passant près de Lindsay à la vitesse de l'éclair, les bras tendus et les mains jointes en une lame étroite. Elle traversa la lumière et disparut à l'intérieur. Instantanément, le tourbillon changea de sens, il se mit à remonter. Alors que les images en mouvement au-dessus de Lindsay affluaient dans sa direction, elle retint son souffle et ferma les yeux.

Elle fut éjectée de la tornade dans un halètement. Elle avait compris.

Lindsay se réveilla allongée en travers d'un lit inconnu. Elle cligna les yeux et découvrit Kent Magus, assis à son chevet.

— Kent ? s'étonna-t-elle.

Elle était en nage, à tel point que l'édredon et les draps étaient trempés eux aussi. Elle avait un petit objet dur dans la bouche, qu'elle cracha. Puis un autre. Elle cilla en découvrant ses deux canines humaines au creux de sa paume.

— Que faites-vous dans mon rêve ?

Kent la scrutait, les sourcils froncés.

— Lindsay… ? Où est Shadoe ?

— Vous avez le béguin pour elle, vous aussi ?

Puis elle plissa les yeux. Les beaux traits de Kent rappelaient ceux de la femme à qui elle venait de dire au revoir dans son esprit… ou son âme. Enfin, peu importait où.

— Elle est partie et ne reviendra pas. Partie pour un monde meilleur, si vous voyez ce que je veux dire.

— Merde, murmura-t-il en lissant ses cheveux ébouriffés avec ses doigts nerveux.

— Que faites-vous ici ?

Il frotta ses yeux larmoyants et rougis.

— Je suis ton… Je suis le frère de Shadoe, Torque.

— Ah ? Je croyais que vous étiez mon réceptionniste de nuit.

Elle se laissa retomber sur les draps mouillés avec un grognement, certaine d'être à la fois folle et mourante. Personne ne pouvait se sentir aussi mal qu'elle en cet instant et survivre. De violents frissons secouaient son corps comme si elle était gelée, alors qu'elle bouillait. Sa bouche était cotonneuse, mais avec un atroce goût de cendre. Son estomac gargouillait comme si elle était sur le point de vomir, et dans sa tête, ses veines pulsaient si fort qu'on aurait dit que quelque chose essayait de lui défoncer le crâne pour en sortir.

Pourtant tout cela n'était rien à côté de la réalité dans laquelle elle venait de se réveiller.

Elle était toujours Lindsay, toujours dingue d'Adrian, et en plus, elle était désormais l'une de ces créatures que tous deux abhorraient et pourchassaient : un vampire.

23

Adrian aperçut la fumée plusieurs kilomètres avant d'arriver au lac Navajo. Quand Damien, qui conduisait le Suburban, franchit le portail d'enceinte du camp, ce fut comme s'ils venaient de pénétrer sur une zone de guerre. Tout avait été détruit ou presque. Des feux brûlaient ici et là ; de ce qui avait jadis tenu lieu de bâtiment de stockage des échantillons congelés ne restait plus qu'une immense excavation de cendres et de charbon s'enfonçant de plusieurs mètres dans la terre. Pas une seule vitre n'avait survécu, et des plumes jonchaient le sol, ainsi que des dizaines de corps nus.

Pour la première fois depuis deux jours, une émotion s'insinua à travers l'épaisse brume de chagrin qui avait envahi le cœur et l'esprit d'Adrian.

Il descendit du pick-up et contempla la zone sinistrée, tout en se frottant la poitrine, siège d'une douleur sourde.

— Combien de victimes chez les Sentinelles ? s'enquit-il.

— Cinq, dont Jason.

Autant dire plus de pertes en l'espace d'une heure qu'ils n'en avaient compté en plusieurs siècles, et deux de ses lieutenants perdus dans le même mois.

— Combien de lycans ont été tués ?

— Presque trente, l'informa Damien, blême et défait. Mais il se peut que d'autres aient pris la fuite pour aller succomber ailleurs à leurs blessures. Quelques-uns nous sont restés loyaux, sauf que j'ignore dans quelle mesure ils pourront nous être utiles. Les autres lycans les tueront à la première occasion.

Adrian errait au milieu du campement en ruine. C'était là le pire coup porté à son escadron, et il pourrait bien sonner le glas des Sentinelles en tant que force.

Sans compter que lui-même n'était pas au mieux de sa forme. Tout lui paraissait trouble, comme s'il voyait le monde qui l'entourait à travers un verre sale et craquelé.

Où était Lindsay ? Comment allait-elle ? Avait-elle subi la transformation ? Et dans ce cas, Syre jouissait-il, en cet instant même, du retour de sa fille après tous ces siècles de séparation ?

L'idée de croiser la route de Shadoe à l'intérieur du corps de Lindsay le lacérait comme une lame de rasoir, et pourtant il était conscient que ce jour arriverait bientôt, si la transformation avait abouti comme Syre le prévoyait. Il ignorait comment il parviendrait à survivre à pareille rencontre. Tout ce qu'il pouvait faire, c'était supplier le Créateur de lui épargner cette souffrance.

Il força ses pensées confuses à se reconcentrer sur l'instant présent et la scène d'horreur qui s'étalait sous ses yeux.

— La nouvelle de ce qui vient de se produire s'est-elle propagée aux autres meutes ?

— Pas à toutes, répondit Damien d'un air sinistre. Mais nous n'arrivons plus à joindre celles d'Andover ou de Forest River depuis hier matin.

Adrian retourna au pick-up et ouvrit le coffre rempli d'outils.

— Comme le préconise le protocole, nous allons brûler les corps, puis nettoyer la zone. Nous ne pouvons pas nous permettre de laisser subsister la moindre trace de l'événement, au risque que des curieux trouvent quelque chose.

— Bien, capitaine.

La mention de son rang glaça les sangs d'Adrian.

— Dès que nous serons rentrés à Angels'Point, Oliver et toi, vous vous réunirez pour réfléchir à la marche à suivre. Faites des suggestions concernant la façon dont il conviendrait de procéder ensuite, car d'ici à après-demain, il vous faudra avoir décidé d'un remplaçant pour moi.

— Adrian !

Il sentait le poids du regard de Damien sur lui. Les autres Sentinelles qui les accompagnaient, Malachai et Geoffrey, s'approchèrent aussitôt.

La gorge serrée par le remords, Adrian se tourna vers eux. C'était son devoir de soutenir ses hommes et de leur donner encouragements et motivation quand le moral des troupes était au plus bas. Mais étant lui-même perdu, comment pouvait-il leur être utile ?

— Je suis désolé d'avoir manqué à mes devoirs. J'aurais dû me retirer de la mission dès l'instant où j'ai déchu. Peut-être qu'alors tout ceci aurait pu être évité.

Lindsay, où es-tu ?

— J'ai toujours considéré au contraire que ta faculté à éprouver des sentiments humains était un atout pour nous, intervint Damien.

À ses côtés, Malachai hocha la tête.

Geoffrey, un Séraphin du genre taciturne, haussa les épaules.

— Je mentirais si je prétendais n'avoir jamais trouvé une mortelle attirante.

Ses ailes s'agitaient sans répit, et Adrian prit un long moment avant de se décider à parler.

— Peut-être devrions-nous rappeler tous les Sentinelles à Angels'Point. Tous ensemble, nous serons mieux à même de trouver des réponses et, en tout cas, la force dont nous avons tant besoin.

— C'est en toi que je puise mes forces, capitaine, déclara Malachai avec calme et conviction.

Comment était-ce possible, quand il n'avait plus la moindre force à donner ? Adrian ignorait même s'il subsistait encore des réserves au fond de lui, tant il se sentait abattu.

Lindsay, où es-tu ?

La veine pulsait de vie, envoyant un sang riche en nutriments à travers le corps de la femme de ménage en plein travail.

Lindsay entendait chaque battement de son cœur, aussi clairement que si elle avait un stéthoscope sur les oreilles. Ses canines s'allongèrent et ses papilles s'éveillèrent. Elle serra les poings pour tenter de combattre le besoin croissant de se nourrir.

Non loin de là, Syre était assis sur la causeuse, les coudes posés sur ses cuisses écartées et le front dans les mains. Il avait le visage caché, pourtant Lindsay devinait son regard morne. Il pleurait la perte de sa

414

fille, et sa douleur était palpable dans la chambre d'hôtel.

Debout près du petit réfrigérateur du minibar, Torque avait les yeux rivés sur les sachets de sang vides qu'ils avaient utilisés pendant qu'elle terminait sa transformation. Il l'observait trop attentivement, comme s'il cherchait en elle la sœur qu'il avait perdue, espérant quelque autre miracle.

Quant à Lindsay, assise à la petite table, elle attendait impatiemment que la meurtrière à la crinière rousse fasse son apparition. D'un geste nerveux, elle ne cessait de tripoter son téléphone portable. La lumière rouge qui clignotait au-dessus de l'écran lui indiquait qu'elle avait des messages en attente, d'Adrian et d'Elijah, mais elle n'était pas pressée de les écouter. La faim la tenaillait trop. Comme une junky qui n'aurait pas eu sa dose, elle était tremblante et nauséeuse. Son corps réclamait à grands cris d'être nourri, alors que son estomac se révulsait à l'idée d'ingérer du sang.

— Tout est dans la tête, lui avait dit Torque le matin même. Goûtes-y et tu verras.

Il se montrait gentil et attentionné envers elle, tout comme Syre d'ailleurs, et cependant elle se faisait l'effet d'être un imposteur. Elle éprouvait parmi les vampires un malaise inversement proportionnel au bien-être qui l'avait envahie aux côtés d'Adrian. Ils ignoraient qu'elle avait passé la majeure partie de sa vie à combattre ceux de leur race. Ils ignoraient qu'elle n'avait pas l'intention d'arrêter tant qu'elle n'aurait pas abattu Vashti.

Or, cette exécution marquerait la fin de sa vie, elle en était certaine. Ils la tueraient, et ce serait une bénédiction. Car il n'y avait plus rien pour elle en ce bas monde. Ses parents étaient morts, elle devait sucer du sang pour survivre, et Adrian la haïrait s'il la voyait un jour. Il avait tué Shadoe, la femme qu'il avait aimée de façon obsessionnelle et pour qui il avait déchu, plutôt que de la voir transformée en vampire.

Dehors, le vent gémissait autour de la coursive qui encerclait l'atrium. Sa plainte lui brisait le cœur, car il signifiait qu'Adrian lui aussi était en deuil.

La femme de ménage se hâta de terminer et quitta la suite, aussi vite que si elle avait tous les chiens de l'enfer à ses trousses. Lindsay se demandait comment réagirait cette pauvre femme si elle savait qu'ils l'envisageaient comme leur goûter.

Alors que la porte à battants se refermait lentement, ses pans furent soudain repoussés violemment vers l'intérieur. Vashti entra, perchée sur des bottes à talons d'au moins douze centimètres, fière comme la reine du monde en personne.

Une vague sanguinaire et agressive submergea Lindsay. Les narines dilatées, elle riva les yeux sur la femme qu'elle avait toujours rêvé d'abattre. Ses sens étaient à présent si développés qu'ils menaçaient de lui faire perdre l'esprit, mais elle n'aurait pas l'occasion de les laisser s'aiguiser encore. Car elle serait définitivement hors-service d'ici une trentaine de minutes.

D'un coup de tête, Vashti rejeta ses longs cheveux en arrière et lança un coup d'œil vers Lindsay. Dès que leurs regards se croisèrent, elle s'immobilisa, et son visage afficha un air de résignation désabusée.

— Et merde ! marmonna-t-elle, juste avant que Lindsay se jette sur elle à travers la pièce.

D'un tacle, elle projeta la vampire dans la causeuse, évitant de justesse Syre, qui se leva et s'écarta à la vitesse de la lumière. Le divan se brisa en son centre, et se referma sur elles deux comme un sand-wich. Prisonnière au milieu, Vashti ne pouvait faire grand-chose pour protéger sa jugulaire. Toutes canines dehors, Lindsay mordit profondément. Son poing transperça les coussins de la causeuse, sa main cherchant à tâtons une écharde suffisamment longue et solide dans le sommier du meuble. Vashti se débattait sous elle, gargouillant des chapelets d'insultes.

Les souvenirs de la vampire atteignirent Lindsay avec la puissance des chutes du Niagara – l'histoire de Vashti, que transportait son sang déchu, la force de vie dont les Sentinelles et les Déchus avaient besoin pour survivre.

Lindsay la relâcha si précipitamment qu'elle perdit l'équilibre et se retrouva affalée sur la table basse. D'un revers de la main, elle essuya sa bouche sanguinolente et la pièce se mit à tourbillonner autour d'elle, résultat d'un mélange détonant : le soulagement de sa faim et la surprise de découvrir que Vashti était innocente...

— Ce n'était pas toi !

Elle se prit la tête à deux mains. Le sang battait si fort à ses tempes qu'elle en avait le tournis, désorientée par l'afflux de milliers de souvenirs. La mort de sa mère n'en faisait pas partie.

Vashti se redressa et pressa une main contre sa veine déchirée, d'où le sang coulait dru.

— Tu viens de griller ta deuxième chance, pauvre folle ! La prochaine fois que tu m'attaques, ça te coûtera cher.

— Ouais, c'est ça, grommela Lindsay.

Tout ce qui comptait en cet instant, c'était la dure réalité : elle était revenue au point de départ, à savoir trouver une aiguille dans une meule de foin. Sans oublier que dorénavant, elle devrait pour survivre se nourrir de sang. Voilà qui n'était guère appétissant. Elle était devenue l'un de ces monstres qu'elle chassait, et alors qu'elle traquerait l'assassin de sa mère, elle devrait infliger à d'autres le traitement qu'elle avait subi. Quelle hypocrisie ! Elle en était malade.

— Fais-moi une faveur, veux-tu ? Mets un terme à ma vie de misère.

— Va te faire foutre ! aboya Vashti, et elle lui décocha un coup de pied circulaire à la tête.

Lindsay n'eut pas le temps de voir le sol moquetté se précipiter à sa rencontre.

Adrian jeta le sac de couchage sur son lit et libéra ses ailes. Il les étira, espérant apaiser la tension monstrueuse qui lui tenaillait les épaules. Il se dirigeait vers la salle de bains pour prendre une douche quand il entendit frapper à la porte ouverte de sa chambre.

Il s'immobilisa et se tourna vers Oliver, qui affichait la même expression sombre que les autres visages croisés ces trois derniers jours.

— Oui ?

— J'ai quelque chose pour toi, capitaine.

Le ton particulièrement grave d'Oliver raviva la douloureuse contraction qui crispait l'échine d'Adrian.

— Qu'est-ce que c'est ?

— Il y a des vampires au portail.

Son sang ne fit qu'un tour. Adrian se précipita sur la terrasse et s'envola jusqu'au bout de l'allée, pour atterrir juste devant la barrière de fer forgé. Le corps de garde était vide, toute la propriété ayant été désertée par les lycanthropes. Son approche solitaire était

téméraire, voire inconsciente, elle démontrait surtout le peu de valeur qu'il accordait à sa propre vie.

Une voiture de ville aux vitres teintées attendait sur
la route principale, l'avant déjà dirigé vers le pied de
la colline. Torque était planté de l'autre côté du portail, en compagnie de Raze.

— Où sont passés tes chiens, Adrian ? grogna ce
dernier.

Les lèvres épaisses du vampire se retroussèrent
alors qu'il observait les alentours derrière ses
lunettes noires.

— Je n'ai pas besoin d'eux pour m'expliquer avec
vous.

Torque se redressa.

— J'ai un cadeau pour toi.

Un très mauvais pressentiment glaça la peau
d'Adrian.

— À moins qu'il ne s'agisse de Lindsay Gibson,
rétorqua-t-il néanmoins avec une nonchalance
feinte, je n'en ai rien à foutre.

— C'est bien d'elle qu'il s'agit. Et elle se meurt.

Son pouls reprit vie pour la première fois depuis
des jours. Torque n'aurait jamais amené Shadoe ici.
En revanche, Lindsay, une femme avec qui Syre
n'avait aucun véritable lien... Enfin, il devait s'en
assurer.

— Shadoe ?

Torque secoua la tête.

— Elle est partie. Et Lindsay refuse de se nourrir.
Hormis une bouchée de chair qu'elle a arrachée à
Vashti, elle n'a pas bu une seule goutte. Ses pulsations sont tombées si bas que c'est même un miracle
qu'elle ait survécu jusqu'ici.

Adrian avait franchi le portail et arraché la portière du véhicule avant que Torque ait eu le temps

d'en dire davantage. Lindsay était allongée sur le siège arrière, sa peau habituellement dorée aussi blanche que l'albâtre. De ses ailes déployées, il la protégea aussitôt du soleil, se moquant pas mal de la cible idéale qu'il offrait en tournant le dos aux deux vampires. Elle était immobile, comme morte, et sa poitrine se soulevait à peine.

— Syre te la rend en l'honneur de Shadoe, expliqua calmement Torque. Elle portait l'âme de Shadoe, nous lui devons quelque chose en retour. À toi de t'en occuper, à présent.

Adrian se pencha à l'intérieur de l'habitacle et enveloppa le corps inerte de la couverture sur laquelle ils l'avaient allongée. Puis il la souleva et la serra contre lui, avant de s'envoler par-dessus le portail.

— De rien ! cria Raze dans son dos.

Mais Adrian était déjà loin.

Il l'emmena dans sa chambre et la déposa délicatement sur le lit, provoquant la fermeture des rideaux par la force de sa pensée, afin de protéger son corps du soleil. Lindsay était froide comme le marbre, et tout aussi apathique. Il fit disparaître ses vêtements et se glissa à ses côtés, l'attirant tout contre son corps nu pour lui transmettre sa chaleur. Un violent frisson le traversa au contact de sa peau glacée.

— Lindsay, murmura-t-il en enfouissant les lèvres dans ses cheveux.

Elle sentait merveilleusement bon, et il l'inhala de toutes ses forces, la poitrine serrée par un sanglot. Des larmes baignaient son visage et les cheveux de Lindsay, et le silence de la pièce n'était troublé que par les bruits irréguliers qu'expulsait sa gorge douloureuse.

Il recula, juste assez pour l'examiner. D'une main tremblante, il écarta quelques mèches échappées sur son beau visage. Ses lèvres blêmes étaient légèrement entrouvertes, révélant la pointe d'une minuscule canine. Le cœur d'Adrian se serra un peu plus.

— *Neshama*, ne me quitte pas.

Il lui plongea un doigt dans la bouche et la canine acérée déchira sa chair. Enfonçant plus loin son index sanguinolent, il le lui frotta contre la langue.

— Bois, susurra-t-il. Bois ou tu mourras. Et tu me tueras avec toi.

Il attendit ce qui lui sembla une éternité. Comme elle ne bougeait pas, il retira son doigt et recommença avec un autre, puis il enfonça de nouveau ses deux doigts dans les profondeurs glacées de sa bouche.

Les lèvres de Lindsay frémirent.

— Oui, *neshama sheli*. Bois. Reviens-moi.

Un long gémissement lui échappa, quasi inaudible. Et elle avala péniblement.

— Bois-moi, l'encouragea-t-il. Prends ce dont tu as besoin.

De nouveau, il perçut un léger mouvement dans sa gorge. Les paupières translucides clignèrent, leur peau si fine qu'il voyait au travers le minuscule réseau veineux. Et enfin elles se soulevèrent, révélant les iris ambrés caractéristiques des vampires. Son regard n'était pas focalisé et sa respiration encore bien trop légère.

Il commença à retirer ses doigts, mais elle bougea la langue et tenta de les coincer contre son palais. Comme elle était encore trop faible pour le retenir, il parvint à se libérer et ne put réprimer un sourire quand elle geignit de mécontentement.

Tournant la tête, Adrian passa ses doigts sanglants sur l'artère épaisse de son cou. La bouche de Lindsay suivit son geste aveuglément, grande ouverte comme celle d'un bébé affamé. Il la prit par la nuque et la guida vers lui.

De la langue, elle lécha plusieurs fois sa veine pulsante, la pressa. Ce geste éveilla le désir enfoui d'Adrian. Quand les crocs de Lindsay percèrent sa peau, il sentit instantanément son sexe durcir. Elle l'aspirait en longues goulées, dont chacune envoyait en lui des ondes de désir. Depuis l'endroit où elle mordait jusque dans son corps tout entier. Il la sentit se réchauffer peu à peu et son corps recouvrer des forces avec chaque lampée. Le grognement qu'elle poussa soudain résonna profondément en lui et le flot de sensations qu'il déclencha le fit sursauter.

Lindsay commença à se frotter contre lui, ronronnante, succombant au plaisir sexuel que ressentaient les vampires lorsqu'ils aspiraient du sang. Elle passa une jambe par-dessus la sienne et colla son sexe humide contre sa cuisse.

De plus en plus excité à l'idée des années qui s'ouvraient à eux, à l'éternité qu'il pourrait partager aux côtés de la femme qu'il aimait, il la saisit par les hanches.

— Prends-moi en toi, Lindsay. Chevauche-moi jusqu'à ce que tu jouisses.

Ses crocs le lâchèrent.

— Jusqu'à ce que tu jouisses, toi, souffla-t-elle en l'enjambant.

Délicatement, elle passa la langue sur les deux petites plaies pour les refermer. Puis elle glissa une main entre leurs deux corps et lui enveloppa le sexe de ses doigts désormais chauds, le guidant dans sa fente, pour l'engloutir aussitôt d'un mouvement vif et

habile des hanches. Il se cambra avec un gémissement de plaisir.

— Mon Dieu… Adrian, murmura-t-elle en frottant
sa tempe à la sienne, son souffle chaud au creux de
son oreille. Tu m'as tellement manqué !

Soudain, elle s'immobilisa.

Comme elle ne bougeait plus et ne respirait presque plus non plus, Adrian la releva pour scruter son
regard.

— Lindsay, qu'est-ce qu'il y a ?

Elle se couvrit la bouche d'une main. Ses yeux
ambrés s'assombrissaient sous l'effet du choc et de
l'horreur.

— Adrian ! Oh, Adrian, je suis tellement désolée !

Il lui prit le visage entre ses mains.

— De quoi ?

Elle secoua la tête et ses yeux s'emplirent de larmes
de sang. D'un geste brusque, elle se couvrit la poitrine, visiblement en proie à un accès de honte qu'il
ne pouvait supporter. Son sexe étroit et humide
remonta le long de son membre dur alors qu'elle
s'écartait de lui.

— J'ai changé. Je ne suis plus…

Adrian roula sur le côté et l'attira sous lui.

— Je te veux, Lindsay, plus que jamais.

— Tu ne peux pas…

— Oh, si, je peux. Je te désire de toutes mes forces.

Il lui emprisonna les mains au-dessus de la tête et
écarta plus largement ses cuisses. Il se retira de ses
exquises profondeurs, lentement, leur infligeant à
tous deux la plus délicieuse des tortures. Puis il
replongea en elle, d'un élan, puissant et profond.

Elle haleta, écarquillant ses yeux magnifiques. Des
yeux de vampire, avec l'âme pure et généreuse de
Lindsay brillant à l'intérieur. Des yeux qui le

423

voyaient aussi clairement que lui dans la pénombre de la chambre enveloppée d'épais voilages.

Il se retira, pour mieux replonger.

— Te sentir te nourrir de mon sang m'a excité. Tu sens comme je suis dur ? Comme je bande pour toi ? Tu me rends dingue, Lindsay.

Elle resserra les cuisses autour de ses hanches, l'étreignant voluptueusement.

Bouleversé par l'acceptation que révélait son geste, il ferma les yeux. Le plaisir, la faim insatiable qu'il avait d'elle lui enveloppa l'échine comme du mercure en fusion, et il laissa échapper un grognement. C'était si bon d'être en elle, la sensation le brûlait tout entier, elle lui rendait la vie comme il venait de le faire avec son sang.

— Ce que tu es n'a pas d'importance pour moi. Jamais ça n'en aura. Ce que j'aime, en toi, c'est qui tu es.

Elle enfonça ses doigts dans le dos de ses mains, et la morsure de ses toutes nouvelles griffes, en transperçant la chair, excita un peu plus Adrian. Son sexe durcit et s'allongea encore, l'emplissant de toute son épaisseur. Elle se tordit sous lui. Il était où il devait être. Chez lui. Son âme enfin complète grâce à la proximité de la sienne. Sa Lindsay, si courageuse, si généreuse.

Enivré par la sensation de son corps sous le sien, tout autour de lui, il l'assaillait de coups de boutoir toujours plus profonds. Et il observait les paupières lourdes de Lindsay, ses lèvres pulpeuses entrouvertes par le plaisir. Ses ailes se déployèrent, tremblantes du plaisir torride qui montait.

— Je ne peux pas vivre sans toi, gronda-t-il. Je ne te laisserai pas m'y obliger.

Elle s'arc-bouta à la rencontre de ses hanches. Elle avait repris des forces, son corps luisant de sueur était désormais en mesure de prendre tout ce qu'il avait à lui donner, et d'en demander plus.

— Je t'aime.

Adrian passa les mains sous le dos de Lindsay et la releva en même temps que lui. Il s'assit sur ses talons et l'incita à continuer d'onduler contre lui.

— Baise-moi, Lindsay. Fais-moi jouir.

Elle enveloppa ses bras soyeux autour de son cou et, les genoux de part et d'autre de ses flancs, balançant les hanches, elle entama une fantastique chevauchée, le prenant vite et fort, tout en ondulations fluides et gracieuses.

D'une puissance incroyable, elle l'inondait de plaisir. Le claquement cadencé de ses fesses contre les cuisses d'Adrian était d'un érotisme infini. Il se mordit la lèvre inférieure pour retenir l'assaut de son orgasme. Pas encore… Pas déjà… Que ça dure…

— Ne te retiens pas, gémit-elle. Je t'attends.

Il lui prit la nuque à deux mains et attira sa bouche contre la sienne. Leurs lèvres se scellèrent, leurs souffles haletants se mêlèrent alors qu'ils jouissaient ensemble, tremblant de tout leur corps sous la puissance de l'orgasme. Bouleversés par le lien pur, indéfectible qui les unissait. Sans entraves.

Enfin.

— Elijah aussi ? demanda Lindsay en caressant le torse d'Adrian du bout des doigts. Il est parti avec eux ?

— On n'a pas retrouvé son corps parmi les cadavres, donc je présume que oui.

La nouvelle lui fit mal. Car selon ce qu'il ferait, Elijah pouvait fort bien se retrouver opposé à l'homme qu'elle aimait. Elle songea au message que le lycan

avait laissé sur sa messagerie, juste après le soulève-
ment. Il disait souhaiter la voir, et lui demandait son
aide. Et parce qu'elle était son amie, elle voulait la lui
donner. Du coup, elle se sentait écartelée, redevable
aux uns comme aux autres qui, à un moment donné,
lui avaient sauvé la vie.

— Qu'allons-nous faire ?

Tournant la tête, Adrian posa les lèvres sur son
front.

— D'abord on récupère, puis on fait le point.
Ensuite on évaluera les dégâts et on commencera à
tout reconstruire.

— Mais il ne reste plus grand monde.

— On y arrivera.

Il en avait l'air vraiment persuadé.

— À quel point fais-tu confiance à tes Sentinelles ?

— Je leur confierais ma vie sans problème.

Elle soupira bruyamment.

— Celui qui m'a kidnappée à Angels'Point pour me
conduire à Syre…

— Oui ?

— Il avait des ailes.

L'information fit sursauter Adrian.

— Je suis désolée, dit-elle en tentant de le calmer
par de douces caresses sur le torse. Je n'ai pas eu le
temps de voir de qui il s'agissait. J'ai été assommée
par-derrière, on m'a fait un genre de prise dans le
cou.

Il resta silencieux un long moment, mais son agitation se manifestait dans le vent qui soudain hurlait
autour de la maison.

— Tu caches bien tes émotions, remarqua-t-elle
calmement. Mais les éléments te trahissent.

Il baissa sur elle des yeux écarquillés par la
surprise.

— Comment sais-tu cela ?

— Je sens les éléments en toi, je suis branchée sur ce genre de trucs. Je ressens les émotions à travers le vent, un peu comme s'il me parlait. Avant, il me mettait aussi en garde contre les non-humains, mais désormais je sens les différences toute seule. Apparemment, ce fameux radar météo m'appartenait bien, ça n'avait rien à voir avec les capacités de Shadoe.

La bouche d'Adrian dessina l'un de ses rares vrais sourires.

— Quoi ?

Elle était éblouie par ce sourire, et curieuse de ce qui l'avait provoqué.

— Nous avons prié pour recevoir un signe, n'importe lequel, nous indiquant que le Créateur voulait bien m'absoudre de ma faute, me pardonner d'être tombé amoureux. Quand les éléments ont commencé à répondre à mes humeurs, j'ai cru que c'était pour me rappeler mes faiblesses. Alors qu'au fond, peut-être était-ce tout simplement le signe que j'avais tant appelé de mes vœux. Un cadeau pour me ramener à toi.

— C'est magnifique.

— Et plein d'espoir, ce dont j'ai bien besoin en ce moment. Comme nous tous, d'ailleurs.

Elle le serra dans ses bras.

— Quand j'étais plus jeune, je croyais que mon sixième sens faisait de moi une sorte de monstre.

— Non, ça fait de toi ma moitié.

Ils restèrent allongés un moment en silence. Les battements réguliers du cœur d'Adrian, sa chaleur, berçaient Lindsay, qui sombrait dans une douce torpeur, son corps collé au sien.

— Est-ce qu'elle te manque ? lui demanda-t-elle au bout d'un moment.

Elle sentit son torse se gonfler d'un profond soupir. Il ne fit pas semblant de ne pas avoir compris et répondit franchement :

— Je devrais, je lui dois au moins ça, mais ça fait si longtemps… et j'ai tant besoin de toi. J'ai du mal à penser à quelqu'un d'autre qu'à toi. Il est vrai, pour être tout à fait honnête, que je n'essaie pas beaucoup. J'adore ne voir que toi.

— Tu sais, ça ne me dérange pas si tu penses à elle. Je lui ai dit que je ne t'en voudrais pas si c'était le cas.

— Tu lui as parlé ?

Lindsay plaqua les mains sur les muscles durs qui quadrillaient son abdomen. Puis elle posa le menton dessus.

— Elle allait te garder. Contre une pro comme elle, habituée à gérer toutes ces vies passées et tous ces souvenirs, je ne faisais pas le poids. J'ai bien failli m'y noyer. J'ai dû me battre pour toi.

Ses yeux bleus s'enflammèrent sous l'effet de l'émotion.

— Tu as fait ça ?

— Je sais ce que tu penses ; après tant de fois où je t'ai repoussé, j'ai fini par me rendre compte que je ne pouvais pas vivre – ni mourir, d'ailleurs – sans toi. Alors je l'ai avertie que si elle te gardait, je conserverais toujours une partie de toi et qu'elle devrait partager. Apparemment, elle a décidé qu'elle préférait te voir avec moi et que tu penses à elle, plutôt que d'être avec toi pendant que tu penserais à moi.

Le sourire d'Adrian la fit frissonner des pieds à la tête.

— C'est tout à fait son genre, ça.

— N'empêche, je lui suis reconnaissante, admit Lindsay. Shadoe a abandonné son âme pour que je puisse garder la mienne.

— Pour ça, je l'aimerai toujours. Mais c'est toi qui as mon cœur et mon âme.

— Je sais.

Après de longues secondes, il exhala bruyamment.

— Peut-être que... que cette expérience a été bénéfique pour elle aussi. Shadoe n'était pas une personne mauvaise, mais pas non plus du style à sacrifier ses désirs pour le bien d'autrui.

— Tu crois qu'elle a gagné en maturité, à travers ses innombrables vies ?

— J'aimerais le croire, oui. Pour son bien.

Lindsay suivit le mouvement de ses doigts, le long de la ligne de poils noirs qui partageait les abdominaux de son magnifique amant et conduisait vers les délices de sa virilité. Après tout ce qu'il avait traversé et tous ceux qu'il avait perdus, il trouvait encore le courage de chercher le bon côté des choses. Elle l'aimait pour ça, et pour bien d'autres raisons encore.

— Je lui ai promis que je prendrais tout ce qui me serait offert, en ce qui te concerne.

D'un mouvement habile, il l'emprisonna sous lui. Ainsi encadré par ses ailes déployées, il était d'une incroyable beauté. Ténébreuse. À couper le souffle.

— Dans ce cas, tu ferais bien de te préparer à me prendre, moi, tout entier, fit-il.

— Oui, *neshama*, répondit-elle en nouant les bras autour de son cou. Tout entier. Toujours.

24

— Comme je le craignais, annonça Damien, nous avons perdu les meutes de Forest River et d'Andover. Les autres sont sous contrôle pour l'instant, mais si on est attaqués de l'extérieur en même temps que l'on combat une mutinerie de l'intérieur, il y aura encore des pertes.

Debout sur la terrasse qui entourait la propriété, Adrian regardait ses Sentinelles entretenir leurs ailes en effectuant leur vol matinal au-dessus de lui. Les lueurs du soleil levant, mélange de rose et de gris, laissaient place peu à peu au bleu poudré du ciel.

— Il nous faut trouver le moyen d'être plus efficaces, voilà tout. En attendant, la maladie se propage à la vitesse d'un feu de forêt parmi les cohortes de vampires. Peut-être qu'il nous suffit après tout de ne rien faire et de les laisser s'éteindre. Je ne compte pas là-dessus, mais ça reste une éventualité.

— Tu as l'air mieux, aujourd'hui, remarqua Damien.

— Je me sens plus fort, acquiesça-t-il. Plus heureux. Prêt à en découdre avec le monde entier.

— C'est l'homme sexuellement comblé qui parle.

Adrian se retourna au son de la voix de Lindsay et la découvrit à quelques mètres de lui. Elle leva les bras au-dessus de sa tête et se haussa sur la pointe des pieds pour étirer tout en souplesse son adorable corps. Le spectacle n'avait rien pour lui déplaire.

Elle reprit une position normale et plissa le nez à l'intention de Damien.

— Désolée ! Je ne veux pas paraître irrespectueuse ou désinvolte par rapport aux règles, mais enfin, c'est exactement le genre de choses que dit un mec le lendemain matin, quand il n'a pas laissé sa petite amie dormir de la nuit.

Le lendemain matin…

Adrian leva les yeux vers le soleil, puis les baissa de nouveau sur Damien, dont la bouche était légèrement entrouverte. Lindsay ne semblait pas se rendre compte qu'elle était en plein soleil.

— J'aimerais reprendre l'entraînement, poursuivit-elle, toujours inconsciente de la surprise qu'elle créait. J'en aurai besoin, si je veux pouvoir protéger vos arrières tout en reprenant ma quête de la garce qui a tué ma mère. Je n'ai pas l'intention d'arrêter de chasser ces enfoirés de vampires tant qu'ils n'auront pas payé. Et puis, je veux être certaine de ce qui est arrivé à mon père. S'il y a anguille sous roche, ce sera le même tarif. Et si c'était vraiment un accident, je veux également le savoir.

— Tout ce que tu voudras, *neshama*, l'assura Adrian en cachant de son mieux son étonnement.

Damien se pencha vers lui.

— Elle devrait être en flammes, à ce niveau de luminosité, lui fit-il remarquer à voix basse. Comment se peut-il que ce ne soit pas le cas ?

Adrian s'assit sur la rampe et regarda Lindsay entamer ses rituels mouvements de gymnastique, inconsciente de cette grâce naturelle qui la rendait si sexy.

— Je n'en sais rien, mais je soupçonne mon sang d'y être pour quelque chose. Un peu comme le sang des Déchus, qui procure une immunisation temporaire.

— Ce n'est pas la première fois que des vampires mordent des Sentinelles, objecta Damien, mais pour autant, ils n'ont pas fait après du yoga sur une terrasse découverte.

— Lindsay est la seule à avoir bu exclusivement du sang de Sentinelle après avoir été transformée par l'un des Déchus. Chaque cellule de son corps est nourrie d'un sang qui la protège. Aussi longtemps qu'elle continuera de boire à ma source, elle en conservera peut-être les bénéfices.

— Un mignon doté des capacités des Déchus... (Damien porta une main à son front, comme s'il souffrait soudain d'une terrible migraine.) Si le sang d'un Sentinelle guérit la maladie des vampires et immunise ceux qui sont sains... et que d'autres l'apprennent...

— ... nous serions pourchassés jusqu'à extinction totale. Je sais.

— Sans les lycans, nous sommes des cibles faciles.

— Siobhàn pratique des analyses pour savoir si le sang lycanthrope pourrait offrir une alternative. Car enfin, c'étaient aussi des Séraphins, avant.

Damien garda un instant le silence.

— Je vais prier pour qu'un miracle se produise.

Adrian posa une main sur la rampe et leva son visage vers le soleil. Une brise matinale caressa ses plumes, douce salutation du nouveau jour.

— Prie pour nous tous. Nous en aurons bien besoin.

Glossaire

Transformation : processus subi par un mortel pour devenir vampire.

Déchus : terme utilisé pour désigner les Veilleurs après leur disgrâce. Privés de leurs ailes et de leur âme, ce ne sont plus que des buveurs de sang, immortels et incapables de procréer.

Lycanthropes : sous-groupe des Déchus, ayant réchappé au statut de vampires pour avoir accepté de servir les Sentinelles. On leur a transfusé du sang de démon, ce qui a préservé leur âme mais les a rendus mortels. Ils peuvent changer de forme et procréer.

Mignon : mortel qui a été transformé en vampire par un Déchu. La plupart des mortels tolèrent mal le processus et deviennent enragés. Contrairement aux Déchus, les mignons supportent la lumière du jour.

Néphel : singulier de Néphilim

Néphilim ou **Néfilim** : enfants d'une mortelle et d'un Veilleur. Leurs habitudes de buveurs de sang ont inspiré et provoqué la punition vampirique des Déchus.

(« Alors ils se retournèrent contre les hommes eux-mêmes, afin de les dévorer. » Énoch 7-13)

(« Et le deuil. Ils ne boiront ni ne mangeront, invisibles à tous les regards, ils s'insurgeront encore entre les hommes et les femmes : parce qu'ils ont reçu la vie dans les jours de destruction et de carnage. » Énoch 15-10)

Sentinelles : unité spéciale d'élite de l'ordre des Séraphins, dont la tâche est de faire appliquer la punition des Vigilants.

Séraphin : rang le plus élevé dans la hiérarchie des anges.

Vampires : terme qui comprend à la fois les Déchus et leurs mignons.

Veilleurs : anges Séraphins envoyés sur terre aux débuts des temps pour observer les mortels. Au nombre de deux cents, ils violèrent la loi en s'éprenant des mortels et furent condamnés à passer l'éternité sur terre en qualité de vampires, sans aucun espoir de pardon.

Sylvia Day

En tête de liste du *New York Times*, Sylvia Day est l'auteure best-seller, de renommée internationale, d'une vingtaine de romans primés, vendus dans plus de quarante pays. Numéro un dans vingt-trois pays, ses livres ont été imprimés à des dizaines de millions d'exemplaires. La société Lionsgate a acheté les droits télévisés de la série *Crossfire*.

Rendez-lui visite sur son site : www.sylviaday.com, sa page Facebook : Facebook.com/AuthorSylviaDay et sur son compte Twitter : @SylDay

AVENTURES & PASSIONS

Zoë Archer
Les justiciers - 1 - Un désir de vengeance
Inédit

Ancien gamin des rues, ancien voleur, ancien boxeur, Jack Dalton croupit depuis plus de cinq ans dans la prison de Dunmoor. Lorsq'il apprend que lord Rockley, l'assassin de sa sœur, se trouve dans une auberge du coin. Il va s'évader et se venger. Arrivé sur le lieu du rendez-vous, deux hommes l'attendent et une jolie blonde pointe un pistolet sur lui.

✦

Lisa Kleypas
La famille Vallerand - 2 - Le capitaine Griffin
Inédit

Le bateau qui conduit Célia Vallerand à La Nouvelle-Orléans est attaqué par des boucaniers. Dans l'embuscade, son mari est tué. Captive, la jeune veuve est rachetée par le mystérieux capitaine Griffin. Dominateur et cynique, il prend ce qu'il veut quand il le veut. Révoltée par sa brutalité, Célia ne peut cependant lutter contre la passion qu'il éveille en elle.

✦

Julie Garwood
Le voile et la vertu

Seul un mariage avec un Anglais peut sauver la princesse Alexandra. Son tuteur, le marquis de Cainewood, observe les débuts de sa ravissante pupille dans le monde. Elle est une proie rêvée pour les coureurs de dots. De plus, des rumeurs courent sur la disparition mystérieuse de jeunes héritières. Le meilleur moyen de la protéger serait de l'épouser. Mais est-il prêt à sacrifier sa liberté ?

Eloisa James
Les sœurs Essex - 1 - Le destin des quatre sœurs

Être le tuteur de quatre belles jeunes filles est une lourde tâche pour le duc de Holbrook. Ce n'est pas tout de les recueillir, il va falloir les marier. Malgré sa bonne volonté, le duc est dépassé. Aussi la raisonnable Tess Essex décide-t-elle de se dévouer. N'est-elle pas l'aînée ? Mais qui épouser ? le très sérieux comte de Mayne ou le sulfureux Lucius Felton ?

✦

Monica Burns
Kismet
Inédit

1893. Shaheen vit au milieu d'une tribu bédouine qui l'a adopté et il est devenu le garde du fils du chef de la tribu. Volontairement, il a oublié son passé, son pays, son titre. Par hasard, il va rencontrer une autre Britannique en visite au Maroc, elle aussi hantée par de sombres souvenirs. Aucun des deux n'y croit, mais rapidement ils vont développer une relation complexe et passionnée.

Mary Balogh
La saga des Bedwyn - 6 - Le mystérieux duc de Bewcastle
Inédit

Qui va conquérir le cœur du mystérieux duc de Bewcastle, cet homme fier, dédaigneux, insensible, qui n'a qu'un intérêt dans la vie : sa famille et son rang. Bien sûr, il a une maîtresse, mais à la mort de celle-ci il ne voit qu'une solution : trouver une nouvelle maîtresse aussi discrète que Rose. Mais qui ? Peut-être cette jeune veuve pleine de vie et qui ose se moquer de lui ?

◆

Monica McCarthy
Les chevaliers des Highlands - 7 - Le chasseur
Inédit

1300, Écosse. Excellent pisteur, Ewen Lamont dit le Chasseur doit retrouver un courrier qui a disparu lors d'une mission secrète. Sa cible n'est pas banale, il s'agit de sœur Genna, religieuse ravissante et rebelle avec laquelle il a échangé un baiser resté gravé dans sa mémoire. Dès lors, lutter contre les charmes de la belle pourrait être le combat le plus difficile d'Ewen.

◆

Johanna Lindsey
En proie à la passion

Tristan de Thorpe doit concrétiser son mariage avec l'aînée des filles du baron Cristin. Mais Tristan a gardé un souvenir cuisant de sa future épouse alors âgée de six ans. Une furie qui, comme il le constate, s'est transformée en une véritable mégère. Dommage qu'on ne lui ait pas promis l'autre fille, une véritable beauté !

Mary Balogh
Les trois princes - 1 - Puritaine et catin

Jeune veuve et sans le sou, Anna Wren décide de travailler. Or le comte de Swartingham cherche de toute urgence une secrétaire. Engagée, Anna apprend à apprivoiser le maître de Ravenhill Abbey, homme disgracieux, autoritaire, colérique, bourru. Pourtant, Anna ne peut nier l'attirance qui grandit entre eux et qui va les emporter dans une passion que la société de l'époque réprouve.

✦

Kris Kennedy
Le valeureux guerrier

1152. L'Angleterre est ébranlée par de violentes guerres civiles qui opposent le roi Henri III et le roi Stephen. Une nuit, Gwen de l'Ami, la jeune comtesse d'Everoot, rencontre Griffyn Sauvage, ténébreux guerrier. Elle est d'emblée séduite, mais Griffyn n'a qu'une idée : récupérer les terres qui lui ont autrefois été volées et dont la jeune fille est désormais l'héritière.

PROMESSES

5 novembre

Roxanne St. Claire
Barefoot Bay - 1 - Pieds nus dans le sable
Inédit

Un ouragan a anéanti la maison où vivaient Lacey Armstrong et sa fille Ashley, sur la plage de Barefoot Bay. Qu'à cela ne tienne, Lacey décide de tout reconstruire et de réaliser son rêve de toujours, ouvrir une maison d'hôtes.
Clay Walker, architecte comme son père, a besoin d'un projet pour lancer sa carrière et prouver à celui-ci ses propres compétences. Quand Clay propose à Lacey de l'aider gracieusement, a-t-il idée du bouleversement que cela va entraîner dans leurs vies ?

19 novembre

Tracy Brogan
Douces folies
Inédit

S'il y a bien une chose que sait faire Sadie, c'est mettre de l'ordre. Aussi, lorsqu'elle constate que sa vie n'est plus qu'un vaste capharnaüm, elle se dit qu'un petit séjour chez son excentrique tante Dody, au bord du lac Michigan, lui fera le plus grand bien. Elle va recharger ses batteries et panser les plaies laissées par son ex-mari infidèle. Loin des hommes. Tous autant qu'ils sont. Tous ? Calamité. Dody s'est mis en tête de jouer les entremetteuses et de la marier avec son voisin. Or, Desmond est le pire cauchemar de Sadie. Il est beau, grand, bronzé et musclé. Et en plus, il s'entend à merveille avec ses enfants.
Il a forcément un défaut.

*P*assion *intense*

---------- **5 novembre** ----------

Erin McCarthy
Bouche à bouche

Laura a rendez-vous avec un homme rencontré sur Internet. Il est là, en effet. C'est bien celui qu'elle a vu en photo. Il s'appelle bien Russ Evans et il est bien flic à Cleveland. Pourtant ce n'est pas avec lui qu'elle échangeait, mais avec un escroc qui usurpait son identité. Laura est terriblement déçue. Et même si le vrai Russ Evans ne s'intéresse pas à elle, Laura compte bien mettre un peu de piment dans sa vie...

CRÉPUSCULE

----------**19 novembre**----------

Michele Bardsley
Bienvenue à Nevermore - 2 - Sombre sacrifice
Inédit

Cela fait plusieurs nuits que le shérif Taylor Mooreland est tourmenté par la vision d'une femme à l'agonie. Aussi, quelle n'est pas sa surprise de découvrir la belle inconnue de ses cauchemars enchaînée à un autel en plein milieu des bois, offerte en sacrifice. Bouleversé par ce spectacle, Taylor se jure de protéger la mystérieuse Lenore, et ce, même s'il lui faudra déjouer la magie la plus noire qui soit...

--------- **5 novembre** ---------

Allison Brennan
Poursuite fatale

Enfant, Olivia St. Martin a vécu l'enlèvement et le meurtre de sa sœur. Trente ans plus tard, la nouvelle tombe : Brian Harrison Hall, blanchi par une analyse d'ADN, va être libéré. Ce qui signifie que le vrai criminel court depuis des années... Usant de son poste au FBI, Olivia reprend discrètement l'enquête, aidée de l'inspecteur Zack Travis. Zack aussi s'est juré de démasquer le tueur car, comme Olivia, il dissimule de vieilles blessures...

--------- **19 novembre** ---------

Julie Ann Walker
Forces d'élite - 2 - Au prochain virage
Inédit

Becky Reichert ne va jamais au-devant des ennuis, c'est eux qui viennent à elle. Comme le jour où Frank Knight lui a demandé s'il pouvait utiliser sa boutique de motos comme couverture, afin de dissimuler Black Knight Inc, son agence secrète de forces d'élite. Un projet que Becky s'était vue accepter, sans doute grâce à son petit audacieux. Sauf que, trois ans plus tard, prise en otage, Becky regrette amèrement sa décision et se surprend à espérer l'aide de l'ex-SEAL...

10888

Composition
FACOMPO

Achevé d'imprimer en Italie
par GRAFICA VENETA
Le 8 septembre 2014.

Dépôt légal : septembre 2014.
EAN 9782290094181
L21EPSN001295N001

ÉDITIONS J'AI LU
87, quai Panhard-et-Levassor, 75013 Paris

Diffusion France et étranger : Flammarion